国家の行方《ゆくえ》

西尾幹二

産經新聞出版

問われているのは日本人の意志

日米安保不公平論

日本で初めて開かれたG20大阪会議（G20大阪サミット、二〇一九年六月二十八日〜二十九日）へ向けて旅立つ直前に、ドナルド・トランプ米大統領は、日米安全保障条約のよく知られた片務性について「不公平だ」と不満を表明した。日本が攻撃を受けたらアメリカはただちに参戦し、たとえ第三次世界大戦を引き起こすことになるとしても戦わなければならない。それに反し、アメリカが攻撃を受けた場合に日本は戦わなくてもよく、ソニーのテレビで戦争を眺めていればいいのだ、これは不公平だ、と彼らしい独特の言い回しで批判を述べた。率直かつストレートな表明で、語られた内容に疑問の余地はない。

ところがこの明白な問い掛けに、正直に応答した例は日本のテレビにも新聞にも現れなかった。わが国は経済的代償を支払っている。国土を軍事基地として提供し、むしろ求められる以上に貢献している。大統領は知らないだけだ。日本政府は正確なデータを彼に説明し、日本が精一杯対応していることを予《あらかじ》め耳に入れておくべきだ、などというような発言でさえ二、三見聞きした程度で、それ以上は口ごもる日本人が多かった。恐らく後ろめたさがあるせいだろう、政府も言論人も言葉を濁している。

その少し前にトランプ大統領は米無人偵察機がイランに撃墜されたことへの報復として、ミサイルを撃ち込む計画を承認したものの、発射直前に中止命令を出したことをツイッターで公表した。イラン側に百五十名の犠牲者が予想されると軍当局から知らされて、思いとどまったと彼は正直に語った。近づく大統領選挙への思惑が彼のすべての発言の背後にある、などとわけ知り顔に言うメディア関係者は多いが、彼の大胆さと慎重さの兼ね合いは必ずしも単なるパフォーマンスではない。

右の慎重さは、日米安保条約への疑問が人命の犠牲を第一に念頭に置いていたことの表れだとも言えるだろう。不公平との批判は端的にこのことを指している。日本の青年は安全地帯にいて、アメリカの青年は血を流してもよい、という前提に立ついっさいの議論はもう通らないだろう、と日本側でもすでに十分に承知されている論点である。

大統領は安倍晋三首相に再三再四にわたり「安保不公平論」について語っていたと伝えられる。けれども今までも、そして今度も、日本側では誰ひとり提起された問題を本気で取り上げようとはしなかった。三日間くらい風にさらして後は蓋《ふた》をする。今度もそうなりそうである。

安倍首相は憲法改正議論を国会の内外で広く推進しようと口先で言ってはいるが、どうも本気ではなさそうだ、と見破られている。トランプ氏の発言を好機と捉え、国民的規模の改正論議につなげていこう、という気概はまったくみられない。

さて、そうなると次に起こること、あるいは現に起こりつつあることはいったい何か。アメリカ側が日米安保を破棄する考えは今のところない、とトランプ氏はわざわざG20後の記者会見で付言している。しかし現実に破棄するのと同じことが現に起こっているのではないだろうか。また現実に破棄するときには対日通告のかたちで、あっという間に行われるだろう。

過去一年以上にわたり北朝鮮の核開発が進展する中で、アメリカが太平洋に艦隊を派遣するまでしたお陰で、バラク・オバマ前大統領の時代と違って、私たちは安全へのアメリカの庇護をずっと身近に感じるようになっている。あまつさえ金正恩氏をツイッターで誘い出してG20大阪会議の直後にトランプ氏が単身板門店に乗り込み、会談するという破天荒な行動力——今後どういう結果を生むかはもちろん未知数ではあるが——は、動きのない国際政局をひとりの人間の力で動かすことができるという可能性にかすかな期待を持たせる歴史的記録だったといってもいい。オバマ前大統領は核廃絶などと口先で綺麗ごとを言ったものの、拡大する中国の野望を見て見ぬふりをして妥協を重ね、同盟国を敵視する政策を繰り返した。かくてサウジアラビア、トルコ、日本等を不安がらせ、ドイツ、韓国、フィリピン等を中国側に走らせた。トランプ氏はさしあたりその尻ぬぐいをしなければならなかった。

トランプ氏は一種の革命家であるように思える。「上からの革命家」といってもいい。偽善とグローバリズムに蔽《おお》われたアメリカ国民の価値観をひっくり返そうとしている。しかも最初に立てた原則を変えない比類ない実行家でもある。やると言い出したらあくまでやり通す蛮勇ともいうべき意志の持ち主であることには、われわれも目を見張る。「日米安保不公平論」は、そのような彼が大統領に選ばれる前から言い続けていた原則の一つであった。彼が大統領に再選されるかどうかは分からないが、この事実を今われわれはしっかり記憶に留めておく必要があると思う。

板門店での金正恩氏との会談で、ツイッターの誘いは一種の賭けであった、もしもうまく行かなかったら、自分はヘマを演じた失敗者としてメディアから一斉に叩かれただろう、だからこの点で金氏に感謝する、と笑いながら語った。プーチンと習近平も顔負けの大胆不敵さである。しかも正直である。日本のメディアはここにも裏がある、トリックがあるに違いない、などとまた不正直な反応を披瀝《ひれき》するに相違ない。

たった一度の敗戦で

トランプ氏は日本人の良識、尺度、平均的政治感覚とはおよそ何から何までかけ離れたスケールの野性的腕力の持ち主である。そのような彼が、大阪に旅立つ直前にわざわざ「日米安保不公平論」を釘を刺すように公言したのは小さな出来事だろうか。彼の心の中ではすでに安保条約は破棄されている証拠と見ていい。日本のことは知らないよ、と彼は言っているのだ。日本人は勝手にやれ、とも言っているのだ。事実そのように彼は政治行動を展開している。

周知の通り、大陸間弾道弾（ＩＣＢＭ）まがいの実験ミサイルがアメリカ大陸に着弾する可能性があると分かって、まずは最初に彼がやったことは、威嚇艦隊を極東海域に集結させることだった。しかしその前に、とうの昔、日本列島は北の実験ミサイルの射程範囲に入っている。トランプ氏はアメリカが危うくなるレッドラインを越えたら容赦しないと威嚇した。しかし日本列島はずっと前からレッドラインを越えていた。それでもアメリカは責任を果たそうとはしなかったし、今もしていない。この段階で日本は核不拡散条約（ＮＰＴ）を脱退する権利を得ていたはずなのだ。国際社会へ向けたブラフとしてそう公言しても良かったのである。

しかし誰一人このことを課題として考えないし、考えようともしない。安保条約はすでに事実上破棄されているに等しいと言い換えてもいい。トランプ氏はいざとなったらこの現実をあっさり、日本政府と相談もせずに、再確認するだけだろう。

彼が大阪会議の前にひとこと日米安保について、日本人よ、今こそ本気で考えよ、と言ってくれたのは、親切心の表れであって、脅しでも何でもない。それなのに日本人は今度も反応しない。居眠りをし続けている。

専守防衛だなどとまだ言っている。お粗末な政権与党である。自民党が率先して自閉怠惰の代弁人を務めている。ある私の友人はこの状況を日本国民の〝民度の低さ〟と表現した。なるほど、こういうときにも〝民度〟という言葉が使えるのか、と私は言葉をもてあそぶように考え続けてみた。

私自身はこの状況は江戸時代の〝鎖国〟の再来ではないかと考えてもみた。『海国兵談』の林《はやし》子平《しへい》が今の侭《まま》では日本は危うい、江戸の水はオランダにつながっているのだと訴えたが、老中松平定信をはじめ幕閣は当時まだ聞く耳を持たなかった。かくて幕末の政変は嵐のように列島を襲った。いよいよになるまで目が覚めない。眠ったままなのか、眠ったふりをしているのか、よく分からないが、仮睡《うたたね》は日本人の習性なのだろうか。

一番いけないのは「真正保守」を看板に最前線に立つ安倍総理がどっちを向いているのかよく分からないことである。G20大阪会議を司会者としてうまく取りまとめたと評価されてしかるべきなのかもしれないが、しかし口を開けば、各国同士の「対立点」をではなく「一致点」を見出し「ウィンウィンの関係を導く」などと同じキャッチフレーズを繰り返し、並みいる世界のお歴々がよくもこんな〝学級民主主義〟めいた台詞を黙って聞いていてくれたものだと、むしろ私は申し訳ないと思う気持ちが募るほど、安倍総理の政治的発語は単調で、中身がなかったと見ている。

しかしこれはいつもの通りである。

かくて私は、自由民主党の右側にかつての民社党のように筋の通った批判勢力が結集されなければこの国は救われないだろう、とほぞを噬《か》む思いで溜息を漏らしつつ事態の動きを深刻に見つづけているのである。

たった一度の敗戦が戦争を知らない次の世代の生きんとする本能をまで狂わせてしまった、というのが実態かもしれない。何としても生きなければならない、という自己保存の本能が消えてしまったとは思いたくないが、今日本はほとんど丸裸で、ミサイルを向けられると学校の子供たちが机の下に隠れるようにと防空訓練を発令する軍事的幼稚さ、非現実的内閣府通達が正気で出されたつい一年ほど前の出来事をうそ寒いことと痛感している。

先手を打つ敵基地攻撃以外に、ミサイルから身を守る方法はないのである。たった一度の敗戦で立ち竦《すく》んでしまうほど日本民族は生命力の希薄な国民だったのだろうか。

十五年前に出した答え

「一つの有機体が衰微するときには、変化は内からも外からも忍び寄る。リンゴの芯《しん》も、腐る頃には、外皮もしなび、ひきつっている。国家も有機体である。内はシーンと静まり返って、死んだように動かない。そうなると、外から近づくものの気配にも気づかない。」

これは平成十五（二〇〇三）年八月二十六日に産経新聞のコラム「正論」欄に私が「身近な危機に意志示せぬ国は亡びる　6カ国協議の舞台裏を見定めよ」（編集註／本書では「軍事意志を示せない国　六カ国協議の焦点は日本」と改題）という題で綴った拙文の、当時のわが国を描写した冒頭の部分である。

小泉純一郎首相（当時）の訪朝は初回が二〇〇二年九月、再訪朝が二〇〇四年五月であった。このコラムは二つの出来事のちょうど中間に書かれた。小泉訪朝で国の内外は当時騒然とはしていたが、私の目には自分の意志、生きている証拠を片鱗も示せないわが国の現実は、哀しいかな腐りかけたリンゴにも似たものに見えたのである。

本書は、同じ産経新聞のコラム「正論」欄に私が書きためた短文、一篇約二千字程度の文章をまとめて一冊にした本である。もちろん右に取り上げた二〇〇三年の一文もこの中に含まれている。

本書に集められたコラムは昭和六十（一九八五）年五月から書き始まって平成三十一（二〇一九）年三月までで百篇以上出揃った。産経新聞出版の編集長の瀬尾友子さんが頃合いも良いと見計らって、約百篇を内容別にではなく、時間順に並べて刊行することに決した（編集註／昭和の論考は七章に構成）。先に取り上げた「身近な危機に意志示せぬ国は亡びる　6カ国協議の舞台裏を見定めよ」は「いざというとき軍事意志の片鱗も示せない国」と改題して、私の単行本『日本がアメリカから見捨てられる日』（徳間書店、二〇〇四年八月）の中にも収められている。その日から現在までにすでに十五年以上が経過している。ついにトランプ大統領の先述の日米安保に対する露骨な憤懣の言葉が表面化するに至ったわけだが、日本側の対応には何の変化もみられない。

約十五年前の同コラムの中の目ぼしい表現をあらためて拾ってここに再現してみると、小泉首相の無策ぶりに対し、例えば次のような言葉遣いが認められる。

「北朝鮮という身近な危機になると無力をさらけ出すのは分かっていたが、集団的自衛権を宣言するとか、非核三原則の一部手直しを図るとか、トマホークの買い入れ交渉をするとか、首相が相次いで打つべき手はいくらもあるのに、全身麻酔でも打たれたように動けない。憲法は理由にならない。」

「東アジア政策にアメリカが慎重になっているのは事実だが、またしても日本を頼りにできないという失望感が政策をきめる重要な要因になっていることを、小泉首相はどこまで気がついているか。アメリカが頼りとするのはこのままいけば中国であって、日本にはならない。」（当時は米中対立の時代ではなかった。）

「六カ国協議の焦点は北朝鮮ではなく、じつは日本である。表面には出ないが、日本の核武装を阻止し、米中の許容範囲の中でどの程度まで政治大国日本を泳がせるのか。」

「軍事力を欠いた政治大国というのは歴史上あり得ない。しかし日本の国内世論は、中国が希望する経済と政治にだけ関与した平和国家日本のイメージを歓迎している。アメリカは九・一一同時多発テロ以来、対中敵視政策の優先順位を下げた。拉致だけ騒いで、核に責任分担できないいつもの日本にはもう飽きている。」

「『自民党をぶっ壊す』と叫んだ首相にアメリカは一大変化を期待した。ところが無変化は経済だけではない。首相が自ら決断ひとつすれば片《かた》がつく集団的自衛権の問題は店《たな》ざらしのままである。」

「北は核を捨てても、生物化学兵器と特殊テロ工作員潜入で日本を威嚇し続けることができる。そういう国に日本が巨額経済援助をすることが米中露の合意意志とならないともかぎらない。戦争さえなければ何でもありが許される『奴隷の平和』に慣れてしまったこの国の国民の、シーンと静まり返った無意志、無関心、無気力状態は、外から忍び寄る変化の影にも気がつかない。

その結果は予想もつかない地球上におけるこの国の位置の変動を引き起こすだろう。一口でいえば『日本の香港化』という帰結を。」

「核だけ抜いて北朝鮮を維持し、日本を平和中立国家のまま北と対立させておくのは中露韓の利益に適《かな》い、日本自らがそれでよいなら、アメリカも『どうぞお好きに』となるだろう。」「今が転換点である。自ら軍事意志を示せない国は、生きる意志を示せない国でもある。」

G20大阪会議の直前に発せられたトランプ大統領の日本批判に私はこのように約十五年前に答えを出していたのである。

東京オリンピックも間近に迫る二〇一九年後半〜二〇二〇年の東アジア情勢には、米中貿易戦争と韓国の文在寅政権の唐突なまでの極左急転回が新しい要素としてつけ加わった。しかしそれ以外、十五年前のこのコラムの短文が描いた日本の途方に暮れた無策ぶりは、そっくりそのまま日本の今の現実の姿と同じだと言っていい。南北統一朝鮮、すなわち核を残した共産国家と日本を対立させたままで放置する各国の要望に、NO！　と言えるかどうかは、ひとえに日本人の「意志」ひとつにかかっている。

「西欧近代」は今や受け身

半島有事がいろいろ取り沙汰《ざた》されて久しいものの、今ではそういうわけだから北朝鮮一国の動きにだけ目を向けていればよいのではなく、東アジア全域が一挙に流動化する可能性を想定内の課題としてむしろ意識すべき時代に入ったと私は見ている。日本が何もしないうちにこの十五年で世界の情勢は変わった。第一の変化は、最貧国を代表していた中国のまがまがしいまでの経済大国への変貌ぶりと、それにつづく予想されていたとはいえ余りに急速な足踏みと凋落《ちょうらく》の予感だった。どちらもまことに動きが速い。

二十一世紀の初め頃、中国がまだ安い労働力と無税に近い土地の提供で日米欧の資金を入れて「世界の工場」を引き受けていた時代に、ハイテク技術の先端の場で限られた分野とはいえ、トップランナーに躍り出るような技術の国になるとは誰が予想し得たであろうか。また、軍事力だけでなく経済力でアメリカを凌《しの》ぐと豪語している今の中国の、ユーラシア大陸を東西に結ぶ野心的な中華帝国の夢があっという間に色褪《いろあ》せ、私欲と強権と占有と横領の悪しき帝国主義の残骸に見え始める日もそう遠くないことを、誰が否定できるであろうか。中国の昨日は何であり、明日が何であるかは今のところまったく未確定である。それだけに世界は、というか東アジアは、一挙に流動化する可能性を抱えているのである。

日米欧が標識としてきた「西欧近代」は今や受け身であり、必ずしも文明上の絶対的な優位の立場にはない。ひとりアメリカのみが「近代のパワー」を継承してはいるが、「日欧」の協力なしでは新帝国主義の中国に対抗もできない。トランプ米大統領の〝アメリカ・ファースト〟は、アメリカ一国では世界の全域をカバーする警察官の役目を果たすことはもはやできない、「近代の価値」を信じている各国よ、助けてくれ、第二次大戦後損ばかりしてきたアメリカはもうこれからは自国のことを第一に考えないとやっていけないところへ来てしまっているのだ、どうか協力して欲しい、と叫んでいるのである。空威張りしながらも悲鳴を上げているのが実情と見たほうがいい。

「半島有事」という言葉が今まで示していた意味は変わりつつある。北朝鮮問題が地域の紛争という意味ではもはやなく、中国問題を処理しなければ解決できない地球規模の問題であると認識されだしているのはそのためである。それがトランプ氏のスタンスでもある。オバマ政権までアメリカは中国に対する態度決定をまだまったくしていなかった。

アフガン紛争（一九七八〜一九八九年）が終わった頃アメリカは中央アジアに軍事拠点を初めて獲得し、ロシアの南側、中国の西側に割って入った。当時は徐々に中国を包囲する意志を持っていたのかもしれない。そして北朝鮮には直接手を出しかねていた。金正日の首のすげ替えを含む北朝鮮の清算を中国の責任問題であると考え、当時はアジアの諸問題を中国にいっさい任せようと思い始めていた節もある。

しかるに米中貿易摩擦の激化以来、様子が変わった。というより習近平中国国家主席の世界覇権意志の露呈以来、アメリカもまた自らの帝国主義の本能を深く傷つけられ、中国の独走を放置できなくなった。北朝鮮問題もこのテーマとワンセットで処理されなければならないと考えだし、重荷を背負わざるを得なくなった。けれどもアジアの問題はどこまでもアジアの手で、という「孤立主義《モンロー》」の国らしい政策上の方針は奥底に必ずあるはずで、中国問題と北朝鮮問題とをどのように一括して解決したら良いのか、その際、日本にどのような役割を割り振ろうとしているのか、今のところまだまったく見えてこない。恐らくアメリカ自身も分かっていないのだろう。いっさいは五里霧中であるというほかないのではなかろうか。

いっさいは暗中模索であるというのなら、何かが起こったときには、それは瞬時にして起こるに違いない。あっという間に何かが起こり、それが歴史を決める決定的瞬間となるのだ。

韓国にもアメリカにもない恐怖

アメリカと韓国の共通点は、それぞれ理由は別だが、金正恩やその父親金正日に恐怖を感じないことである。韓国人は金親子を異常人格と見立てることはなく、冷酷な独裁者と言い立てる日本のマスコミをむしろ危険視している。一方アメリカ人は彼らに軽蔑感を示しこそすれ、もとより共感はないものの、恐怖も持たない。やろうと思えば空爆であっという間に片付けられる相手だから少しも恐くない。それに対し日本人は、金親子に嫌悪と不快と軽蔑だけでなく、いまわの際に暴発して何をしでかすか分からないという恐怖感を心中奥深くに抱いている。拉致犯罪というわけの分からない不合理で不吉なもののイメージにももちろん根強くつきまとわれている。

一昨年（二〇一七年）弟に暗殺された金正男氏がそのむかし日本の入管に引っかかったとき、田中眞紀子外相（当時）が、「さっさと送り返しなさい。さもないとテポドンが飛んでくる」と叫んだといわれているが、瞬間的に出てくるこういう上ずった言葉は、飛び道具に対する日本人の心の奥底に宿る潜在的な恐怖の感情を示唆している。

明らかに韓国にもアメリカにもない恐怖が、薄い皮膜のように日本国民の心を現にいまも蔽っていると私は感じるが、だとしたらこれに矛盾するような不可解な心理現象が日本には別に実在するのである。

周知のように日本の市民社会には核シェルターへの用意がほとんどなされていない。あるとき国際比較を教えてくれる人がいたが、日本が〇パーセントに近かったことに驚いたのを覚えている。これに加えて、私はなぜ日本では防毒マスクや解毒剤が売られていないのだろうかと、訝《いぶか》しく思っている。北朝鮮のテロないしミサイルによる生物化学兵器の投下に対し、なぜ救急医療体制の整備が進められないのだろうか。広島や長崎への原爆投下や全国主要都市への空襲を経験した日本人は、生半可な防衛では防ぎようがないと考えて、重症の運命論者になり、頭から諦《あきら》めているのだろうか。しかしないよりましな応急処置を準備せずにはいられないのが生命力というものであろう。

現実には具体的に明日、何が起こるかは誰にもちろん分からない。だから口を噤《つぐ》むというのは、無責任なことを言う人よりはずっといいかもしれない。一番いけないのは、日本列島は細長くて防衛のしようがない、敵が攻めてきたら最初から白旗を掲げて賢い敗北の仕方を用意しておくことだ、などという類いの悪魔の囁《ささや》き、俗耳に入りやすい遁辞《とんじ》を流布させる半藤一利氏のような人物である。またアメリカに温和《おとな》しくしたがってさえいれば日本の安全と繁栄は保証されるというような間違った固定観念を言い続けた人、例えば故岡崎久彦氏のような人物と彼に似たようなタイプの官僚出身者である。

韓国人の錯覚

北朝鮮に対し日米韓の三国共同対応がいわれて久しかったが、ここへきて韓国の文在寅政権の逸脱によって、三国の共同協力関係は危うくなった。今日本人はあまりに現実が見えない韓国の政治家、独りよがりで自分の弱点を見つめようとしない韓国人の国民的体質に驚き、あきれ、ここまでひどいとは思わなかったと、ついて行けないものを感じ始めている。二〇一六〜一九年に起こった一連の出来事は、韓国人に優しくしてきた戦後の日本の政策が完全に間違いであったことを気づかせた。

いつであったかこんな思い出がある。日本の歴史教科書検定が行われたあるとき、韓国の一地方議会がこれに反対する決議文を提出し、採択されたというニュースがあった。私はオヤと思った。韓国の一地方議会がどんな資格がありどんな権能をもって外国の検定教科書の内容に踏み込んだ批判をすることが許されるのだろうか。韓国と日本は別の国だということすらまだ分かっていないのではなかろうか。韓国の一地方議会は日本にまだ統治されていると思っているか、統治されたいという願望を引き摺《ず》っていて、その心理を現実と取り違えているかのどちらかだろう。

韓国人のこの錯覚が〝恨《ハン》〟という特有の情緒に守られ、国民共有の道徳めいた心理にまで彼らの領域内でのみ高められていることに最大の問題がある。恨は怨《うら》みであり、人間性の暗黒面である。われわれの常識ではこれを克服することから道徳は始まる。韓国人は逆である。韓国はキリスト教徒の多い国だと聞いているが、何とも理解できない。怨念《おんねん》や恨みを持ち続けることがどうして人間の高貴さや価値高き生活につながることになるのだろうか。あの国の聖職者に聞いてみたいと思っている。

徴用工問題もこの心理問題の一つである。政府と国民が一丸となって、互いに別の国になった日本と韓国の間で一九六五年にケリをつけた問題を韓国があらためて蒸し返し、〝恨〟という彼らのモラルを実践しようとしている出来事が徴用工問題にほかならない。「個人補償」という課題は別に残っているというかもしれない。仮に「国家賠償」とは別に「個人補償」を言い立てる余地や理屈が残っているのだとしても、それは韓国の主張の内にとどまる。韓国政府が一九六五年後に日本から支払われた巨額の中から本来、支払うべきであった。これを怠ったことに問題がある。あのとき個人補償の分を含めることを自ら確認し日本にもそう申告した上で国家の産業政策に全額を投入したこと、それにより漢江《ハンガン》の奇跡と言われた一大経済発展を成し遂げたのであるから、すべては韓国政府が引き継ぐべき課題である話にすぎない。これを再び日本の前に持ち出してくるのは筋違いである。日本の罪は永遠であるかのごとき言辞を弄して蒸し返すのは、〝恨〟のなせるわざであって、近代国家同士の契約という観点からは余りにも逸脱している。

韓国が日本に持ちかけている要求は他にも大小さまざまあるが、一事が万事この調子である。キリがないと日本人はやっと気がついてきた。筑波大学名誉教授の古田博司氏の韓国に対しては「助けない、教えない、関わらない」の三原則は言い得て妙で、私も賛成である。

もし韓国の大法院が国際条約を無視した判決を出したというのなら、大法院解体などなんなりをしてでも、韓国政府がケリをつけるべき問題であって、日本という外国にああだこうだと言ってくる問題ではない。

自覚なき国家漂流

韓国が国家の体《てい》をなしていないおかしな振る舞いを重ねている事実に日本人が国を挙げてやっと気がついたことは、遅きに失したとはいえ、今後事柄の正常化に役立つと思うからこれはこれで良いことに違いないのだが、日韓問題はここでのテーマではない。これは脇道へそれた余談である。ここでのテーマはどこまでも日本人の国家意志の自覚の問題である。

さてそこで、東日本大震災と福島第一原発の事故という悲劇の時代を思い起こして頂きたい。二〇一一年三月、原子炉のメルトダウンと温度急上昇が起こり、水素爆発によって建屋上部が崩壊、大量の放射性物質の放出が憂慮されたときのことだ。東京が一気に危険圏内に入った。そのとき何が起こったか。「トモダチ作戦」と銘打って大挙してやってきた米国の協力部隊はどう動き、何をしたかを思い出してもらいたい。

米国人は八〇キロ圏外に逃れ、米艦船は西日本に移動した。原子炉の現場作業に携わった米軍兵士は一人もいなかった。周知の通り、わが自衛隊と消防隊が決死の覚悟の放水を行った。そして東京の東電の本部のあったビルの一室には米軍の監視部隊のみが居残り、情勢の変化をワシントンに打電し続けた。その結果驚くべきことが起こった。原子力災害対策本部の議事録を菅直人内閣（民主党）はつけていなかった。後でその欠落を埋めたのはワシントンが受けた議事内容のファイルだった。

高い濃度の放射能が東日本を襲う可能性が恐れられていた時点で、米軍の主力部隊が西日本へ移動したことをわれわれは非難することは出来ないし、裏切りでも何でもない。当然の行動である。問題は日本が「国家」でなくなりかけているこのときに、日本の権力の中枢にその危機の自覚が果たしてあったのか否か、ということに尽きる。

日本は国家漂流の状態になりかけていた。思い出せばぞっとするほど恐ろしい事態である。国民が半ば浮き足だって列島内を右往左往する局面で、国家は司令塔のない無政府状態に近づく。アメリカ政府があのとき見ていたのは、極東の地域全体の政治権力の喪失であった。日本の中枢が壊れれば、東アジア全域は流動化する。中国が動き出さないはずはない。米政府にあって今の日本政府にないのは、地球全体を見ている統治者の意識である。日本人は幕末より以前の時代感覚に戻ってしまっている。

昭和二十年より以前の日本は今の時代よりもはるかにまともだった。視野も広く、国際社会の中での自分の位置や役割もちゃんと見えていた。むしろ視野狭窄《きょうさく》に陥っていたのは好戦的なルーズベルト政権のほうだったのではなかろうか。敗戦後に日本人に強いられた歴史のものの見方は敢《あ》えてひっくり返して眺め直して見る心掛けが必要かもしれない。

しかし、いずれにせよ、今の日本が敗戦後遺症を引き摺っていて、それをむしろ自らに有利とする米政府の政策のおかげで自分が何処にいて何をしているのかが見えない恐ろしい自失状態を再生産し続けていることは間違いない。戦争終結後もアメリカは対日戦争を続けているのである。

自分の背中の見えない韓国の夜郎自大を果たして日本人は笑う資格があるのだろうか。韓国とはまた違った意味で、同じ種類の国家観念の喪失症を患っているのが日本人ではないだろうか。

世界地図の中の自国の状態や条件を見て常に最悪の事態を考える能力は、深く軍事的知能と結びついている。今の日本人は、それを失っていることは人間失格だということさえもまったく分からないほどに何かがまるきり見えなくなっている。

アメリカの「倦怠論」

最大の問題は日本の保守政権と称する政治権力の中身である。こんなことがあった。

北朝鮮のテポドンが列島を越えて三陸沖に落ちたとき、あれは人工衛星の打ち上げ失敗だという北の公式発表があり、日本の国民は誰ひとり信じなかったが政府は違った。野中広務官房長官(当時)は対北抗議文を大まじめに読み上げ、コメ支援などの北朝鮮支援の見直しなどを決めたものの、制裁措置はチャーター便の中止くらいしか実現せず、追加制裁案はなかったことにして抑えられた。北朝鮮の人工衛星説に取りすがったのである。

このままでいくと、かりにミサイルが日本国内のどこかに着弾し、死傷者が出たとしても、北朝鮮政府があれは事故であった、申し訳ないと一言いえば、日本政府は安堵し、自衛隊に対し、防衛出動も治安出動も発することなく、災害派遣を要請するにとどめるであろう。そういう可能性が憂慮されるのである。否、北朝鮮政府がかりに謝罪しないでも、日本は「戦争ではない」ということにするためのありとあらゆる法的詭弁を繰り広げるはずである。今までそういうシーンを何度も見て来ている。自民党政府の性根が見える救いがたい場面である。

戦争であると認めれば日本は反撃しなければならない。しかし米軍がいる限り日本が先に反撃はできないし、その用意もない。だが着弾が一度ではなく、戦争を仕掛けられていると常識的に認めざるを得ないほどに立ち至った場合を考えてみよう。当然、日米安保条約が発動する。アメリカは報復しようとするだろう。問題はそのときである。アメリカは日本が戦争をやる意志があるかどうかの最終確認を求めるであろう。運命の岐《わか》れ目はそのときである。国際社会のルールに従って戦争に踏み切れば、この国は生き延びられる。万が一、時の首相がアメリカに一寸《ちよつと》待ってくれ、とためらいを見せたら、それが「日本がアメリカから見捨てられる日」になるに相違ない。

日本がアメリカから見捨てられるということの意味は、日本列島がアメリカ軍にほどなく「再占領」されるということである。東日本大震災時の無政府状態に陥ったときの列島のあの太平洋に頼りなく浮いている漂流国家の姿を思い出していただきたい。あのような状態が再来する可能性がある。しかも軍事的緊張の下にこのことが起こる。アメリカが東アジア全域をこういう場合に管理経営する権能を与えられていることを国際社会は暗黙のうちに認めている。そのための日米安保条約でもある。残念ながらこれが現実である。

アメリカは中国やロシアに対抗する要衝の地として日本列島を手放す気はない。アメリカにとっては事実上の最前線である。もし日本のマスコミや野党が妨害し、日本政府がフラフラしているなら、アメリカは躊躇《ちゅうちょ》せず、日本国憲法を停止するであろう。明日起こるというのではない。日本人が呆然とした無意志状態でいたら、そういうことも起こり得ると言っているのである。野中広務氏が官房長官であったテポドン三陸沖落下事件の折の、あの人工衛星説に取りすがった自民党首脳の体たらくぶりが、いよいよのときにまたまた起こらないという保証はない。私は日本政治の権力中枢をまったく信用していない。

私や日本人の一部が不信感を抱いているというだけならたいしたことではないが、私の見る限りアメリカ政府が日本を守る理由を次第に見失いつつあるということが、最近の新しい厄介な情勢の変化である。約三十年ほど前までは日本の潜在的軍事力にアメリカは脅威を覚えていた。約二十年ほど前には日本の技術力と経済力とに脅威を抱いていた。脅威のある間は日本を守ると称して、日本を抑止しておく必要があった。しかし今は守る必要も、抑止しておく必要も感じなくなった。中国への警戒心だけが日本を守る唯一の理由らしい理由である。しかもそれすらもこれからは変化する可能性がある。いつまでも今の状態が続くわけではない。

簡単にいえばアメリカは日本を守ることに今や少し飽きてきている。冒頭に取り上げたG20大阪会議直前のトランプ大統領の発言は、日米安保に対する否定論ではなく「倦怠論」なのである。アメリカは安い値段と小さな努力で日本を継続的に抑えておくことができるなら本当はそうしたい。しかし金はかかるし、血は流したくない。日本がアメリカの意に添うた国家として起《た》ち上がってくれるなら、ある程度の自由は任せても良い、とそこまでアメリカはたぶん考えているだろう。しかし日本人の心は読めない。日本人は自分で起ち上がると口で言うので待っていたが、いつまで待っても起ち上がらない。潜在的な日本の軍事脅威を警戒していた時代がかえってなつかしいくらいだ、とたぶん今のアメリカ政府の要人は自分の矛盾した感情に戸惑っているだろう。

生きんとする意志

問われているのは常に日本人の「意志」なのである。敗戦以来七十余年間ずっとそうだった。これから起こることはいったい何か。「意志」を発動できないがゆえに日本人が志に反して自ら不利な底深い墓穴に嵌《は》まり込む可能性が近づいている。

一九八九年の「ベルリンの壁」の崩壊以来、なぜ東アジアに共産主義の清算というこの同じドラマが起こらないのか。アジアには主義思想の「壁」は存在しないせいなのか、と世界中の人が疑問の声を挙げてきたが、共産主義と資本主義とを合体させて能率の良さを発揮した中国という国家資本主義政体の出現そのものが「ベルリンの壁」のアジア版であった、と、今にしてようやく得心の行く解答が得られた思いがする。

二〇一九年、東京オリンピックの直前に、韓国が急に左に傾き、香港と台湾が激しく左に抵抗して何かが動き出した。いよいよ「ベルリンの壁＝アジア版」に大きな穴があきそうな気配が見えてきた。ここで何度も言ってきたが、アジア全域が一気に流動化し、地域ごとの権力の交替や再編が起こる可能性も小さくない。そうなったとき日本はどう動き、何を主張し、どこを死守すべきなのか。何ごとかが起こるとしたら二〇二〇年の米大統領選挙後である。核を決して手放すまいとする北朝鮮と核放棄を迫るアメリカがもう一度正面から向き合う機会が到来しそうである。今度は経済的に深傷《ふかで》を負った中国がこの対決にどう関与するかが注目すべき新しい観点となるに相違ない。

そのとき日本は何をし、何をしないか、今から準備しておく必要がある。

アメリカは先制攻撃であれ、報復攻撃であれ、朝鮮半島に空爆を開始すると決意したときには、日本政府にこれを通告するのは直前だと考えられる。日本政府は恐らく何もできまい。そのとき、一寸待ってくれと日本の首相が抵抗したら、アメリカから見捨てられるだけだと先に述べたが、これを知れば飢えた民衆に上空から攻撃を加えるのは忍びないと日本国民は韓国人と一緒になって騒ぎ立てるであろう。日本の平和主義は政府をも制縛している。アメリカは北の核施設を攻撃するせっかくのいいタイミングを、一九九四年に引き続き再び逸する恐れがある。

そのことをアメリカは予想している。そうならないためにアメリカは恐らく巧妙に先手を打つであろう。日本のバカらしさを知っているアメリカは、北朝鮮がミサイルを日本に撃ち込むのを予知していてもこれを日本に知らせない。黙って先手を取らせる。しかも着弾させる。

数多くの戦史の中で繰り返されてきた戦略の一つである。こうでもしなければ日本は動かないことをアメリカは知っている。

自衛隊法の災害派遣でも治安出動でもなく防衛出動に首相がためらいなく決断するようアメリカはお膳立てするくらいのことはやってのけるであろう。日本が逃げ腰であればあるほど、アメリカが北を言葉で刺激して一発撃たせるという戦略は、アメリカから見て合理的である。ルーズベルト大統領がパールハーバーですでに実験済みである。

そう思ってふと考えると、北朝鮮を国際包囲して武装解除にほぼ近い要求を突きつけている核放棄の政策は、北朝鮮からすればハル・ノートである。

中国がこの動きにどう出るかは未知数である。日本政府が決断に先立ちどの程度の情報を与えられるかもやはり未知数で、一般国民が知るレベルでないことはもとよりだが、日本政府要人ですら何が起こり、どんな決断を求められるのかは今のところまったく知るすべもあるまい。いずれにせよ、何かが起こり、決定的な地図の変動が生じかねないにもかかわらず、起こるときには直前まで分からず、瞬時にして事は決せられる。

私が一番恐れているのは北朝鮮の核放棄が不完全なかたちで終結されることである。この点は大抵の日本人が心配しているが、加えて、米中露に囲まれた朝鮮半島と日本列島が一括して「非核地帯」と決せられ、そのことを敗北平和主義に侵されている日本の保守政権が批准し、調印の上、国会で承認してしまうことである。

しかし事はそれだけで決して終わるまい。そのうえ万が一半島に核が残れば、日本だけが永遠の無力国家となる。この構図は朝鮮がイスラエルに、日本がイラクに擬せられることにほぼ等しく、いったん決まれば国際社会の見方は固定化し、民族国家としての日本はどんなに努力しても消滅と衰亡への道をひた走ることになるであろう。

憲法九条にこだわったたった一つの日本人の認識上の誤ち、国際社会を感傷的に美化することを道徳の一種と見なした余りにも愚かで閉ざされた日本型平和主義の行き着くところは、生きんとする意志を捨てた単純な自殺行為にすぎなかったことをついに証拠立てている。

令和元年十一月

西尾　幹二

＊

この本を書き終えたときに令和元年の年末を迎えた。私は毎年、年賀状の文面として小さな随筆か小論文を書くのを習慣としている。次は令和二年の賀状の文面であり、読者の皆様にご披露する。

昨年末三十一日は米韓、米朝という各々の対立の決着の日だった。米は韓、朝どちらをもう許さない。戦争になる可能性なしとしない。朝鮮半島は昨年日本人には不快と忍耐の原点だった。そして無力の原点でも。

米中貿易戦争が両国の覇権争いだというのは真実の半面でしかない。経済の急拡大で表面化したのは清朝以来の中国人の伝統的な生き方の異常さの露出である。日米援助の輸出で稼ぎ、不動産に集中し、集めた金は中国国民に回らず、一兆円規模の富豪が乱立し、世界経済を攪乱し、我々の努力の結晶である技術を横取りし、国内の購買力が育たないので輸入する力も今や尽きた。加えてウイグルの宗教弾圧、臓器移植の国家犯罪。もう我慢できないのは日米同じはずである。なぜか日本のメディアのみが沈黙している。私が怖れるのは、ここで日中の区別を世界にきちんと示さないと、大変なことになりかねないということだ。米国大衆は日中韓の区別がつかない人々なのである。

本書は書き下ろし論文と、一九八五年五月から二〇一九年三月に産経新聞「正論」欄に掲載された著者の論文一〇一篇すべて、産経新聞一面寄稿一篇を元に構成しています。各論文冒頭には新聞掲載日を明記、一部論文タイトルの変更、表記統一、補足作業などを行いました。肩書きや数字などは論文掲載当時のものです。

カバー写真提供　共同通信社
カバー著者写真提供　産経新聞社
装丁　神長文夫+柏田幸子
DTP製作　荒川典久

国家の行方《ゆくえ》◎目次

第一章　国家の意志［平成元年―平成五年］

第二章　日本政治の不在［平成五年―平成八年］

第三章　歴史戦争［平成九年―平成十四年］

第四章　繰り返す朝鮮半島問題　［平成十四年—平成十七年］

第五章　平和主義の病理　[平成十九年―平成二十三年]

第六章　日本民族の哲学　[平成二十七年―平成三十年]

第七章　外国人労働者と大学入試問題［昭和六十年—昭和六十三年］

おわりに　［平成三十一年］

第一章　国家の意志

日本に国家意志はあるのか
大国としてのエゴイズム考

平成元（一九八九）年二月十七日

日本は今、いかなる政治目標をめざして進もうとしているのか、世界各国からかたずをのんで見守られている。日本の正体がさっぱりつかめないからである。日本は経済大国を称しているが、何のための経済大国なのか。その力で何をしようと欲しているのか。援助にいかなる代償を求めているのか。どんな政治的欲望を持っているのか。いざという時にはどういう方式で権力を行使するのか。

世界中が一番関心を持っているこれらの点に、日本はいつまでたっても答えようとしない。世界の大国たらんとするなら、大国にふさわしい統治の方式というものがあるはずである。それをぜひ見せて欲しい、と世界中の人が身構えて注目している。それなのにいつまでたっても、日本からは何の声も挙がらない。そのことがかえって薄気味悪く思われよう。

日本人は二言目には、民主的な平和を愛する国家になる、などというが、そんなものは何の声明にもならない。なぜなら、世界のどの国もが、この点では同意見であり、同じスローガンを掲げているので、そこに日本独自のものは見出し難いからである。しかも、日本が実際にやっていることは、経済による世界制覇への動きであって、その進出の仕方は少しも平和的ではない。日本人が平和を尊重する国になるなどといえばいうほど、何年か後には平和を脅かす国に逆転するのではないかと、その偽装されたエゴイズムの底意を疑われてしまうのもまた、無理はないのである。なぜなら、どの国もがエゴイズムを持っており、日本は大国なら、大国にふさわしいエゴイズム発揮の合理的プログラムがあるはずで、それが外からある程度すけて見えて初めて、日本はなるほど普通の、まともな国家だったんだなあと納得され、その平和意図を安心して理解してもらえるからである。

しかし日本に関しては、どうもこの常識が通じない――日本には正常なエゴイズム、すなわち国家意志が果たしてあるのかないのか、今、それが世界で八方から疑われている時期にさしかかっているように思える。

ODAにみる戦略のなさ

おりしも国家予算が決まり、ODA（政府開発援助）は大幅に増額された。竹下登首相はそれを手土産にブッシュ新大統領に会い、中南米、アフリカ、さらには中東にまで日本の金をばらまくと宣言した。米国の世界戦略にぴったり同調し、それを補完する役目を強めたわけだ。私は、それがまずいと言っているのではない。そこにどんな一貫した日本独自の戦略、米国をも統治の対象とする大規模な日本の国家意志が存在するのか否か、私が疑問とするのはその点である。

『ニューズウィーク』（日本版〔平成元年〕二月九日号）によると、米国は自国の政治目標に日本の金を使う要求を露骨にし始め、「両国の資金とノウハウをプールして共同で運用する計画」をもって「日米関係を戦略的パートナーシップにまで高める」と称しているそうである。ベーカー新国務長官の構想の一つらしい。私は日本が米国に利用されても、理にかなっているのなら、それはそれでいいと思う。問題は、ＯＤＡを増額させていけば防衛力増強の代替にもなり、国際的責任も果たせると考えている、日本側ののんきさ、戦略のなさである。いざというときの国家意志の発動、権力行使の方式が知られていなければ、米国にはなめられ、ＯＤＡの大盤振る舞いは画餅に帰するであろう。

フィリピンの米軍基地が脅威を受け、日本が逡巡している間に、中国がただ一隻の駆逐艦を派遣すれば、それだけで米世論はあっという間に中国を最大の同盟国と見なし、日本を見捨て、日本の対比援助の蓄積は空無に帰する、とは、従来も、ペルシャ湾事件に際し指摘されていた。軍事力だけを重視するのは間違いだが、軍事力をも含めた、日本の政治意志の欠如が、日本を米国からも相手にされない、哀れで危険な状態に追い込みかねないのだ。米国人は単なる依存関係を望まない。自分独自の道を明確に歩む国だけを尊重する。中国の方がよほど彼らには分かり易い。

ソ連の対日接近のためらいが領土問題にあると日本人は思っているが、私にはそうは思えない。ソ連は、米国次第で日本はどうにでもなると高をくくっているのである。ソ連にとってもやはり中国の方が自分の意志を持つ真の大国である。だからゴルバチョフは日本など尻目に、さっさと中国訪問を決定した。

こうした状況にもかかわらず、竹下首相は「世界に貢献する日本」などと言い、何を貢献するのか分からぬままに、国民も「大国の責任」だの「国際国家の確立」だのといい気になって、世界に自分を打ち出した積もりになっているのは、何という間の抜けたおめでたい光景であろう。

昨年［昭和六十三年］の外交白書には日本のＯＤＡの特徴が取り上げられている。米国は米国民主主義を、ソ連は国際共産主義を、欧州は各国文化を普及する意図で援助するのに対し、日本は相手国に国家哲学を押しつけず、あくまで相手国の立場に立って、各国の利益に役立つような無私の精神を貫いている点が喜ばれ、歓迎されているそうである。わが国対外援助のそのような慎ましさが、真の自信から出ているのならいいが、何を世界に貢献してよいのかさっぱり分からない外務当局のぼう然自失の表現でなければ、まことにもって幸いである。

新局面の外国人労働者問題
安直な発想は亡国の論理

平成元（一九八九）年五月十七日

最近、雇用倒産という新しい型の倒産が急増しているという話をよく聞く。人手不足による倒産である。コンクリート型工や鉄筋工などの賃金はうなぎ上りで、それでも人は集まらない。他方、近ごろの若者は勤労意欲とみに減退し、「危険、汚い、暗い、臭い」の４Ｋの仕事には、高い給与を示されても近づかない。とくに中小企業の労働者不足が深刻化しているという。加えて、各種の経済統計が十年後には百五十万とか二百万とかの労働力人口の不足が発生することを予測している。

こういう話を聞く度に、私はああ、危ないな、と思う。一九六三年ごろの西独の状況に似ているからである。西独も当時好景気に沸いていて、しかもベルリンの壁以後、東からの人口の移動が止まって、政府は国策として外国人労働者の導入に踏み切った。西独は無邪気にも、官民挙げて彼らを大歓迎した。そこへ石油ショックが起こり、事情は一変した。ドイツ人の失業率が高まり、外国人はたちまちお荷物になった。一九七三年には募集を停止し、八四年から二年間は、一人約百万円の金をつけて帰国政策を推進したが、帰国させた同じ数だけ、不法入国者があって、人口比七％という外国人労働者の数は変わらない。西独はお金を使っただけ馬鹿を見たのである。

いったん緩んだタガは、元へは戻らないものだ。帰国条件の入国者も、約束を守らない。といって、強制送還はさせられない。故国に職場がないし、受け入れ企業も仕事に慣れた人間を手放したがらない。そのうち子供が生まれ、二世になる。子供は親の故国を自分の国とは思わない。

この問題はじつに難しいのだ。扱うのは人間である。一度試しに入れてみたらどうか、とテストするわけにいかない問題なのだ。いったん導入に踏み切ったら、ずるずると増えていくだけである。しかも数が、問題の質を決める。人口比七％は、日本の人口に合わせれば約九百万である。首都圏に半数が集まったとした場合の深刻さが分からない人は、よほど想像力のない人間である。

安保を脅かす入国許可

私は誇張して言っているのではない。西独よりも日本の方が環境は不利である。日本は三十億の飢えた民に取り巻かれている。中国には、すでに五、六千万の流民が発生している。しかも貨幣価値の差は、西独とその周辺諸国よりも格段に大きい。日本が正式に入国を許可したら――たとえ条件付きでも――あっという間に一、二千万人がなだれ込むであろうことは想像に難くない。だからこれは、じつは日本国民の安全保障の問題なのである。

最近、各種の経済団体が、外国人労働者の条件付き受け入れの提言を相次いでまとめている。いずれも人手不足が最大の動機である。私は、ああ、やっぱり危ないな、とつぶやく。短期移民はスイス、オランダ、フランス等でも定住移民になった。条件付きなら入れても安心、というのは甘い。日本を超警察国家にしても、管理はできない。百万を超えたときに、不法でも何でも、動かぬ政治勢力となる。今は安い労働力で得をした積もりでも、教育、住宅、医療、保険、年金はすぐに巨大な財政負担になる。

それに、今の日本が本当に人手不足かどうかにも疑問がある。女性労働力は解放されていないし、中高年層の労働力は余っているとも聞く。今こそ未組織労働者の労賃を上げ、零細企業での労働条件を改善する絶好のチャンスなのだ。職人になる若者がいないというが、職場を魅力ある場にすることの方が先決ではないか。

四年前の建設不況時に、職人を粗末に扱ったため、彼らの多くが転職したという。工夫も努力もしない企業主に、外国人労働力を提供するのは、日本人労働者の労働条件をいつまでも劣悪なままにし、しかも技術革新を遅らせる。西独が日米に対しハイテク競争に敗れたのは、六〇年代に外国人労働者に安易に飛びついたことが原因している。

それに、日本の若者は勤労意欲を失い、４Ｋの仕事には見向きもしない、などということも、ジャーナリズムが少し面白おかしく言い過ぎる。日本が円高危機を乗り切ってわずか三年である。

本当の飽食社会はまだ来ていない。不景気になればたちまち勤勉に戻り、仕事に殺到する。

かりに日本の若者が安楽志向だとしても、教育によってそれを直そうとせずに、外国から代わりを持って来て穴を埋めようという安直な発想は、いかにも亡国の論理である。古代ローマ帝国も、末期には労働プロレタリアートを大量に外国から入れ、軍隊もゲルマン人に頼って、ローマ市民は安逸をむさぼり、滅亡した。

最近、優秀な技術者が自動車産業に行かなくなったと聞く。人手不足だからではない。自動車はもはや文明の産物ではない、というトレンドの変化を示している。日本の産業はより一層知識集約型に向かい、低次の労働集約型産業はアジア諸国に譲り渡していかなくてはならないのだ。従って、若干の人手不足は健全の証拠である。もし外国人を入れ、労働集約型産業が息を吹き返せば、アジア経済全体の利益を損なうことにさえなるのである。

平成元（一九八九）年七月十八日

依然として「他者」中国に西側の自由通用せず

北京の天安門事件から日が経って、あれは何だったのだろう、と今にして思い返すと、中国は昔と少しも変わっていないことに気づく。事件当日、テレビの解説者たちが六〇年安保騒動のときと同じように学生の「純粋」を信じ、中国が今にも西欧的な自由主義や民主主義の国になろうとしていて、学生たちはそのために闘争しているのだ、としきりに叫んでいた声が、なぜかむなしい幻影のように思えてくる。

本当にあの事件は何だったのだろうか。学生たちは中国の共産主義体制を否定していただろうか。中国を資本主義国家にしようとしていただろうか。私にはそうは思えない。

フランスのジャーナリストのギ・ソルマンも言っているが〈『朝日新聞』〔平成元年〕六月二十日、『中央公論』八月号〉、中国の学生たちは普通選挙を求めてもいなかったし、複数政党制も訴えていなかった。彼らは老人政治を批判したが、共産党の独裁を否定したわけではない。党幹部の腐敗を批判したが、それは資本主義的腐敗としてのことだった。彼らはまだ、資本主義は悪いことだと考えており、自由主義や民主主義が資本主義と不可分の関係にあるということがよく分かっていない。鄧小平は政治の自由を許さずに経済の自由だけを得ようとしたが、学生たちはその逆、経済の自由などはむしろ無視して、政治の自由だけを手に入れようとした。なぜなら、経済の自由化政策で一部の農民、商人、企業家たちが太っていき、学生や知識人が貧しさの中に置き去りにされていることへの憤りが、今度の騒乱の背景にあると考えられるからである。

他にも謎が多く、天安門事件の解明は今後に待たねばならないが、いずれにせよ、テレビや新聞の言っていた〈学生たちは西欧的自由のために闘っている〉は、日本を含む西側諸国のマスメディアの単純な思い込みであり、他者認識の甘さであった。中国は依然として少しも変ろうとしていない。今後もわれわれとは異なる体制と伝統を守りつづける「他者」でありつづけよう。

そう考えると、米、英、仏政府が中国を西欧流の民主主義や自由主義の名において一斉に、一方的に批判したのは見当外れであり、それにやすやすと同調しなかった日本政府の慎重な対応は、内政面で失点つづきの現政権にしては、まあ良くやったと評価してよいのではないか。いつもなら米国の尻馬に乗ってしか動けない日本外交が、今回だけは日本は日本という方針を貫いた。その結果、米政府も興奮からさめるや、日本政府の慎重路線に接近して来ている。

事件直後、米大使召還とか武器禁輸とか経済制裁とかわめいていた米国議員の例によってのスタンドプレー、中国に未来はないなどと大見えを切ったミッテラン仏大統領の発言、等々を見ていて、私は欧米諸国のいつもの悪い癖が出たなと思っただけだった。西欧流の民主主義や自由主義こそが歴史の先端を走る最高価値で、他の文明はそれに近づくのが正義だという一方的な決めつけ方に思えたからである。それはホメイニのイランにも投げつけられたし、日本にも目下加えられている不当な西欧的尺度の押しつけである。他者を他者として認知しない傲慢《ごうまん》さが、その背後にある。

孤独な日本の自覚を

日本もまた西欧的な民主主義や自由主義の良き理解者ではある。身体の半分はこの色に染まっている。しかし半身は、欧米とは必ずしも全面的に同調し得ないアジアの国である。といって中国ともイランとも同調し得ない。日本は孤独である。そのことをはっきり自覚した上で、欧米諸国とときに協調し、ときに彼らに忠告する自由な態度を保持していかなくてはならないであろう。

米、英、仏政府がみせた断固たる声明に比べ、日本政府の発言はあいまいで、みっともないという非難が、国の内外にあがった。確かに、宇野宗佑首相が過去の戦争を引き合いに出したのは、日本の慎重さの真意をかえって混乱させた。しかし、それなら、日本政府の態度は生ぬるく、だらしないと憤った日本人の心の中には、西欧諸国のようにさっそうとスマートに中国批判を展開しないことへのいらだち、日本はもっと断固たる姿勢を世界に示すべきだというナショナリズムはなかったであろうか。ただ、皆がそれに気づいていないだけの話なのだ。

自覚されたナショナリズムは必ずしも不健康ではないが、自分ではそれと気づかずに、自分の姿の立派さをほれぼれと眺めたくて、威勢のいい言葉を口走りたがるのは――しかも他人のまねをして――決して健康とはいえない。

しかも、言葉で現実が少しでも動くのなら、それをしても悪くはないが、中国の開放政策だけでなく、ソ連や東欧のペレストロイカにしても、自分を根本的に改めようとしている国はどこにもない。注目されるポーランドの「連帯」にしても、私企業による市場の自由競争などには反対で、「自主管理」というあくまで労組的発想に囚《とら》われている。

要するに社会主義国は少しだけ自由化し、少しだけ西側のまねをしてみる。すると社会主義国の発展のリズムを乱すので、ある所までくると必ず保守派の巻き返し、弾圧が起こらざるを得ない。

西側諸国は自分の自由を押しつけるお節介は慎むべきであろう。

米国に対等に発言を盛田・石原氏共著の意義

平成元（一九八九）年九月九日

自分の背中を見ない米国の唯我独尊を批判し、返す刀で日本の不決断、不明瞭をしかった石原慎太郎氏と盛田昭夫氏の共著『「NO」と言える日本』（光文社カッパホームス）が米議会周辺で波紋をよんだと聞いて、早速に読んでみた。米、英、韓の各国のマスコミにも取り上げられ、「悪意に満ちたアメリカたたき」（英誌『エコノミスト』）とも評されたようだが、心ある米国人が読めばきっと啓発される、米国人にとっては大変に親切な本だ。たとえ悪意があったとしても、この一冊では米国マスコミがこれまで日本に向けて来た悪意の百分の一、千分の一にも及ばないだろう。

私は二つの感想を直ちに抱いた。

日本人はいつもおとなしく、礼儀正しくしているが、肝心な所ではほほ笑むばかりで、何を考えているかさっぱり分からない。日本人よ、もっと自己主張をせよ、とつねづね欧米人は機会あるごとにわれわれを激励してきたが、いざわれわれが本格的に自己主張を始めると、彼らは必ず当惑し、曲解し、騒ぎ立てるのである。われわれ日本人の自我が「欧米的」になることを、彼らはほとんど本能的に憎む。石原氏も盛田氏も、格別相手を侮辱しているのではない。ただ一つの枠を破っている、すなわち両氏は対等に発言し始めている。この「対等に発言する」というのが良くないのだ。米議会やマスコミは両氏の発言内容に腹を立てたのではなく、その高姿勢の態度にびっくりしたのだ。扱いやすい日本でなくなろうとしていることに、怒りを覚えているのだ、なぜなら、今までの気楽な対日態度の慣習を変えるのが苦痛だからである。

自分勝手な話である。自分たちが日本にどんなに居丈高に振る舞ってきたかに一片の反省もない。

ナショナリズムなど唱えていない

感想の第二は、本来日本がちゃんとした国家意志を持つ国なら、両氏はあえて何も言う必要はなかったということだ。戦後、日本にはそもそも外交がない。いつまでも押されれば引くだけで意志の主体がはっきりしない。日本には政治権力の中枢が欠けている、と私もつねづね不安を抱いている。石原氏が本の結びで、「アメリカに〝ノー〟も言わないような日本人を世界の諸国が重視するわけがない」と言っているのはそのことで、日本はフランスや中国やイギリスが外交戦略をそなえた普通の意味の国家であるのと同じような国家にまずなることが先決、とこの本は言っているまでである。危険なナショナリズムなど何も唱えていない。

どこの国も自分の最も有利なカードを手放さない。それを用いて外交戦略を組み立てる。半導体をはじめ日本が優越しているハイテクを外交戦略に用いない手はない。石原氏によると日本の先端技術は世界の軍事力の心臓部を握っている。もし他の国なら黙ってそれだけで米ソを振り回す。例えばフランスが日本の技術力と経済力を持っていたら、米国の後塵《こうじん》を拝するはずがない。氏が歯ぎしりしているのは、日本の政治家のこの意味での政治意識の低さである。氏の怒りは戦略に関するハイテクを米国に贈り物にしてしまった中曽根康弘元総理の軽率な弱腰に向けられる。もし日本がフランスのようにしたたかな国家であったなら、石原氏がことさら声を上げずとも、自明のこととして、すでに秘かに実行されている。だれかがひとり犠牲になって主張しなければならない所に日本の悲劇がある。

従って氏は、日本もまたフランスのような政治的にしっかりした戦略的国家になれと日本人に叱咤《しった》しているだけであって、「世界に冠たる日本」を鼓吹しているのではない。

盛田氏の米国批判は、これを米国人が素直に聞かないとしたら、その米国人は愚かだとしか言いようのない、真実を射貫いた、友情のむちである。米国は氏によると経営者優遇のシステムが行き過ぎて、経営に失敗しても契約によって巨富を得、従って会社の将来を考えず、在任中に私利を得られるだけ得ようとする。労働者は大事にされず、レイオフされるから、労働組合も取れるだけ取ろうという気になる。米国は人権保護の国とはいえない。個人主義の行き過ぎが利己主義となり、物を作ることを忘れて金を動かすことだけでもうけようとしている。

貿易不均衡の責任は日本にない。日本は無理に物を買ってもらったことはなく、売りすぎるといわれても、買った方にも責任があるではないか。包括貿易法案は売りすぎた国に制裁を与えるというが、こんなおかしな話はない。米国の方がアンフェアである。「日本が米国に対して言うべきときにものを言っていないことが今日の日米関係をおかしくした一つの原因でもある」と盛田氏もNOを言う必要を説いている。

今まで日本人が自分を主張すること少なく、大事なときに意志をはっきりさせずに、ほほ笑むだけで、あいまいであったことにも、『「NO」と言える日本』が米国で驚きをよんだ原因があった。今までの日本人も悪いのである。同書のような対米自己主張が今後あらゆる方面から続々と出て、日本人が強い意志を持った国民であることを米国民に知らせ、慣れさせることが大切である。石原・盛田氏のこの本程度の主張が米国民にごく普通に受け止められるようになったときにこそ、両国ははじめて真に対等ということになるであろう。

ドイツ一体化は経済的必然
米日独が世界経済を支配へ

平成元（一九八九）年十二月二十九日

「ベルリンの壁」が事実上消滅してから、国際情勢の先は読み難くなっている。シナリオが幾つもあって、われわれは偶発事故ひとつでがらりとすべての筋立てが変わる即興ドラマを見ているようなものである。

西ドイツの国民には不安がある。彼らは統一が具体性を帯びて来てからも、必ずしもナショナリズムに沸いていない。民衆レベルでは東ドイツからの旅行者に反感を示す者もいる。一人頭百マルク（約八千円）の歓迎金はやり過ぎで、不愉快だと、市役所に抗議の手紙を書く西ドイツ市民が多数いるそうだ。

六百万人の貧しい西ドイツ市民に同様に一人頭百マルクを、クリスマスに贈ろうではないかと提案する人が出たほどである。東ドイツからの旅行者は、美術館が無料になったり、レストランで特別サービスを受けられるが、これが西ドイツ人には面白くない。駐車中の東ドイツの車が、窓ガラスを割られたり、タイヤをナイフで切られたりしている。貧しい同国人を傷つける傲慢な嘲《ちょう》笑《しょう》はあちこちでみられた。北辺の町リューベックでは東ドイツからの群衆の中に、歓迎のしるしとして、バナナがばらばらにちぎって投げ込まれた。バナナが東側の国では貴重品であることはよく知られている。群衆の中から「オレたちはサルではない！」という怒りの声が一斉に上がったという。

すでに四十五年も別々の価値観で暮らして来た。東ドイツ側でも、社会主義の看板を下ろすとはまだ言っていない。かつての政権党は必死の生き残りを図っている。それでもバッジをつける党員はもういない。国家保安隊の士官は不安におびえている。リンチが現に行われている。民衆を大量虐殺したルーマニアの旧大統領私兵は、体制が変わって処刑されるのを恐れて、今絶望的な抵抗をしている。東ドイツで民衆虐殺はなかったが、デモ隊に対する暴行はあった。これは一種の「革命」だから罪を問われる者が必ず出てくる。

加えて、ソ連だけでなく、フランス、イギリス、オランダ、イタリア等の新聞雑誌に、統一ドイツを悪夢の再現として恐れ、のろい、嫌悪する記事が相次いで出て、西ドイツのジャーナリズムはこれを克明に追いかけている。あれほど謝罪外交を重ねて来た戦後のドイツ人が、結局は憎まれていたことを改めて知った。

それでも各国にはドイツ人の民族自決に表向き反対する理由がない。条件をつけ引き延ばしを画策する以外に手はない。一方、西ドイツの政治家や経済人は遠慮なく「統一」を語り始め、悪びれるふうはない。コール首相の段階的統一実現案の提唱以来、あらゆる点で強大なドイツが出現することの利点を、いち早く皮算用する論調も出ている。東ドイツの公式見解は、これに同調しないことを宣言しているが、自由選挙後、政府が替わり、経済や文化の東西協力が進んだ後では、結局は統一実現を目指すようになる、と私は推理している。

カギ握るソ連経済の成否

東欧各国では一党独裁を否定し、民主化に動きだしたものの、何をどう改革するかとなると五里霧中である。各国とも民主社会主義を標榜《ひょうぼう》し、弱者や少数派の権益確保と経済の競争システムの両立をうたっているが、こういうことは基盤の整備のできた高度の資本主義国でさえ、最近やっと実現し始めているのであって、基盤の弱い国々では、かえって矛盾と混乱を招くだろう。長い間の非能率と官僚主義、技術の遅れと働く意欲の低さがにわかに改善されるとも思えない。当分の間、東欧全域には西側の援助でも解消できない停滞がつづくが、東ドイツだけは別である。西欧最強の経済大国のてこ入れがあるからである。西ドイツが積極的に投資し、東ドイツの賃金レベルを上げ、二つのマルクの価格差を縮めない限り、国境の開放はかえって不安定で、危険であり、このままでは何らかの形で「壁」を再構築しなければならなくなるからである。経済の原則から、必然的に両ドイツは一体化せざるを得ない。ソ連に反転がない限り、たとえ両ドイツ国民に冷たい感情があっても、ドイツ統一は時の勢いだ、と私が言うのはその意味である。

今後のこのシナリオに大幅な変更が生じる可能性は、ひとえにソ連経済の成否いかんにかかっている。ソ連は一党独裁を変えるとまだ言っていないし、市場経済を成功させる確率はハンガリーやチェコより低い。国民の大半はまだ西側の情報から閉ざされ、ある程度以上国を開いた時に内乱が起こる可能性もある。ゴルバチョフが保守派から追われるという説があるが、むしろ彼自身の手でソ連版「天安門事件」が起こされるかもしれない。開放推進派だった鄧小平の変身ぶりをみれば、ソ連で九〇年代に何が起こっても不思議はない。もし何かが起これば、ドイツ統一は遅れるが、東欧全体の民主化の方向は変わらない。そして、結果的に、ソ連が第三世界の地位に甘んじることになる。

ドイツの統一、少なくとも経済一体化の方向は動かず、その結果、九二年のＥＣ（欧州共同体）統合は骨抜きとなるだろう。一応、統合は実現しても、東欧への窓を開いた形態となり、あまりに大所帯で身動きがとれなくなる。ドイツの一国優位は歴然としていて、米国、日本、ドイツの三国が新時代の世界経済を支配するようになる。米国の出方いかんでは、日本とドイツの利害が一致し、再接近する図も考えられる。

日米構造協議
米国観を固定する危険

平成二（一九九〇）年三月二十四日

東ドイツ最初の自由選挙で勝利した「ドイツ連合」という中道右派勢力を、日本の新聞やテレビが「保守」の名で呼んでいるのを私は奇異に思った。〔平成二年三月〕十九日付『読売』『東京』『毎日』『日経』『朝日』の夕刊一面には「保守〈ドイツ連合〉の圧勝」という大活字が躍っていた。しかし、つい先ごろまで、東ドイツの旧体制の中枢に最も近い勢力、旧社会主義統一党の最左翼が「保守派」の名で呼ばれていたのではなかったか。

呼び名がこのようにとりとめもなく動くのは、現代が変転きわまりない時代で、大概の物事が二面性を具えていることを物語っている。

統一ドイツを中立化させずにNATO（北大西洋条約機構）の枠内に押さえておきたい、と西側諸国が考えるのは当然だが、今やソ連を除く東欧諸国までがそう考えるようになり、中立ドイツの強大化を恐れるソ連もまた、次第にそう考えるようになるであろう、と米政界筋では楽観視している。これをわが日本に当てはめれば、日米同盟は、もはや日米両国のためにあるのではなく、アジア諸国を安心させるために必要だ、ということになる。極東ソ連までもが日米安保に希望をつなぐようになるかもしれない。話題のベストセラー『日はまた沈む』（ビル・エモット著、草思社、一九九〇年）も、最終章で、米国の力が衰退し、日本が軍事的に独立すれば、日本と中国がアジアで覇権を争う軍事的不安定が発生することを予告している。日中の友好関係を維持するためにも、日米安保は必要だということになる。それでいて、日本もドイツも、今のところはまだ米国やNATOに頭を押さえられたおとなしい「敗戦国」でありつづけているので、すべての事象が少しずつ不透明な二面性を見せ始めていて、われわれを惑わせやすい。

話題の日米経済摩擦もまた、このような二面性の表現の一つであることは、見まごうべくもない。

日米構造協議は米国が解決不可能な課題を日本に要求し、日本の文化構造や暮らしの基本にまで手を入れようとしているので無理な話であり、先の戦争前に米国が日本を無理難題で追い詰め、日本が譲歩するとさらに追い討ちをかけ、日本が癇癪《かんしやく》を起こすと、すわここぞとばかりに武力で粉砕して来た、あのやり方に似ている、という見方が確かに一つ成り立つ。つまり、米国は今、真珠湾攻撃を誘導したあのときと同じ手口で日本をはめようとしている、という図式が想定できる。構造協議は日本の消費者の利益になる、という米側の恩着せがましい「公正」の押し売りは、昔から少しも変わらぬ米国人の指導者意識の表現であり、「異質」の国日本は薄気味が悪いので排除したいという悪意は、米国もまた、見方を変えれば世界の中で「異質」の国であることを省みない無反省に基づくといえる。

自由な立場こそ安全有利

以上のような、警戒心を発揮すべき観点とはもう一つ別に、日本の戦後の復興が米国の援助と市場開放に大幅に依存して来たことへの感謝の念を忘れてはならない、という点を強調する見方がある。今追い詰められているのは米国であって日本ではなく、その点でも一九三〇年代とは異なり、米国の要求はあながち利己的とはいえず、日本の国内の規制や閉鎖体質にも改めるべき点は少なくないので、今後も米国の支援なしにはやっていけない日本に、米国への大幅譲歩以外に選択の余地はないのだ、と。この見方の前提をなすものは、米国の善意と公正であり、日本自らの自国の社会的体質の排他性と閉鎖性との承認に外ならない。

われわれの教育は欧米に培われて来た。従って欧米という外部からの目で、われわれが自分の国を見、裁く習慣もある。外部世界の原則に立ってわれわれの内部の病を批判しつづける知識人は少なくない。ことに米国に長く暮らした人は、米国の尺度で日本を裁く。そして米国の度量の広さ、懐の深さをしのび、世界各国との取引において米国がいかに無防備かつ馬鹿正直であったかを語り、日本の自動車産業その他の成功が米国人のこの開けっぴろげな性格に負うてきた以上、苦しんでいる米国に今こそ日本が度量を示すのが物事の順序だ、というのである。

日本の国内には目下、この二つの見方が同時に並行して存在し、ぶつかり合っている。そして、この二つの見方のどちらにも、それ相応に理解を示すことができるのが、今の日本人である。逆にいえば、日米経済摩擦という一事象が日本人の心に二面性を帯びて映し出されている。世界情勢が急変しているこの時代にふさわしく、物事すべてが表裏二面を具えているように見え、われわれの判断や決断を迷わせる。

しかし、時局はいつまでも同じ所に止まってはいない。ドイツ統一後の世界は、さらに大きく変貌する可能性がある。十八世紀以後の大帝国であった英国とロシアは片付いた。しかし、米国という敗北をまだ知らない最後の「帝国主義」が残っている。パナマ侵攻という暴挙をやってのけたばかりだ。この「帝国主義」がソ連と同じように崩壊しかかっている、という見方も成り立つのである。日本にとっては崩壊の直前がこわい。しかし、向こうからゴルバチョフのように勢力の一大撤収をはかるかもしれない。われわれは米国観を先述の二つの見方の一方に固定しないで、自由にしておく方が安全かつ有利だと思う。

米国の正義と善意こそ問題 多国間で行うべき構造協議

平成二（一九九〇）年四月十八日

この度の日米構造協議で、マスコミ受けも良く一般の日本人も喜んでいたテーマが、私には逆に気掛かりの種であった。米国が日本の消費者のためになる提案をするのだと言って来たことである。米国の側からそう言って来た。日本の新聞やテレビは歓迎一色だった。海部俊樹総理は勢いづいた。この言葉に飛びついて、彼は政治決断をすると語った。米国に言われるまで自国の消費者の利益を考えないで来た日本政府はけしからん、という批判の言葉は確かにマスコミに飛び交った。外圧に頼らなければ自分を改革できない情けない国だ、との自嘲の言葉も、あちこちで語られた。しかし、消費者のためになるという恩着せがましい内容を外国政府が言って来たこと自体を疑問とする声はまるでなかった。

『Voice』五月号［平成二年］での私と松本健一氏との対談がわずかにこの点を米国の鼻持ちならぬ指導者意識として取り上げ、異議を申し立てたのが、私の知る限り、唯一の例外である。一体、なぜ人は外交交渉の案件に、かくも無警戒かつ無邪気なのだろうか。

私は米国が日本をはめようとする高度の戦略で臨んだとまでは考えていない。米国は、この点では明らかにまだ善意の姿勢を守っている。少なくとも、日本の消費者は気の毒だと思っている。官僚が作った不合理な規制や障壁を取り除けば、日本の消費者も、米国の輸出業界も、ともに救われるはずだ。悪いのは、日本の法律や商習慣が作った取引上のバリケードだ。敵ははっきりしている。これを倒さなければ、日本社会は自由主義社会として一人前にならない、と米国側は思い込んでいる。

このように彼らは、遅れている日本社会を文明の鞭《むち》で治してやろうという押しつけがましい善意に加えて、米国産業は悪しき防壁に守られて強くなった日本の非自由主義型産業の犠牲になっている、という被害者意識をも抱き始めている。つまり米国は正しいから弱体化した。日本は不正だから、強くなった。これが日米構造協議に臨んだ米国交渉団のいわば意識の前提をなしている、と私は見る。

そして、交渉に先立ち日本側交渉団がこの点を突き崩しておかない限り、よしんば消費者の利益に適う一面があるにしても、長い目でみると日米構造協議は日本にとって危険な重荷となる可能性がきわめて大きい、と見なくてはならない。

外務省にない外交のイロハ

政府の特使となった松永信雄前駐米大使が帰国後テレビで、米国は日本のためになるありがたいことを言ってくれたのだから、日本側は譲歩したのだ、というふうに考えるべきではない、と完全に米国サイドに立って、一部の日本人をたしなめる発言をしているのを聞いて、ひどくびっくりした。こんなセンスで外交をやられたのではたまったものではない、とも思った。

日本の消費者のためになるありがたいことを外国の方から言いだした、それだからこそ、警戒しなければならないのではないか。いずれは日本が自分でやらなければならない大事なことを、日本がやる前に外国からやれと指摘された、あるいは命令された、それだからこそ唯々諾々と従うのではなく、日本の意志でいったんは拒否すべきなのではあるまいか。日本にとってたとえ良いことでも、外国の意志で行えば、それは悪いことにもなるのではないか。言うまでもなく、自国を裁く基準を外国に委ねることになるからであり、自国を不正、外国を正義とする尺度を内外に許容することになるからであり、その結果として、他の外国がこの手に乗じて、同じ圧力による譲歩の形式を日本に期待するようにもなるからである。

私に言わせれば、これはほとんど外交上のイロハである。国家意志をそなえた普通の国家が真っ先に警戒することである。ところが日本では外務省が率先して外交上の理性に反した行動をする。繰り返し言っておくが、私は米国が悪意で行動しているとは思わない。まだ善意も親切心もある。だからこそ怖いのである。自分を正義とする尺度を米国が無限に信じようとしている証拠だからである。

私は日本が譲歩し、妥協してはいけないと言っているのではなく、それどころか、海外投資を抑制し、輸出ドライブを調整する後退作戦は、これからの日本にむしろ必要だとさえ言っている人間だが、譲歩し、妥協するためにも、日本には力が必要である。力の持続、自分の力への信頼の持続があって初めて、後退は理性的に運ばれ、摩擦は致命的な敗退にならないで済むのだ。その逆に、日本は何も悪くないのに道徳的に不正だと認めさせられ、文化的に遅れていると教導されるなら、われわれの忍耐は自家中毒を起こし、新しい政治的不安が醸成されるであろう。

そのような意味からも、「構造」をめぐって抜き差しならぬ二国間協議を始めたのは失敗であった。「構造」は人体になぞらえれば「細胞」や「組織」で、手術によっても、投薬によっても変えようがない。「構造」は元来、協議の対象とすべきものではないのだ。FSX（次期支援戦闘機）や人工衛星の例を見ても、二国間協議は必ず日本側の無限後退に終わる。貿易取引のルールをめぐる構造協議は一日も早くガット（関税と貿易に関する一般協定）その他の多国間協議の場に移すべきだ。さもないと日本が実行できないことまで約束させられ、忍耐の限界に達し、最後に恐るべき暴発を招くであろう。

穀物自給率の全体を高めよ
〝コメの自由化〟論者の無知

平成二（一九九〇）年八月二十七日

私は農村の出身者ではないし、農業について格別の知識を持つ者ではないが、「コメの自由化」を国際国家日本の責務のように語る人に、つねづね抱いている二つの疑問を述べる。日本の農業は過剰保護のため、農産物の価格が高く、貿易に大幅に依存する日本では、コメの国内生産だけを守っても安全は維持できないので、食糧安全保障というような考えは成り立たない。こういう意見を読むたびに、素人なりに半分正しく思えても、半分釈然としない。

穀物は水分の含有量が低く、保存食として最適な高カロリー食品で、日本以外のあらゆる工業先進国は、穀物全体の自給率維持に特別の注意を払っている。カナダ二二三％、米国一八一％、フランス一八一％は、いずれも農業大国だから当然としても、英国一一三％、西独でさえ九六％を維持している。ＥＣは全体で一九七五年から八五年までの十年間に、八八％から一一六％まで自給率を高めるという賢明な努力を注いでいる。それに対し日本の穀物全体の自給率は、わずか三〇％でしかない。

多くの日本人はこの事実を知っているのだろうか。しかもこの三〇％はコメの完全自給を死守してかろうじて得られた数字で、参考までに、日本の小麦の自給率は一七％、大豆六％、トウモロコシ一％にすぎない。コメ以外はすべて外国、とくに米国からの輸入に完全に制圧された、みじめな「貿易赤字国」である。食品カロリーの自給率で計算すると、西独九三％、日本は四九％で少し持ち直すが、それでも人口二千万以上の先進国で日本より低い国はどこにもない。われわれは国際的にとび離れて食糧安全度の低い、ぎりぎりの危険ラインで生きているのである。しかも輸送のすべてを海上に頼るという不安もある。

すでに日本は市場を開放

「コメの自由化」をどうするかが問題の本質なのではない。コメ以外の全穀物の国内生産が、ほとんど壊滅しているということに一番の問題があるのだ。たとえ補助金をつけてでも、小麦、大豆等の自給率を上昇させていくことは、国民的な緊急課題ではないか。部分的な「コメの自由化」問題などは、これに比べれば、はるかに重要度が低いといえよう。

さらに頼みの米国農業の将来は必ずしも安泰ではない。大型企業化したため保護林をすべて伐採して、風雨に荒らされ、大量の表土が流出しているという。一インチの表土の形成に千年を要するというのに、米国農業は土地を粗末に扱い、荒廃に向かっている。加えて地下水が枯渇し始めて、農業を放棄する地域も出て来ている。

自分の国民が食べる基本食は自分でまかなう、がどの国でも農業の本来のあり方である。自国が食糧に困ったときに他国に売るわけがない。今後、政治・外交・軍事の全手段で日本を押さえこみにかかる可能性のある米国は、日本にとって十分に脅威であって、米国に対する食糧依存度の高さは、政治的にも危険をはらんでいる。

第二に言いたいのは、日本の農業は過保護で、欧米の農業以上に自由化されていない、という日本のマスコミの思い込みは正しいか否かである。日本政府は国際的に通用しないわがままな政策を頑固に言い張っている、というイメージを日本のマスコミは国の内外でまき散らしているが、それは正しいかどうか。欧米の農業保護政策を知らない、ただの無知にすぎないのではないか。

すでに自給率の低さが示す通り、日本は世界最大の農産物純輸入国である。これ以上できない所まで市場開放してしまっている。米国、ＥＣともに頑固に農産物自由化を進めない中で、日本はコメを除く主要産物をほぼ全面的に明け渡した。それでなお「コメの自由化」を強要されるのは、農業の開放度の問題ではなく、政治的失敗にすぎない。

農業は工業と違うので、どの国も自国の農業を保護している。しかし農民は保護されると必ず過剰生産に走り、政府は財政負担が大きくなるので減反を強制するか、補助金をつけて海外にダンピングして売却する。そういう悪循環を繰り返すものだが、歴史上その最も悪い例が、じつは今の米国なのである。米国は多額の輸出補助金付きで国際市場をゆがめる農産物の不公正貿易を続けて来たことで批判されている代表国である。ソ連がかつて輸出補助金付きの米国の安い小麦を買い、それを発展途上国援助に使うということさえしたほどなのだ。

米国は食肉輸入法やガットのウェーバー条項で、自由化など市場開放の努力をほとんど行って来なかった国だが、とりわけコメで問題になるのは、この農業保護費である。各農産物価格の中の補助金の比率は、平均三五%だが、コメに関しては七〇%に近いのである。米国のコメが安いというが、それは大ウソである。

日米構造協議でもそうだが、米国は日本に自分の失敗の尻ぬぐいをさせようとしているかにみえる。米国に過剰米が生じ、生産調整をしなくてはならない。日本の農民がその肩代わりをして、生産調整をする。そんなばかな話があるだろうか。欧州の国なら、米国のこんな要求を一蹴《いっしゅう》し、相手にもしないであろう。

中東の危機は極東にも危機
国連という幻想

平成二（一九九〇）年十一月五日

冷戦という従来の構図がゆるみ、その後新しい世界の権力構造が再編成されようとしてまだされないでいる時期――それが今だと思うが、イラクのクウェート侵攻は、多くの人が指摘した通り、その空隙《くうげき》を突いた、思いがけぬ角度からの挑発であると思う。また、フセインが読み切れなかったのは、米ソ両国がすでに話し合いのできる状態になっていた新しい変化で、しかも米国が世界の監視者の役割をまだ捨てていない段階にあることである。

もし米国の中東作戦が失敗したらどうなるだろう。私はいまそれを憂慮している。アジア、アフリカ、中南米には独裁者がごまんといて、米国が失敗しフセインが成功するのを、かたずをのんで見守っていると思う。フセインが成功したら、隣国に侵攻してももう大丈夫と、あちこちで領土分捕り合戦が始まるのではないか。ことにアフリカが危ない。東アジアでも、中国による台湾の武力併合、朝鮮半島の不安定化、フィリピンの共産化、その他、いろいろな可能性が考えられる。一番うっとうしいのは、伝統的に日本を敵視している朝鮮半島が統一して核武装し、日本列島と対峙《たいじ》する構図である。可能性はそれほど大きいとは思わないが、あり得ない話ではない。

中東作戦が失敗したら、世界のあちこちが不安定化する。ことに太平洋地域における米国の軍事的プレゼンスが後退すれば、日本は今のままではとうてい済まない。米国のプレゼンスは、日本の軍国主義化を防ぐ「びんの蓋《ふた》」だということをよく言う人がいるが、米国人が主張するのならともかく、日本人がこんなのんきなことを言っていてよいのだろうか。日中友好関係ひとつ取ってみても、米国の軍事力の支えによって可能になっているのだ、という当たり前のことを、日本人は忘れ過ぎている。なぜなら中国は三百万の陸軍を持つ核武装国だからである。

中国が日本の自衛隊を見て、軍国主義化がどうのこうのという資格はまったくない。そういうことをときどき中国が言うのには、底意がある。ご記憶のある方もあろうが、中国は対ソ脅威でおびえていた時代、日本の防衛力はGNP比三％まで伸ばし、ソ連の脅威に対抗すべきだと、日本をそそのかしていたのである。ことほどさようにご都合主義的である。中国の抗議などは、友好国としての外交辞令をもって、礼儀正しく聞き流しておけばよろしい。

さて、米国の中東作戦の成否は、これほどまでに東アジア情勢を左右するのだが、多くの日本人の論調をみていると、中東の今度の事態を自分たちに直結する緊急の課題だとはまるきり思っていない人が、大半だということには驚かされる。平和団体や革新勢力だけがそうだと言うのではない。日本政府までが、中東危機を米ソの和解の谷間に起こった、自分自身に突きつけられた新しい問題、東アジアの問題だとはまったく考えていない。その証拠に、政府が国連尊重主義をまたしても持ち出している気楽さ、安易さを考えてみるがいい。

なぜ人は、左も右も、国連、国連と言い立て、国連を正義の御旗《みはた》とするのであろうか。じつにもって分からない話だ。

中国の拒否権で機能しない

周知の通り、国連は今まで無力な存在であった。冷戦時代が終わって、国連が何ほどか機能しているかのごとき幻想が今始まり、これからますます機能してくる、というが、果たしてそうだろうか。米国が国連に背中を向ける時代が来ることだってあり得る。じつは現在の国連も、米国の軍事力があってはじめて機能しているのだ、ということを忘れてはいけない。米国の迅速な判断と行動があって、国連はその力の実効性を追認したに過ぎない。まず国連で決議し、それから国連軍を結成し、などとやっていたら、フセインのような人物が出て来たときに間に合わないではないか。

それに、例えば中国のチベット弾圧に抗議して、日本と米国が国連を舞台に何らかの外交的行動をしようとしたとする。しかし安保理常任理事国である中国の拒否権にあって、国連は再び機能しないであろう。東アジアでは、中国の気に入らないことは、国連を通じてでは、何も実行できないはずである。

「国連平和協力法」は日本の防衛行動を国連に縛りつけ、不自由にする法律である。同盟国米国は、日本は自分よりも国連の方を尊重しているのだろうか、との猜疑心《さいぎしん》を抱くことになろう。

防衛行動はつねにフリーハンドでなければいけない。もちろん、米国にも一方的に縛られるのはまずい。けれども、実際上の力を持つ米国との軍事的協調の維持こそが、日本の安全にとって不可欠である以上、米国に対しては少しずつフリーである方向を目指しながら、合理的に共同していかなくてはならない。そのために米国にある程度縛られるのは、今後ともやむを得ないのである。

ところが、国連相手ともなると、そうではない。何の頼りにもならない、空虚なフィクションである国連に自国の防衛を永久に縛りつける今度の法律は、果たして日本の未来のためになるであろうか。

それに国連は第二次大戦の戦勝国や往時の植民地宗主国によって、線引きされた国境に区切られた国々が各一票を有する。そのため、二千万ともいわれる中東のクルド族にも、六百万人のチベット人にも、一票もない。国連は今後、地球の民族問題の多発する可能性に対し、いぜんとして無力な存在でありつづけるのではないか。

経済エゴむき出しの暴論だ
三宅氏の外国人労働者導入論

平成二（一九九〇）年十二月二十日

十二月六日付本欄［平成二年産経新聞「正論」欄］に、三宅和助《わすけ》氏（元シンガポール大使）が「外国人単純労働者は必要だ」というご意見を述べている。次のような冒頭記述から始まる。

「私が昨年までシンガポール大使をしていたとき、大使公邸で二人のフィリピン人のお手伝いさんを雇っていた。彼女らは大学を卒業しており、流暢《りゅうちょう》な英語をしゃべり、給料も住み込みで、二万五千円から三万円という程度の安さである」

氏はまずそう述べて、日本での反対論の論拠は治安や住環境の悪化、不況時の日本人の失業増大、異民族への感情的な反発などで、日本の国際的立場からみて、こういう反対論は不適切であり、日本は単純労働者をもはや拒否すべきではない。なぜなら、いま日本は人手不足に悩み、出生率の低下で今後も十分な若年労働力は期待できず、米国から要求されている向こう十年間の巨額の公共投資も、建設労働者不足で達成できそうにない。途上国の優秀な技能労働者を招くのは大国のエゴイズムになるので、アジア諸国にあふれている単純労働の失業者を日本は積極的に受け入れ、人手不足を解消すべきである。分野別に年間の受け入れ枠を設定し、シンガポールとフィリピン間の政府協定の仕組みを十分研究すれば、弊害や問題は克服できる、といった主張である。

以上は人手不足を解消するという実際的な利益目的がまず先にあって、大国の責任とか何とかの理窟は後からつけられている典型的な議論である。

まず日本の経済利益が最優先されている。それがエゴイズムであることには気づいていない。そして外国人労働者を受け入れないのは大国日本のエゴイズムだ、と論理のすり替えを平然と行っている。さらに、年間の受け入れ枠をきめ、政府協定を結べば、きちんと帰国させることは可能だ、という安易な前提に立っていて、国民が一番心配している何百万人の外国人失業者の定住化の問題は、深く考慮されていない。

残酷な出国管理は不可能

三宅氏のこの議論の程度は三年ほど前の水準を示す。今では受け入れ賛成派も反対派も、この程度の浅い認識では議論していないことを氏に告げておく。

確かにシンガポールにはフィリピン人を中心に外国人メイドが多数いるが、彼女らは結婚はおろか、妊娠してはいけない、という条件を付けられている。想像を絶するのはこの先である。彼女らは半年ごとに病院で不妊証明の検査を強いられている。驚くべき非人間的政策である。不法就労者には鞭《むち》打ち刑が実施されている。大の男が一回打たれただけで気絶するという野蛮な刑である。タイからの建設労働者がこの七年間で約二百人、不審の死をとげ、原因をめぐって両政府間の外交紛争に発展している。シンガポールの外国人労働者政策が一見合理的に見えるのは、この残酷なまでの「出国管理」のお蔭である。人権尊重の理念に立つわが国の寛大な近代法の下では、このような「出国管理」は不可能である（だから今だって不法就労者を送還できないでいる）。人口二百六十万の意識面では前近代的な小国の政策は日本の参考にならない。シンガポールについてこれだけの事実認識もなくて大使が勤まるということは、国民の常識として理解できない。

三宅氏に言っておきたい。他国の救済のために外国人失業者を受け入れた国など、歴史上、例がない。まして今、共産諸国の解体で大量難民の発生が恐れられている時代である。私はウラジオストク難民の可能性をさえ心配しているほどだ。

日本への侵入を狙っている余剰労働力は、億単位である。戸籍のない国が大部分で、旅券の偽造は容易、しかも日本の刑罰は軽い。いったん正式受け入れを認めれば、寛大な近代法下にある西欧諸国と同様に、あっという間に人口比七%、約一千万程度の定住を容認せざるを得なくなるだろう。フランスやドイツの例がこれを示す。期限が来ても帰国しない者に、首に縄をつけて追い返すことは、人道上できない。入って来るのは人間であって、牛馬ではないのだ。送還させる力も、日本政府にはない。日本の警察力はわずか二十五万である。流入者の約半数は、西欧の例をみても、定住する。その間に、上下のカーストを決める民族間の死闘が演じられる。日本人も新しい差別問題の発生に悩むことになろう。

外国人労働者問題は、三宅氏の言うように単なる労働力不足の解消問題ではなく、行き着く所は、日本の民族構成を変えるか否かの問題である。日本を多民族構成の移民国家にすることに国民的合意が得られたら、やったらいいと思う。さもなければ、国内労働力でやれる程度に経済規模を縮小すべきである。

大切なのはこの二つの選択肢に対する明確な自覚である。三宅氏のように先行きを安易に考えて、大学卒のフィリピン人メイドを二、三万円で雇えると日本人に誘惑するように語るなど、経済エゴイズムをむき出す慎みのない無自覚な態度が、国の将来と相手国との外交関係を一番危うくするのである。

平成三（一九九一）年四月六日

自由放任がなじまない教育
高等教育改革の持つ問題点

去る二月八日［平成三年］出された大学審議会の最終答申は、「大学設置基準の大綱化」という表現が話題になったように、かなり大胆な、大学教育の「自由化」推進の政策を提言している。一般教育と専門教育の区分を廃止したり、カリキュラムの編成に関する従来の規制を撤廃したりして、教育内容を思い切って大学の自由裁量にゆだねている。一口でいえば、法的規制を外すことで、各大学の発展は各大学の自覚や良識にゆだね、「大学間の自由競争」を意図したものと解釈することができる。

自由競争は経済の場合と同じように、質の悪い大学の自然淘汰《とうた》をも前提としていると考えられる。〝見えざる手〟が働き、良質の大学は生き残るが、努力しない大学は淘汰される。十八歳人口が急減し、「大学冬の時代」を迎えるこれからの時代に、国公立大学といえども努力しなければ、存立の基盤を失うことになろう。まして私学は生き残りに必死になる。健全で厳しい競争を経て、大学は全体として活性化される。それが今期大学審議会の期待である。

文言にそう公言されてはいないが、目指す方向、その精神は明らかである。その証拠に、カリキュラムを自由放任にすれば、好き勝手をやる大学が出て、一部で教育水準の低下が懸念される。また一般教育を軽視する大学が出てくる点も危惧《きぐ》されている。答申は、そういう世間の声を承知していながら、「大学人の見識を信ずるものである」とのみ述べ、突き放している。無責任にも見えるこの大胆さは、自由競争への強い信頼があってこそ初めて許される態度である。

経済の自由競争と異なる

かつて臨教審（臨時教育審議会）自由化論者が唱えた、小学校や中学校を自由競争にさらす案には私は反対だが、大学には、ドイツやアメリカの大学の発展の例が示すように、自由競争は必要である。ことにカリキュラムの枠組みが細かく規定されている現状に大学が慣れ、「真剣な討議や改善のための努力を怠らせ」てきたことは、大学審議会の言う通りである。ここいらで大学を不安にさせ、創意工夫を引き出させることは政策的にも理解できる。

しかし、原則はそうだが、教育は経済と異なる。競争といっても、大学のあり方に本当に良い結果が出るのには何十年と時間を要するのが常で、スーパーマーケットの競争のようなわけにはいかない。かつて通信技術の分野では東北大学は英才の集まるメッカだった。哲学の分野では京都大学は京都学派の名で知られる魅惑の中心地だった。競争といっても、大学が競り勝って俊秀を集められるようになるのは、時間もかかるし、勝敗は数字化できない。さらに、学問が国際競争に勝つためには、予算の重点配分や特別助成も必要で、政府のある程度の介入は、これからは特に避けられない。加えて、教育内容の悪い大学は評判を落とし、つぶれるから放って置けばよい、というが、被害を受ける学生の犠牲を考えると、腐ったリンゴを売る果物屋はつぶれるからそれで公平だと、経済競争のように扱うわけにはいかない。また、有名大学は悪い教育をして評判を落としても学生が集まるという不思議な構造がある。産業政策と違って「自由放任」は教育政策にはなじまないことを、大学審の面々はどれくらい気がついているであろう。

ドイツやアメリカではどこか一つの大学に英才が集中する寡占体制に陥らぬよう警戒が払われている。大学教授の人事面でも集中が排除されている。英才が各大学に比較的平等に——完全に平等には無理としても——あらかじめ配分される仕組みができ上がっていなくては、大学同士の自由な競り合いは起こらない。日本のように有力大学とそうでない所とで、学生の水準に相当に開きのあるシステムが温存されている限り、大学同士が活発に刺激を与え合い、相互に高め合うといっても、おのずと限界がある。

大学審議会は自由競争を企図するからには、まず日本のこの特殊事情の解消から始めなくてはならないのに、答申は全大学が同格であることを前提とし、日本の大学がタテ並びに「序列化」されている事実を、初めから視野の外に置いている。つまり一部の大学に英才が固定的に独占され、自由競争はスタートから成り立っていない日本の現実には目をつぶり、大学に自由競争をさせようとしている。これは同答申の最大の矛盾であり、誤謬《ごびゅう》である。すなわち実際には自由が存在しないのに形式的に自由を大学に与えれば、向上を目指す競争は行われず、大部分の大学は自分の低い現状に合わせた「努力しない自由」を選ぶだろう。ことに序列上位の有力大学が危うい。何もしないでも学生は集まるからだ。

私も参画している中央教育審議会の中間報告は、文部省の公式文書としては恐らく初めて大学間の「格差」と「序列」を正面から問題にした。そして一部大学に英才が独り占めされる寡占体制の解除を策定した。私は元来自由競争に賛成だが、それには競争の成立する条件が大学間にあらかじめ与えられていなくてはならない。中教審も間もなく本答申を出すので、大学審のこの面での現実認識の不足と矛盾は補正されることになるであろう。

独りよがりの国際責任論議
外交力不足をカネで補うな

平成三（一九九一）年十一月十三日

ブッシュ米大統領の突然の訪日取り止めは湾岸戦争終結後の四月に続く二度目の延期であるだけに、やはり小さな出来事ではない。中止ではなく延期だといわれても、大統領選が近づく今後の日程の中での再調整は、三度目の失敗が許されないだけに、実際には難しいのではあるまいか。日本の新政権は動揺を抑え、些事《さじ》のように振る舞っているが、ブッシュ氏はマドリードの中東和平会議やローマのNATO首脳会議には予定通り出向いている。米大統領にとって世界政治の中心はやはり大西洋より向こう側にあるのだ。太平洋は優先順位が低い。これはゴルバチョフ大統領にとっても同様であった。ソ連のペレストロイカは最初完全に西欧にだけ顔を向けていた。最近でこそ少し態度を和らげては来たが、長い間アジア軽視の政策だった。

私はこの事実を必ずしも不快だと言っているのでも、遺憾だと嘆いているのでもない。ある意味でむしろ幸運だ、と考えたいのだ。地球上の緊急の政治案件は、おおむねユーラシア大陸の西側寄りに集まっている。日本人には気楽である。人は最近〝日本も大国にふさわしい国際貢献を〟とか〝責任ある国際国家になれ〟などというが、一体、何を「貢献」し、どんな「責任」を持てというのだろうか。良く考えてみると、じつに分からない。独りよがりの意気がりようである。

日本はいわゆる「覇権国家」ではないし、またそんなものになるつもりもない。「覇権国家」は今やはやらない時代である。私は宮沢（喜一）政権の新閣僚諸氏に、日本は東アジアの端にある地理的条件からみて、今世界のためには必要最小限の義務を果たせばそれで良いと、肚《はら》を固め、〝大国としての日本の国際責任〟などと、浮足立つようなことは決して言わないでもらいたいのである。

ドイツ人には資金負担の理由がある

対ソ支援問題に最初から熱心だったのは西欧諸国、ことにドイツだった。コール首相は機会ある度に日本が第一の援助供給国になるべきだと語り、国際社会の責任ある一翼を担うことをわれわれに求めてきた。しかし莫大《ばくだい》な資金を旧東独領に投じて、容易に効果が上がらない事実を見てきたドイツ人は、旧共産国への援助金がザルに水を注ぐムダ金になることを身にしみて、切実に、日々痛いほどに知っている人たちである。人口千八百万人の旧東独に、経済大国である旧西独が総力を投入してなおうまくいかない。人口二億六千万人のソ連を、気乗り薄な西側諸国が若干の資金援助によって救済できると思う方が傲慢《ごうまん》ではないだろうか。ドイツでは〝ソ連は底無しの桶《おけ》〟と呼ばれている。どうせ援助しても救えっこないことを知っているからだ。それなのにドイツ人が支援計画に熱心で日本にも請求書を突きつけてくるのは、東アジアのわれわれと違って、ソ連とのっぴきならない関係ができ上がっているからである。

ソ連に日本人はほとんど住んでいないが、ドイツ系ソ連住民は約五百万人もいる。ドイツ人自治共和国をロシア領土内につくって、彼らの難民化を防ぐ計画が、ドイツ政府とエリツィン大統領との間で進められている。日本はソ連を侵略していないが、ドイツは対ソ侵略国で、償いの義務もある。日本は領土を返してもらっていないが、ドイツは東ドイツを解放してもらった。ドイツ人は感謝し資金負担をする理由がある。

対ソ支援問題を一つとっても東アジアと西欧とではかくも背景の事情が異なっている。「国際社会の責任ある一翼」などという一つの共通項で括《くく》って、日本が西欧並みの負担を強いられる理由はほとんどないのが実情だが、宮沢新首相は六日〔平成三年十一月〕の記者会見で、日本の対ソ支援は北方領土と切り離し、G7の合意に応じて拡大する方針を早くも打ち出した。しかも首相はその同じ日に、米国大統領の訪日取り止めという、世界政治内の対日軽視政策の平手打ちを食らったのだ。

要するに米国はじめ西側諸国が、日本の国際的責任や貢献を語るとき、その内容は資金提供への期待に過ぎない。しかもカネだけ出させて口は出させまいとする。

対ソ金融支援などと人は簡単にいうが、日本が期待されているのは、毎年湾岸戦争へのあの支援額の二、三倍を十年間も提供しなくては追いつかない額だということに人は気がついているのだろうか。一度はまったら抜けられない泥沼である。

それかあらぬか、最近政府筋や自民党から、国際貢献のための資金をあらかじめプールする目的の各種の増税案が取りざたされている。もちろん、国際貢献のための増税もときに必要かもしれないが、それは国民にそのつど相談して行われるべきで、使途不明の巨額資金が常時プールされ、外交にいつでも利用できるよう用意されていることには、私は賛成できない。なぜなら湾岸戦争でわが国民は資金を提供して、侮辱されたからである。政治力、外交力の不足のせいである。政治家にこれ以上カネで外交の力不足を補おうとする安易な姿勢を許してはなるまい。カネに頼らずして外交の力をまず回復する——それがあるべき方向ではないか。

大量難民時代に備えぬ空論
外国人技能実習と指紋全廃

平成三（一九九一）年十二月十一日

大量難民到来の危機に備え、ポーランドでは守備隊の三分の一がソ連国境に張りつき、フィンランド湾ではエストニアからの氷上歩行者の侵入を防ごうと砕氷船が一冬中湾内の氷を割り続ける準備に入った。昨年［平成二年］減少していた香港へのベトナム難民が本年急増した。ある米国議員が彼らをクウェートで働かせたらと提案し、その一語が、ベトナム人の期待を一遍に高め、海上へ誘惑した。彼らは必ずしも深刻な難民ではない。未来への希望は閉ざされているが、最貧層ではない。誘惑の可能性のある所に殺到する。逆にいえば、油断している所が危ない。日本がまだ大量難民に襲われていないのは、外国人単純労働者は受け入れないという政府の固い方針が広く知られ、無言の抑止力になっているからである。労働者導入問題と難民問題とは今や切り離せない。

そういう時代に、日本が国際社会に開かれるためといった一昔前の美辞麗句で、慎重さを欠く危うい方向へ走りそうな動きが二つほどある。第三次行革審（臨時行政改革推進審議会）の報告案が示した外国人の技能実習制度の提案がその一つである。これはいわゆる短期ローテーション方式で、人数枠を限り、滞在期限を二年以内にし、家族呼び寄せと転職を制限し、一定の技術習得をなし得た者に就労を認め、労働関係法令、社会保障関係法令を適用する。その代わり不法就労者の方は摘発を強化する、といったいかにも合理的にみえる方式の提案である。実際にこの通りにいけばいいのだが、ここには具体性がない。滞在を二年以内にするというが、二年たって居座った者をだれが、どうやって帰国させるのか。企業は言葉を覚えた労働者を返したがらない。労働者は国に帰れば職がなく飢え死にするという。日本政府が就労を認め、日本経済のために役立った外国人に、手荒なことはできない。入ってくるのは牛馬ではなく、人間である。家族呼び寄せと転職の禁止は、日本が国連加盟国で、家族離散の解消を謳った難民条約を批准し、世界人権宣言を尊重している以上、不可能である。スイスはこれができるのは国連に加盟していないからである。人数枠を限るというが、フィリピンに十万人認めれば、中国は百万人を要求するだろう。中国の要求を満たすためフィリピンの就労者を帰国させたら、日比間の外交衝突となろう。現在の不法就労者をきちんと取り締まって送還する力のない国に、短期ローテーション方式を実行する力もあるわけがない。以上の通り行革審の提案は観念的で、机上の空論に近い。第一不勉強である。労働力が欲しい雇用側の要望がみえみえで、しかも外国人に対しては結果的に残酷になることが認識されていない。

「人権尊重」で非難を浴びる

大量難民の時代に、国内の治安への不安だけでなく、外国人の人権保護にも実はならない危うい措置がもう一つとられようとしている。『読売』〔平成三年〕十一月二十四日付朝刊一面に、法務省が外国人すべてを対象に指紋押捺《おうなつ》を廃止する方針を固めた、とあるのを読み、私はおやと思い、暫時わが目を疑った。たしか二年前の日韓覚書で、在日韓国人に関する限り、指紋押捺に代わる代替手段を開発して、押捺を廃止するという例外的約束を取り交わしたと私は理解していた。在日韓国人に関しては歴史的経緯もあり、家族とともに日本に永住していて身元証明も可能であるから、さして問題はない。日本にいる家族の登録さえあれば、戸籍の代わりをなし、在日韓国人の身に何か起こった時の保護、例えば記憶喪失の身元確認、死傷事故における家族への連絡なども、指紋がなくてもできると聞いている。

しかし法務省の検討中の方針は、家族のいない、永住者でない単身滞在者——最も身元保護を必要とする——を含む、全外国人の押捺全廃だという。これは少し軽率なのではないのか。私はそう思い、早速調査を開始した。現在、インドネシア、香港、シンガポール、マレーシア、ミャンマー、韓国、フィリピンなど、中国を除く大半のアジアの国では外国人の指紋押捺が行われている。韓国では自国民にも押捺させている。先進国では米国がこれを義務付けているが、運用上ゆるやかで、永住者のみが例外なく行うことになっている。英独仏、ノルウェー、スウェーデンでは必要に応じ課し、平生は行わない。法務省は諸外国のこうした状況を踏まえ全廃案を打ち出したようだが、日本は戸籍制度を持たないアジアの国々に取り巻かれていることを忘れてはならない。また欧州はEC統合後、域外の外国人に対し政策を変える可能性があるので、慎重に見守る必要がある。

現在の科学では指紋に代わる決定的な身元確認の手段はないと聞く。法務省は本人の写真と旅券に書かれた署名を基本にするという。しかしアラビア文字、グルジア文字、アルメニア文字などの署名を日本人で判別できる人がいるだろうか。英国では漢字の署名は認められず、指紋押捺を求められる。外国人の顔写真は署名よりもさらに判定が困難である。指紋が廃止されると、外国人の誤認逮捕が相次ぎ、人権尊重とは裏腹に、諸外国の非難を浴びることになろう。

この大量難民の時代に、法務省は何という非科学的・非現実的・非法学的対応をしようとしているのであろう。

「大学院重点大学」構想 文部省の無政策無方針

平成四（一九九二）年三月二十六日

文部省は東京大学における助手以上の学部教官の籍を大学院に移し、大学院の教官が学部の教育もするという形に改め、研究費を二五％程度上げるという「大学院重点大学」構想を実施する方向に踏み切った。一九九二年春の法学部をトップに、翌春、理学部・工学部がこれに続き、他の学部も当然追随する動きをみせている。私が入手した情報では、教養学部までが全教官を自動的に大学院教官に昇格させ、大学院学生の大量増員を図るという。さらに文部省は京都大学にも大学院重点化を認めるが、教養学部の全教官を自動的に昇格させるような好条件は認めない方針らしい。明らかに差をつける。予想がつくことだが、三番目の「大学院重点大学」にはさらに差をつけるだろう。遺憾なのは、どの大学のどこにまで重点化を認めるかにルールがなく、文部省の恣意《しい》に委ねられていることだ。そうなると、日本の今までの慣例でおよそ想像のつくことだが、いわゆる旧帝大・東工大・一橋大といった順に、従来のピラミッド型「序列」構造の強化に文部省が手を貸し、自ら新制大学を作った戦後の文教政策の無節操な自己否定を演ずるだけでなく、明治という国力不足時代にはやむを得なかった一大学突出の構造をここにきて再び固定化するという時代錯誤を展開する恐れがきわめて大きい。

ところでこういう問題を考えようとすると、国民の大半はある諦めから出た現状是認、東大には最優秀な学生が集まるのだから特権が認められても良いのではないか、という判定に傾きやすい。また文部省や大学の関係者は、とにかく大学の数が多過ぎる現状では、そのすべてを良くすることは不可能だから、予算重点配分もまたやむを得ないのではないか、という風に判断しがちである。そして、そこから先を考えようとしない。明治以来、日本の大学同士が条件を同じくした上での自由競争をまだ一度もしていないこと、そのために各大学をその中身よりも入れ物で、名前や格で評価する悪習が固定化し、高校以下の教育を歪《ゆが》めているだけではなく、じつはそれが大学教授の競争回避心理を助長し、学問自体の沈滞と国際競争力の低下を引き起こしているということ――こういったことにまでなかなか思い浮かばない。

不平等との戦い、自分との競争

しかし、本来なら多彩な大学文化が百花繚乱と咲き誇るべき国力充実のこの時代に、ドイツ、アメリカがそうであったように、なぜ日本の大学は世界の最前線に立てないのか。科学技術開発の中枢を握っているのは、欧米の場合は大学だが、日本では企業である。そしてその企業社会は、欧米の大学には投資するが、日本の大学を研究機関として見捨てはじめた。優秀な若手の研究者たちも日本の大学に見切りをつけ、理工系の博士課程で定員割れが慢性的に起こっていて、産経新聞の好企画『大学を問う』が紹介したように、大学院の学問を支えているのは今や中国人やイラン人やフィリピン人である。さらに上場企業の五社に一社は大学の人材育成の能力に疑問を持ち、自前の大学を創ろうとさえ企てている。日本の大学は衰滅の危機に瀕《ひん》しているのだ。そしてその根本原因は、「格差」と「序列」で身動きできない大学社会全体のあるけだるい安定がもたらす競争回避状況である。

文部省の「大学院重点大学」構想は、この危機が全く見えていない明治時代の発想で、しかも東大などの重視政策がなんと「平等の理念」に基づくという笑うべき矛盾、無政策無方針たる所《ゆ》以《えん》を以下に明示する。

なるほど五百余を数える全大学を「研究大学」として扱うことはできない。学問研究に平等の原則は適用されない。人間の能力は原則的に不平等なものである。従って能力の高い者を重点的に優遇するという考え、そこまでは論理的に正しい。けれども、能力の高い者にも差異があって、著しく高い者もあればそうでない者もあり、彼らもまた平等ではない。彼らが自己の不平等に気がつき、それを乗り越えようとして努力し、自己の限界に挑戦する。最高度の天才にしても、この自己の限界に対する自覚がなければ、創造的にはなり得ない。天才といえども神に対しては不平等だからである。不平等との戦い、自分との競争が初めて人間を創造的にする。

このように考えると、能力の高いと仮定される一集団を、内部の差異を無視して、文部省のように一括して一律に扱うのは、じつは彼らを平等に扱おうとしていることと同一であって、〝学問研究に平等の原則は適用されない〟という最初の公理に抵触してくるのである。欧米では特定の大学にではなく、特定の教授や研究室に政府支援が与えられる。それなら分かる。特定大学の教授を平等に優遇する文部省の大学院重点化政策は、教授が個人としての自己の不平等との孤独な戦いよりも、集団内部の安逸と平等維持に走ることを助成し競争回避の日本的システムの完成に寄与するのみである。

日本の大学は百年余、この点で間違えてきたのではないか。今また同じ過誤を重ね、日本の企業社会からも学問の国際レベルからも置き去りにされかかっている。

ドイツの国際宣伝法
実は低いドイツの旧ソ連支援額

平成四（一九九二）年七月一日

マスコミの表面で得ていた情報に疑問を感じていても、証拠がないか、自分で証拠を見つけられないために諦《あきら》めて、表面的な判断のままついうかうか時間を過ごしてしまうことがままある。私の場合には次の一件がそれである。旧ソ連に対する金融支援でドイツはこれまでに犠牲的出血の努力を重ね、もうこれ以上不可能という限界近くまで財布の底をはたいたのに対し、日本は北方領土を口実に協力を逃げ回り、冷戦終結後の国際責任を果たしていないという説である。ドイツではそういう日本非難がたえず声高に語られているし、日本のマスコミもそうではないとは反論していない。東ドイツを返してもらった国と領土問題未解決の日本とは事情が違うとは主張しているが、ドイツが自己犠牲的な金融支援を他国に先駆けてやってきた国際貢献と、日本のマスコミも前提として認めている。

ミュンヘン先進国首脳会議で対ソ金融支援問題がどれほど具体化するかは、旧ソ連の内部調整が進んでいない現状では見通しが立たない昨今だが、以下述べるのは、外国の主張を鵜呑《うの》みにして実際のところはどうなのかを追及しないわが国の報道姿勢の問題である。

米国の日本叩きは過剰報道されているのに、欧州からの情報は少ない。クレッソン事件（編集註／フランスのクレッソン首相による「日本人は蟻のように働く」などの発言が外交問題になった）のように女性首相が何かいうと面白がって特大扱いするが、コール首相の日本叩きがこのところヒステリックになっている事実は看過されている。ドイツは以前から自分が苦しくなると日本叩きをする。財政破綻《はたん》で政権末期のコール氏は、昨年〔平成三年〕九月と本年〔平成四年〕五月初めの二度にわたり、訪問先の米国で、国際貢献を怠っている国として日本を名指しで攻撃した。それに先立つ四月末、旧ソ連への総額二百四十億ドルの支援策がG7（七カ国蔵相会議）で確認されたが、ドイツが米国と組んで独走し、日本が不快を表明しつつしぶしぶ呑まされた事情は、ドイツの新聞でも逐一報道された。それほどにもこの件でのドイツの影響は大きいのである。しかもドイツは事あるごとに自国は最大の対ソ支援国で、次は日本の番だと言い立てている。仮に北方四島の返還が成功しても、日本が東ドイツの返還の何倍もの巨額の代償を支払わされるばかげた可能性が次第に強まっている。いったいドイツは旧ソ連復興の目的のために、自国の利益を顧みず、犠牲的出血をしてきたというのは果たして本当なのだろうか。

巧みに書き換えられた額

事実調査の手段のない私は長い間、探求を諦めていたが、最近、官庁筋から次の事実を引き出すことに成功した。一九九〇年五月段階のドイツの支援総額は五百四十二億マルク（三百三十七億米ドル）で、その後はさして増えていないため、現在高の公称六百億マルクを疑う特別の理由はなさそうである。日本の湾岸支援の約三倍に近いのだから、額面だけ見れば、これは確かに相当な貢献だといえるわけだが、そのほとんどはじつはドイツ自身が困った揚げ句の果ての自国救済策か、巧みな数字合わせの類であって、贈与無償供与などはじつに微々たるものであることを知って、私は妙に納得がいった。例えば、旧東ドイツがかつてコメコン（経済相互援助会議）の内部の貿易で旧ソ連に対し持っていた帳簿上の債権をそのまま現ドイツの賃金計算に仕立て、百五十四億マルクの援助金としているが、東西ドイツマルクの換金率を一対二にしているなどは、お手盛り案もいいところである。さらに旧東ドイツ企業が旧ソ連に売っていた車両や船舶を、買う金を融資してひきつづき買わせなくては東ドイツ企業が参ってしまう。そのための緊急の輸出信用保証の枠が、昔の残高の書き換えと新たな積み増し分を合わせて百六十億マルクにものぼるが、これは「枠」だから、現実にどのくらい支払われたかは定かでない。また、統一と見返りの五十億マルク、撤退約束と見返りの三十億マルクは紐《ひも》つきでない援助と当初喧伝《けんでん》されたはずだが、実際にはドイツの銀行の貸金の書き換えに充てられている。いずれも今までドイツが首を突っ込んでいた後始末をうまくつけるための出費にすぎない。新たな援助ではなく、自国の事情で使った今までの投資を取り戻すために、自分のところが助かるようにと、旧ソ連に借金を確認させた額がこんなにものぼる。

贈与無償供与は百四十八億マルクだが、このうち百三十五億マルクもが、ソ連軍撤退のための費用である。将兵用の住宅建設費などで、仕事はいずれもドイツ企業に落ちるように仕組まれている。話題になったベルリン備蓄放出は、廃棄直前の古い食料もあったそうだが、ちゃんと七億マルクに試算されているし、民間人の人道援助もちゃっかり二億マルクと計算されている。これらを総額五百四十二億マルクから差し引くと、ドイツ政府の実際の援助額はわずか四億マルク、これはＥＣ（欧州共同体）の対ソ支援の負担分だから、日本がやってきたことと大差はない。ドイツが新たな国際秩序づくりのために犠牲的出血を厭《いと》わなかったなどと一体どうして言えるであろう。

ドイツの次に犠牲になるべきは日本だなどと、言われる根拠が何処《どこ》にあろう。日本は旧ソ連と関係してきた程度において貢献すればよく、ドイツのしたたかな国際宣伝法を学んで、ミュンヘンサミットでは、経済大国とおだてられ、ゆめ愚かな浮かれ方をしないようお願いする。

見直すべき日独共通課題論
マスコミのワンパターン

平成五（一九九三）年三月三日

日本とドイツは相似た歴史を歩んで、今また同一の課題の前に立たされていると、とかくみられがちである。今回のコール首相訪日に際しても、日本のマスコミの書き方は両国の歩んだ過去が似ていて、今またともに、世界のリーダー国家として期待されている、というような所からまず筆を起こす。しかしコール＝宮沢会談で、ドイツ側は素気なく日本に市場開放、対露支援、旧東独への投資促進を求め、日本側は気乗り薄な返事で、いかなる言質も与えなかったと伝えられる。

両国の歴史と課題が共通しているという日本のマスコミの習慣的な思い込みは、ただの儀礼的挨拶としても、もう考え直すべき時期に来ている。私の知る歴史は日本とドイツの相違点ばかりを意識させ、共通点をあまり感じさせない。日本とドイツは同じ戦争をしていない。戦後処理も異なった原理に立つ。当然、現在の課題の困難のかたちも全然別である。マスコミのワンパターンな思い込みは、日本の国民に自国のポジションに関する間違った認識を与え、ドイツ側の対日要求のモチーフをも見誤らせる。

日本の貿易は対米貿易が全体の三―四割を占め、不均衡で、日本が米国市場に過剰依存してきた歴史の一つの帰結を示している。ドイツの対米貿易はわずか全体の一割だが、しかしこの国は何と貿易の七割をEC（欧州共同体）諸国に依存している。

一九八九年の旧西ドイツの黒字の九割は、東欧を含む周辺ヨーロッパ諸国から得たものだった。ドイツは近隣諸国とばかり貿易している証拠だ。ECを一つの国と考えれば、ドイツは国際貿易国家ですらないのである。それが紛れもない一つの現実である。日本の商品は世界の至る処に溢《あふ》れている。しかしドイツ人には世界に雄飛するという意欲がほとんどない。例えば、代表的企業ジーメンスはドイツ市場とせいぜい欧州市場しか狙わない。IBMの牙城を脅かす気配はぜんぜんない。しかし日本の企業はIBMの土台を脅かしている。最初から米国企業とぶつかる以外に生きる道がなかったからだろう。

背景は第二次大戦の経過と戦後処理のあり方にある。購買力をもつ周辺の先進諸国を侵略したドイツは、戦後、謝罪に謝罪を重ね、和解し、周りの国々との貿易によって起ち上がる以外に生きていく方法がなかった。戦後のドイツ人が自分を否定して、周囲に合わせる努力に必死だったのは、生きるためには当然であった。しかし、「良きヨーロッパ人」になることが精一杯で、それで満足し、ドイツ人はついにヨーロッパの枠を超えようともしなかったし、超えることもできなかった。ドイツの外交はどこまでもEC一国としてのそれの範囲に収まる。

ドイツと日本は立場が違う

ドイツが強いマルクを捨ててでも通貨統合の基本方針を変えないのも、難民問題で永い間基本法（憲法）十六条に悩まされながらじっと忍耐したのも、みな周辺諸国の顔色をうかがってのことである。とりわけフランスに手足を抑えられている。NATOの域外派兵ができるように憲法改正を目ざすのも、日本と違って、フランスやイギリスなどの旧敵国の要望である。日本が中国やフィリピンから懇望されて海外派兵できるように憲法を改正するのにも似ている。安保理常任理事国入りに慎重でありたいというコール発言も、キンケル外相は反対に乗り気なのだから、深い仔細があってのことと思われない。「EC内の三番目の椅子は望まない」というコール氏の言葉が暗示するように、ドイツの目はヨーロッパの内部にしか向いていないのだ。たえずなにかに気がねしている。

これは丁度、日本が米国に無言のうちに制約されているのにも似ている。日本は戦後購買力を持たない国々に取り巻かれていた。中国では革命が、朝鮮では戦争が起こり、結局寛大な米国市場に依存し、経済発展をなしとげる外なかった。それが三―四割にも及ぶ不健全な対米貿易依存として残り、政治外交面で米国に首根を抑えられるウィークポイントとなった。しかし米国はいま日本の技術と経済は恐れるけれどもドイツのそれを恐れない。米国からの日本叩きはあっても、ドイツ叩きはない。日本の技術や経済は米国と相撲を取ったお蔭で、いつしか世界的視野で展開するようになったが、ドイツの技術や経済は対EC貿易七割が示すように、ECの枠内に小ぢんまり収まっていて、今のところ米国には何の脅威でもないからだ。

統一ドイツが国家意志を持ったスーパーパワーになるという大方の予想に私は懐疑的である。仮りにフランスとも仲の良い、正の方向のスーパーパワーになるとしたら、ドイツは国家意志を捨て、ECに吸収されている。ドイツがフランスの手を離れ、ロシアに接近し、国家意志をぎらつかせた負の方向のスーパーパワーになる可能性も依然としてある。ドイツのロシアへの思い入れは特殊である。対露支援をはじめ、コール氏の要求を日本はあまり本気で受けとめる必要はない。ドイツと日本は今は立場が違う。ドイツがECの顔色を窺った及び腰の外交しかできない以上、日本はフランスやイギリスを相手にした方が手っ取り早いともいえるだろう。

異質な社会の接触 弱者に侵害される強者

平成五（一九九三）年五月二十五日

いま地球上では、自由に開かれた豊かな社会と、イデオロギーや貧困に閉ざされ、抑圧された社会とが、不用意に、深い予備知識もなしに、無媒介に接触する危険なケースが、やたら数多く発生している。北朝鮮の核査察問題、ソマリアやカンボジアなどへのPKO派遣問題、外国人労働者問題（難民問題）などは代表例だが、じつはドイツ統一も、湾岸戦争も、対露支援も、みな同じカテゴリーに入るように思える。和解や平和のケースと衝突や戦争のケースとは、一見違うようにみえるが、異質な二つの社会の突然の「接触」という点ではどれも共通している。一方の社会では危険なまでに情報と物質が過剰であり、他方の社会では危険なまでに情報と物質が欠乏している。自由と不自由の両極端である。背中を向け合った完全に異質な二つの社会が互いに歩み寄るか、互いに争い合って、ついに「接触」したとき、双方がそれぞれ痛手を蒙《こうむ》る。情報と物質の豊富な開かれた社会の方が、寛容と忍耐を示さねばならぬ分だけ、自由な行動を阻まれ、弱みをさらけ出す可能性が高い。「失うもののない者は強い」というのは個人同士でも、国家同士でも同じなのである。

前者はいわば情報化社会であり、何かやるとすぐマスコミが騒ぎ、議会が批判する。後者は国民の眼を遮蔽《しやへい》した独裁国家で、国民に無理を強いても、独裁者は自由に振る舞える。二つの社会は発展段階が異なる。生活意識も異なる。互いに接触しないでいれば平和でいられる。本当はそうあるべきなのである。

そうはいかなくなったケースが増えたのは冷戦終結以後だが、それ以前にも、例えばベトナム戦争という例がある。より大きなダメージを受けたのはアメリカであって、ベトナムではない。ベトナムの国土は破壊されたが、国民の意気は盛んである。アメリカは以後用心深くなった。湾岸戦争で、自国の将兵の犠牲を非常に恐れ、ハイテク兵器に依存し、バグダッドも陥落させずに引き揚げた。他方、情報を閉ざしているイラクは、犠牲者が多数出ても、意気軒昂たるものである。今ではどっちが勝者か分からない。

同じ構造は統一ドイツにもみられる。援助を受ける東側の果てしない不平、不満。西が資金を東に投入すればするほど、東は病を重くし、援助効果が下降する。かくて傷を受けたのは旧西ドイツ経済の方である。同じく、対露支援はロシア経済に有効か否かよりも、西側資本主義をやがて泥沼に引き込む危険の確率の方がはるかに高いことを知らねばならない。

カンボジアを任される日本

地球にはこのように大きな変化が訪れている。欧米諸国はロシア支援には若干踏み込んだが、他の点では、強者の側が弱者に侵害されるこの自らの危うさに気がついている。ボスニアへの本格介入を避けているのがその証拠である。ボスニアはカンボジアと違って、戦火が拡大すると彼らは直《じか》に被害を受ける。ロシアからの難民流出と同じくらい自分に対する影響が直接的なのに、あだこうだと言って、解決を先送りしている。欧米は日本に協力させてロシアの経済破局を防ぐことには熱心でも、ボスニアへの武力介入は自分の国内へのはね返りを恐れて、できない。足許に火のつくボスニアにさえ、責任はとれないのだ。

さてカンボジアは日本にとって、足許に火のつく焦眉の急であろうか。選挙後もあの国が戦乱で明け暮れ、国家として滅亡しても、アジア全体の平和状況にそれほど大きな影響はないということを今から考えておく必要がある。アメリカはそこまで考えていると思う。単に逃げているのではない。優先順位が低いのである。しかも史上もっとも過激な共産主義のファナティシズムがまだ死んでいない。中国でさえ見放したし、フランスは逃げ腰である。日本人の明石康さんが国連カンボジア暫定行政機構（ＵＮＴＡＣ）の代表に選ばれたのは、各国がカンボジアを日本に押しつけたがっている証拠である。国際貢献だなんて空なことを言っている日本に任せよう、としている。選挙が終わった後の国家再建の責任まで全部負わせようとしている。しかし戦火は決して止むことはない。命よりも大事なものがあるという風に信じて生きている人たちがいる国なのだ。そこへ命が一番に大事だというPKOが出て行って、彼らと触れ合って対抗するのは無茶な話である。日本も軍事力を投入できるのならいい。それもできず、しかも軍事的な現場で軍事的な対応を任されつつあるのが宮沢政権の矛盾である。

今回は国家がウソをついた形になったので、日本のPKOに今後参加を申し出る者がいなくなってしまう可能性がある。軍事というものが見えないのは日本では左翼だけではない。今回の政府の不用意は、国を挙げて軍事というものが誰にも見えていない、という恐ろしい実態を明らかにした。一体これで北朝鮮の核攻撃のまさかの事態に、備えはなされているのだろうか。

自由で豊かな情報化社会が閉鎖社会といきなり「接触」したときの衝撃をいかに回避するかは、今先進各国の高度の政治課題となっているのに、日本では課題そのものの存在にさえ気がついていないのである。

第二章

日本政治の不在

日本の国家意志喪失が問題
つけこまれる米国依存心理

平成五(一九九三)年十月七日

昨年[平成四年]ポーランド旅行中に、ワルシャワ大学日本文学科の日本人教授O氏から次のような話を聞いた。日本政府に対するポーランド政府の態度がつねづね大きい。横柄である。援助を受ける側の態度とは思えない。可愛げがない。滞在二十年を超えるO氏は「真に驚くべきこと」という表現をこれに用いた。原因は必ずしもポーランド人の民族性にあるのではない。人口の四分の一もが国外に住むこの民族は、ことに米国への進出が著しく、政界にもブレジンスキーなど多数の人材を送りこんできた。日本との直接交渉なんか当てにしなくていい。米国政府を動かしてポーランド人は自ら信じている。米国政界の中枢にしっかりしたルートを持っていると、ポーランド人は自ら信じている。日本に圧力をかければ金はいくらでも出ると、当初から高を括《くく》っている。勿論この傲慢と国際常識の欠如は、世界では通用しない。いくらなんでも日本政府もそれほど甘くはない。「ただ、日本という国がそのように見られていること、これが問題なのです」とO氏は言った。まったくそれが問題なのだと私も思う。

今月[平成五年十月]一日ワシントンで開かれたパレスチナ支援会議でも、今後五年間で約二十億―二十五億ドル必要とみられる資金のうち日本は最終的に米国と同額の五億ドル――ECは十二カ国で六億ドル――を気前よく約束したらしい。しかも日本だけが最初の二年の二億ドルの先払いである。が、それはまあいい。ガザ・エリコ暫定自治協定の成功のためにはイスラエルへの資金援助も必要になってくるのだが、イスラエル政府はポーランド政府と同じように横柄である。日本の資金は米国の肚一つで動く、と、米国に強い彼らは事情を見抜いている。イスラエルのペレス外相は羽田孜《つとむ》外相に電話だけで援助依頼を済ませたそうだ。しかも電話の内容は中味が薄く、型通りのＰＬＯとの合意に関する事後報告にすぎなかった。同じ時期に、イスラエルは外務次官の訪日を予定していたが、向こうの都合で、急遽文化次官にレベルを落とした。

何も今に始まったことではない。

今や米国は米国の戦略に必要な金を日本に出させるのに何の苦労も要らない。米国に一方的に役立つ役割を、国連の名において日本に担わせることも、すでに意の儘《まま》である。

政権交代の背景

今夏［平成五年］四十年に及ぶ自民党政権が倒れ、細川（護熙）政権が成立した本当の原因は何だったのであろうか。自民党の金権腐敗では必ずしもない。選挙制度改革、行政改革への国民の熱意が高まったせいでもない。経済的に図体ばかり大きくなった日本が、右に見て来たように国家意志を所有していない。いざというときに他国に操られ、呆然自失し、何も出来ないのではないか。このことへの不安と苛立ちが、自民党政府への国民の拒絶反応の背景の一つにあったと考えられる。そしてそれは、ご覧の通り、細川政権になっても、根本的には何も変わっていない。

日本は湾岸戦争で莫大な支援金を支払って、おまけに侮辱された。『ワシントン・ポスト』は日本をイラクの側についた国とし、ドイツを中立国だったとした。ブッシュは湾岸戦争後に予定されていた訪日を取り止めた。こういう侮辱は誰も忘れない。政治力や軍事力の不足を経済力で補うことには限界がある、とあのとき国民はいい勉強をしたはずなのだ。経済力を政治力にするにはよほど強い意志、したたかな外交力を必要とする。さもないと資金を狙われ、かえって危ない。対露支援問題でも「政経分離」の原則は見るもぶざまに放棄させられ、しかもロシアはなんの感謝も示さない。エリツィンは逆にこの件でクリントンに感謝している。日本からカネを出させるのに日本政府に掛け合う必要はない、のあの風評は、現実において証明され、世界中に喧伝された。

国民は今イヤーな予感がしている。北朝鮮の体制の崩壊は時間の問題であろうが、そうなったとき、それを支える力は韓国にはない。日本が力を貸さなければ、事態を収拾できないことは、欧米諸国も予想している。ドイツ並みの朝鮮統一には日本からの百兆円の支出が必要だと英国のある新聞は試算していた。そこまで日本が出せるはずもないが、日本国民もある程度は覚悟せざるを得ない。しかし、事態収拾の功績は全部米国に持っていかれ、莫大な金を毟《むし》り取られた日本が、それでいて理由なき侮辱を朝鮮半島から再び浴びせられるようなことになりはしないだろうか。こういうことにだけは何としてもなってもらいたくない、と国民は祈るような気持ちでいる。それなのに新しい政府は、国民が自国の外交の拙劣、というより国家意志を失って浮遊している自国の行方に不安を抱いて、政権交代を求めたのだという、国民の深層にある肝心要の危機感情がよくは分かっていない。

北朝鮮の核攻撃という、まさかの事態に突如直面しないともいえない今日、また鄧小平の死と中国の巨大変化を目前にしている今日、米国依存の現状維持心理から一歩も抜け出せない自民党は、呆然自失して何も出来ないであろうことを、国民は見抜いた。細川政権ももしこの国民の危機意識が見えていなかったらそう遠くない時期に国民から同じように愛想をつかされ、見捨てられるだろう。

北の核開発は日本の国内問題
現実的対応力問われる試金石

平成六（一九九四）年三月三日

私が北朝鮮の核開発のニュースを最初に知ったのは、本欄［「正論」欄］における村松剛氏の一九八九年十二月二日の、外国誌情報に基づく日本人への警告である。それから暫くしてドイツの新聞で私も読んだ。しかしその頃は、日本の他の新聞にも、ＮＨＫその他テレビにも、この件は一切出なかった。一九九〇年九月金丸信氏を団長とする訪朝団は、周知の通り核査察を念頭に置かずに、北朝鮮に経済補償をしようとした。米国が慌てて押さえた。外務省から審議官が同行しているはずなのに、何ということかと私は思った。日本政府には軍事的頭脳中枢が欠けている。日本のマスコミは考えたくないことは存在しないことにしてしまう。五十年間冷戦構造に守られて、自分の目で世界を見る能力を失った。村松氏のような文学者が一番敏感である。現実的であるべき政治家や外交官が現実的でない。文学者より後手に回る。この関係は戦後ずっとそうだった。

北朝鮮の核開発問題がのっぴきならない事態になってきた昨今、私は惨事は決して望まないが、これは日本人の現実対応力の機敏さが問われる試金石であり、民族の勇気と叡智が真に試される、ある意味で絶好の機会だと考えている。

日本人はこの期に及んでなお、朝野をあげて米国が何とかしてくれると思っている。事実、日本がいま率先して具体的に打てる手はほとんどない。だからますます米国に頼り切っている。こう書いている私だって、日本政府より米国政府に心理的に依存している。これは悲しいことである。

しかしもとより米国の問題ではない。核ミサイルが北米大陸に届かないからというだけのことではない。そもそもこれは単に外国からの軍事的脅威の問題といえるのかどうかさえ疑問である。私はすぐれて日本の国内問題だと考えている。国連安保理の経済制裁が決議されたら日本も参加する件で、早くも政府部内から反対の声が上がったではないか。国会が非常事態に対し緊急決議を行うようなとき、土井たか子衆議院議長の存在は致命的傷口にならないだろうか。否、政権内の唯一の現実政党である新生党にしてからが、羽田外相の、核問題は「金日成主席とひざを突き合わせ、じっくりと話し合い、分かちあってもらうことが大事」(『読売新聞』九三年八月十七日)などという能天気な発言を聴いていると、政権担当能力をさえ疑いたくなる。

「世界の警察官」は勝手な思い込み

北朝鮮は三月一日［九四年］に査察団を受け入れる約束をし、国連の経済制裁は当面回避されたが、今回の合意が再び「米側の大幅譲歩」（『朝日新聞』二月二十七日）であって、最終解決に遠いことは、関係者の共通した認識である。北朝鮮は二つの未申告施設への特別査察を、今回も頭から認めていない。昨年［九三年］三月それが理由で核拡散防止条約（ＮＰＴ）からの脱退を宣言したこの特別査察は、今回も対象外として扱われているので、核疑惑はどこまでも残り、米国は一年という時間を徒らに北朝鮮に与えて、翻弄されてきた観さえある。北朝鮮にすれば、核疑惑を残しつづけることが自分の持つ唯一の交渉カードであるから、必死である。米国は強硬策を意識しないわけではないのに、つねに妥協してきた。二月初旬には中国を介し最後通告を行っているし、今回もシンクタンクのヘリテージ財団が強行突破を主張している。にも拘わらずクリントン政権はいざとなるとほとんど何もしない。一年かけてやったことは北朝鮮をＮＰＴ体制に辛うじて繋ぎ止めたことだけである。人は米政府の弱腰を言い、なめられていると非難するが、私はそうは思わない。米政府は敢えて消極的にしている。承知で譲歩を重ねている。そう考えられる理由が二つほどある。

冷戦終結後、豊かで自由な先進国と貧しく不自由な地帯とが無媒介に接触し、いつも前者が深刻なダメージを蒙ってきた。そのため先進国側が過度に用心深くなっているのが今の世界状況である。ボスニアの惨状にさえ及び腰のクリントンが、今ここで日本の安全のために流血の犠牲を払おうとするだろうか。もう一つの理由は、貿易交渉が暗礁に乗り上げていることと関係がある。

北の核問題は米国からみて唯一の有力な対日交渉のカードで、これがあっさり解決することは望ましいことではあるまい。日本を懲罰し、制圧するのにこれほど危険な、しかしまたこれほど有効なカードはないからだ。

極東の有事の際に米国が世界の警察官として再び起ち上がってくれるだろうというのは、日本人の勝手な思い込みにすぎない。日本列島が地上から消滅しても、米国人には痛くも痒《かゆ》くもない。どう考えても米国が日本のために朝鮮半島で冒険する理由はない。唯一つ彼らが恐れているのは、核拡散が引き起こす日本の核武装である。日本の技術なら北米大陸に届く。宇宙開発のH2ロケットの打ち上げ成功は直ちに世界中に、日本の核武装の可能性と結びつけて報じられた。それが世界の常識である。日本人は夢にも考えていないが、英誌『エコノミスト』も日本の核武装への恐れから、北朝鮮問題の早期解決を望んでいる。

日本人は自分の悪の可能性を計算の中に入れない。従って他人の悪の可能性も見えない。日本が善意でさえあれば、世界中が日本を守ってくれると信じている。しかし日本が善良で、無害で、ただ経済的にだけ有害な国なら、明日どうなっても世界のどの国も心配しない。北朝鮮の核武装が完成するまでこのまま放置される。日本自らがどう考えどういう態度でそれを示すかが決め手なのである。まさに「国内問題」だと言った所以である。

日本独自の朝鮮半島政策必要
日清・日露の状況再び

平成六（一九九四）年五月九日

羽田新首相は［平成六年］四月二十八日の初の記者会見で、北朝鮮の核開発問題への対応に触れて、「一般論からいうと、国連がひとつの方向を出せば、わが国も憲法に許される中で協力したい」（『朝日新聞』四月二十九日）と語った。この文言は私もテレビで聴いて記憶にあるが、じつは私はこれを聴いたとき愕然《がくぜん》としたのである。どこか遠い国で紛争が起こり、わが国は憲法の制約があってろくなことは出来ないが、「国連がひとつの方向を出せば、わが国も憲法に許される中で協力したい」と他人事のように型通りに語るいつもの口調そのままだったからである。しかし、あらためていうまでもないが、北朝鮮問題は日本の国民の生命と財産が直《じ》かに脅かされているケースであって、国連に「協力」する問題ではない。自分がどうするかの問題であって、それ以上でも以下でもない。場合によっては国連の意向を無視してでもしなければならない事柄が起こり得る。

まだ社会党も参画していた連立与党の代表者会議で、中国との連携を求める社会党の主張が退けられ、「日米、日韓の連携と協調」に文言が修正された経緯があった。中国が国連で拒否権を行使する可能性を予《あらかじ》め想定しておく政治的知恵が働いていた証拠であって、この現実判断に私はひとまず安堵した。けれども、米国や韓国に「協力」すればすむ問題でも決してないという、そこまでの意識は働いていない。日本の防衛が中国に制約されることは論外としても、米国や韓国にさえ制約されてはならないのだという、フリーハンドを保持するほんの僅かな意識も、四月二十二日に調印された与党の政策確認事項の中にはなかった。それどころか、社会党に反対した現実派の主張は、当時来日中のペリー米国防長官の発言内容にきわめて近い。国連の合意が得られなくても米国は日韓を含む「多国的制裁」を実施するとの国防長官発言と、代表者会議のやり取りは字句まで似ていた。彼らが米国防総省と緊密に連携してことを進めているのは当然としても、日本政府の政策はそれだけであってはいけないのだ。平和的話し合い一本槍《やり》の社会党さきがけリベラル勢力と、米国への「協力」一本槍の政府与党と、正反対の方向の、どちらも他人任せの単調な対応に政策が分裂し、日本国民の選択の幅が著しく狭く、硬直している現状を私は憂慮しているのである。

北と単独交渉の事態想定を

もとより近い将来の有事の際に、日本政府のとり得る選択の幅はきわめて限られている。安保条約第五及び第六条の有事研究を要請した本欄［「正論」欄］四月二十六日付佐々淳行氏の見解に私見もほぼ尽きるが、こうした短期的対応の他に、この問題には、じつは日米韓の利害が相互に対立する局面に備えた長期的戦略の視点が必要と考えられる。たび重なる北朝鮮の時間稼ぎ作戦に誤算が生じ、米朝双方が引っ込みがつかなくなって軍事衝突に至る可能性ももとより絶無とはいえないが、それよりもはるかに起こり得る可能性が高いのは、米国ならびに中国による北の核兵器の黙認である。かりに北がいま核兵器保有宣言をしたとしても、国際社会はどんな手も打てまい。軍事制裁など論外である。としたら制裁は核の出来ぬうちが有利なのだが、米国にその気はない。現在核の存在を不透明にしている北の作戦は、米国にとって必ずしも不快ではないからなのだ。北はＮＰＴ（核拡散防止条約）体制に事実上もう入っていないに等しいにも拘わらず、米国は無理に北を引き留めるようなポーズを示して、「核の不拡散」という建前にだけしがみついている。金日成外交の勝利である。クリントン政権は中国の協力が得られないと分かってから、すでに保有済みと思われる二、三発の原爆は大目に見て、これ以上の開発は許さない、などという微妙な発言に変わってきている。四月二十九日北朝鮮はまたしてもＩＡＥＡ（国際原子力機関）の条件を拒否し、期待された再査察は延期された。それなのに三十日、米大統領はホワイトハウスでラジオ演説し、北の核疑惑には「根気強く」対処していく考えだ、などと表明している。そして再び北から五月五日書翰《しょかん》が届き、今動機分析が行われている。

恐らく対決回避に関係各国はほっと胸をなで下ろすだろう。けれども問題の先送りの結果、二、三年後に日韓両国は北の核兵器と共存しなければならなくなる。韓国では今、左翼進歩史観が知識人の心を捉え、日本の戦後のような雰囲気だそうで、反米感情も根強い。米国がかりに北に先制攻撃をしかけたら、デモがソウルを埋め、米韓離反は決定的になるといわれている。北はそれを見越している。つまり北の核武装は韓国をフィンランド化する。日本に恐怖を与え、在日米軍基地を無力化する。通常兵器の軍拡では得られない効果である。そうなったら日韓の利害は決して一致しない。韓国は無気力になり、北の言いなりになる。今でも米国は韓国を相手にしないで北朝鮮と直接交渉しているが、米軍が消極的でありつづければ、日朝の直接対決交渉とならざるを得ないだろう。

日本に対する米国の冷淡さ、再び抬頭《たいとう》してきたロシアの大国化、中国の混乱と傍観――明治日本が日清・日露で苦闘した状況が再びわが列島に徐々に忍び寄っているといえないだろうか。ただ単に他人事のように国連に「協力」したり、米韓と「連携」したりすることで日本の防衛は全うされるのだろうか。今われわれに必要なのは、冷戦後の新しい状況に備えたわが国独自の「朝鮮半島政策」ではないだろうか。

親北朝鮮派内閣の出現は愚挙
品位も責任感もない自民党

平成六（一九九四）年七月七日

北朝鮮の核脅威の問題は、カーター米元大統領の訪朝で、小休止状態にあるが、問題として終ったわけではない。それどころか、困難はこれから始まる。心ある人はみな気をゆるめていない。それなのに日本の政界からはあっという間に緊張が消えた。社会党左派と自民党が手を組んだ不可解な〝ハト派連立内閣〟の突然の出現は、国内の一瞬の気のゆるみを突いた油断の現われ、取り返しがつかないと後で悔んでも悔み切れないではないか。北朝鮮問題の行方を世界中が固唾《かたず》を呑んで見守っている折も折に、〝親北朝鮮派〟を中核に政府を形成した日本の選択は、予想もつかない新しい危機を日本に醸成する第一歩になりはしないだろうか。

［平成六年］六月三十日、金日成率いる朝鮮労働党中央委員会は、村山富市首相に早速に祝電を送ってきた。村山氏ら左派に限らず、社会党は純然たる〝親北朝鮮勢力〟で、永年友党関係にあり、つい先年まで韓国を承認せず、韓国からは入国を拒否されていた。屋山太郎氏の報告（『週刊時事』六月十八日号）によると、本年四月十三日に朝鮮総連中央会館で行われた金日成誕生日の祝賀会に、社会党議員十五人が出席し、その中にはこのたび建設大臣として入閣した野坂浩賢氏も含まれているという。また、新蔵相・さきがけ代表武村正義氏は、滋賀県知事時代からの〝親北朝鮮派〟で、北朝鮮諜報機関とのつながりが以前、米国の公安筋からマークされていたという。九〇年九月の金丸・田辺訪朝団のお膳立てをしたのも彼だそうだ。北朝鮮の言い分を丸呑みにして、後で米韓両国から憤激を買った、例の悪名高い「戦後四十五年の償いと謝罪」という筋の通らぬ宣言文を書いたのも武村氏である。

『週刊ポスト』（三月十一日、四月八日号）は、武村氏を告発した昨年［平成五年］十二月十六日付『ロサンゼルス・タイムズ』の報道を踏まえ、本年二月の日米首脳会談で、細川政権はその中枢に北朝鮮に密着した閣僚を抱えて果して大丈夫かとクリントンに念を押され、細川氏は帰国後、官房長官更迭の意向を唐突に発表した経緯を伝えている。あの折の内閣改造騒ぎが、官房長官の北朝鮮疑惑に出ていたことは、今日では知らぬ者とてない話だ。そういえば村山社会党委員長はあのとき武村氏を応援し、細川首相に激しく巻き返し、改造を断念させた。新生党など旧連立与党が総辞職後にどうしても社会党さきがけ勢力と再度組めなかった最大の原因は、北朝鮮をめぐる路線対立であったに違いない。

日本の政治家が北朝鮮に親愛感を持つのはもちろん自由である。米紙『ウォールストリート・ジャーナル』が酷評した、北朝鮮系パチンコ業界から彼らへの政治資金の流れも、べつに法律違反ではない。けれども、核脅威の危機の進行するただ中でこうした人々が日本政府の中枢を形成するということは別問題で、どう考えても、これはただごとではない。なぜなら、核を持たない日本は、核問題では交渉能力がなく、米国の軍事外交政策に依存する以外にさし当り方法がないからである。

「核危機は話し合いで解決」の愚

そして、米国のこれまでの警告からみて、今後、米国政権は北朝鮮に情報が筒抜けになることを恐れて、最重要の機密情報は絶対に日本に洩らさないであろう。これが一番恐しい。日本政府と日本国民は、韓国が知っていることも知らされず、何が起こっても本気で相手にしてもらえない。ひょっとすると米国は、政府以外の頼りになる日本の何らかの機関、何らかの重要人物に働き掛け、そこを支点にしようとするかもしれない。二重外交の不健全な事態が訪れるかもしれない。重要機密を知り得る立場にいる官僚は、政府にそれを伝達すべきか否かに悩み、自分で密かに決裁する場面が出てくるかもしれない。

自民党がついているから安心だ、というのは限りなく甘い。政党には踏み越えてはならない一線があり、暗黙の掟《おきて》がある。見境いなく掟を捨てる今の自民党に、統治政党の誇りも、品位も、責任感もない。もしそうはいえないというなら、こともあろうに北朝鮮問題で世界が不安に襲われているときに、この選択をするはずはなかった。

北朝鮮の核脅威に対し、米国には幾つものオプションがある。（1）最終的責任を果す（2）軍事行動を開始しながら途中で責任を放棄する（3）北の核を黙認する（4）日韓両国から全面撤兵しハワイまで退く。河野洋平新外相のこれまでの発言を見る限り、予定しているその政策はどこまで（1）を前提としているのか、その先を彼は考えていないし、考える能力もない。なぜなら（2）（3）（4）は憲法の見直しに直結せざるを得ないからである。

守旧体質の河野氏は、冷戦状況の去った今、思いがけない新型の紛争が地球に現われる可能性に備え、警戒する心を持っていない。依然として他力《ひと》任せである。護憲派はつねに外国の軍事力を前提としている。北の核危機は話し合いで解決せよと河野氏はいうが、話し合いのカーター外交も、制裁を振りかざした米国の軍事力を背中にして、初めて北をほんの少し譲歩させ、交渉の場に引き出すことに成功したにすぎないのだ。もし話し合いしかこちらに交渉の手段がないと相手に読まれたら、弱味につけこむ相手は、戦意を誘発されることになる。

文学者の私にも分るこんな力学も分らない人物に、日本の外交を任せなければならないとは、何という不幸な、運の悪い国民であろう。

「日米安保の再編成」を北朝鮮の脅威を米が黙認

平成六（一九九四）年十月二十日

米国と北朝鮮の会談はこう着状態で妥結困難と聞いていたが、不思議なことに［平成六年］十月十五日頃を境に「米朝、合意へ大詰め」とか「決着は時間の問題」などの見出しがにわかに新聞紙上に躍るようになっていたから何か関係があるのかもしれない。しかし、これに先立ち韓国の金泳三大統領が「米国は妥協的すぎる、北に操られている」との手厳しい批判を開陳していた（『朝日新聞』十月九日）事実があり、今あらためて振り返り、吟味してみる必要がある。

それによると、米国の交渉団は北朝鮮への認識が不足し、協議の仕方は愚直かつ軟弱で、このままいけば北朝鮮政府を延命させ、その指導者らに誤ったシグナルを送ることになるだけだ、と大統領の対米警告は苛烈である。ことにクリントン政権が北朝鮮に限って人権問題を取り上げない手抜きに、ある危機感を表明したのが注目される。ハイチ、キューバ、中国でことあるたびに人権問題を論《あげつら》う米政府が、一層ひどい状態にある北朝鮮に対しては、まるで歯牙にもかけぬ構えである。米政府が韓国の安全より、「核の不拡散」という国際公約を北からとりつける形式にだけ関心を持っているのではないか、という韓国大統領の強い疑心はわれわれの胸にも響く。それは日本をも直撃している危険だからである。それなのに日本政府はなんの危機感も暗示せず、米国へのなんの質問も発しなかった。

今日までに伝えられる米朝妥結の内容の中で最大のポイントは、北の軽水炉建設に米国が多国間組織を作り——米国はカネを出さずもっぱら日本に負担させる——、軽水炉建設までの代替エネルギーを北に提供する。さらに、日韓が神経をとがらせている「過去の核」の検証、寧辺《ニョンビョン》近くの二施設の特別査察を含む全土にわたる核の透明性の保証の時期を、今すぐにではなく、軽水炉の主要設備が船積みされた後にするという妥協である。これが最大のポイントである。軽水炉建設には約十年を要し、主要設備の搬入は早くてもその中間、今から五年先になると関係者は証言する（『産経新聞』十月十四日付）。としたら、もののみごとに北朝鮮の時間稼ぎに再びクリントン政府は手を貸しただけという、あまりにもばかばかしい、先の見えた政治的失策を早くも予想させるだけではないのか。日本政府はその点を米国にたしなめているか。

日米安保「堅持」はもう古い

人は北の核にだけ気をとられているが、この国は生物兵器や化学兵器や長距離ミサイルを持つテロ国家である。秘密警察と強制収容所で成り立っている最後のスターリン型独裁国家である。一日も早く人権問題を解消した民主国家に生まれ変わってもらうための資金援助なら、少しも惜しくはない。それにはテレビなど西側「情報」を開かせること、青少年の誘致、西の商品の流通等が決定的であることは東欧で証明されている。しかし軽水炉建設は単にテロ国家の内部強化に力を貸すだけではないか。「核の不拡散」という米国の国際戦略に沿うだけの話ではないか。韓国大統領が内心の不安と憤りをあらわにしたのは当然のことと理解できる。

安全保障は主権国家の要である。しかるに核問題に関する限り日韓には交渉能力がない。米国の妥協に二億の民の生存が左右されかねない。問題は米国に、極東の安全を絶対最優先するという不退転の決意が今やなく、問題を先送りして、この地域の潜在的脅威を事実上黙認し（見て見ぬふりをし）、微笑外交をつづけて、国内政治の点数稼ぎに役立てるという可能性が大になってきた新たな現実である。そしてそれが、冷戦後の世界情勢の中では当然すぎるほど当然な米国の自由に属する。日本がその情勢の変化に機敏に対応する能力を欠いていることが、もとより最大の問題である。

村山首相は「日米安保堅持」と叫んで、変わり身の早さをなじられた。しかし「堅持」は米国が日本の安全を絶対最優先するという今までの米国の責任意識によりかかって、それで安心であった時代の用語であって、「堅持」ではもう古い。「日米安保の再編成」こそが今は緊急に問われている。勿論それには有事に際し米国を失望させない日本の法整備も含まれるが、それだけではなく、核交渉能力を奪われているわが国の無力を、米国が救済しない場合の対抗措置も、当然、明文化されなくてはならない。

北朝鮮問題ほど自国の安全を遠い他国に依存している不安と内心の憤りを日本人に感じさせた事件はなく、その点では韓国大統領の忿怒《ふんど》は痛いほどわれわれには分るのである。

政党あって思想対決がない
悲劇の見えない衆愚政治家達

平成六（一九九四）年十月二十五日

ドイツの総選挙結果をみると、日本の政界と違って、主張や理念の異なる党の間の対立や協力がはっきりしていて、国民の選択意志も、一目で分る。コール氏の率いる保守連立が僅差で勝ち、社民党は敗れたが、東ドイツの旧共産党が議席を得、緑の党が再登場し、心配されていた極右（ネオナチ）は議席を得られなかった。これで、ドイツ国民がいま何を考えているかが大略分る。ところが日本では総選挙をしても、どうしてもこういう風にはっきりした形にはなりそうにない。もともと竹下派の内紛で始まったわが国の政界再編は、各党の主張や理念の差異を主な動機にして進められていない。寄り合い世帯の無理な連合は、自社さ連立の現政権だけではない。新・新党にしても、いったい保守なのかリベラルなのか、改憲派なのか護憲派なのか、それさえもはっきりしない。つまり与党も野党も内部に左右両極をかかえていて——両極の開き方は与党のほうが極端で異常だが——内部が国家観や外交方針上の結束力を欠く構造は、どちらもほぼ同質とみていい。そこへもってきて小選挙区区割法の成立を目前に、二大陣営の単なる頭数そろえの競り合いが始まった。候補者選びが主張や理念の相違に基づいてなされているようにはみえない。となると、一体なぜ今無理をして日本は二大政党体制に向かわなくてはならないのか、という疑問が浮かんでこよう。

米英のように思想対立の歴史的由来があって自然に二大政党体制が出来てきたというのなら分るが、新選挙法への思惑と竹下派内紛の怨念だけで生じた、どっちが勝っても主張に差のない二大勢力の対立など、国民には迷惑で、選択を迷わされるばかりであり、ドイツのように国家の方向が一目で世界の人にも分らないので、国際的にも恥である。それに二大会派の選挙対策に縛られて、社会党はともかく、自民党の思想信条に基づく分裂が難しくなった。自民党の改憲派とみられる三分の一の勢力は村山首相に好意を持っているわけではない。今はじっと我慢の子である。党内の一部のリベラル派が旗振ってやっていることを歯を食い縛って見ている。

こんな状況では、次の総選挙で二大会派のどっちが政権を担っても、再び政治が前へ進まない、問題先送り体制を繰り返す恐れがある。

宮沢元首相はかつて国内が改憲派と護憲派に割れることは国民的に不幸だと述べ、現状維持体制を日本政治の成熟として礼讃したことがある。国税、防衛、農業などで国際評価の得られない一国満足主義を日本政治の美質とし、論争を避ける「大政翼賛」型合意政治を、欧米政治との相違点、日本的特徴として是認する声は宮沢氏だけでなく、案外に国内では根強いものがあるのである。果たして日本のこのような理念を欠く政治的体質、政党あって思想対決なきわが国の現状は、容易に変えられない文化的宿命なのだろうか。

“代理戦争”という仮説

ここで一つの仮説を述べるが、自民党は五〇年代に米国から政治資金を供給された。社会党も同じ頃ソ連に資金を仰いだ。最近判明したこの事実は、岸（信介）内閣を倒した六〇年安保騒動が、日本列島を舞台にした米ソ両国の激しい代理戦争であったことを今さらのごとく裏書きしている。ソ連はフルシチョフ時代で宇宙開発の優位に酔っていた。日本では五五年に社会党の左右統一、吉田自由党と鳩山民主党との保守合同が同時に行われていたが、考えてみると、日本政治の独自の動きというより、国際政治の力学が列島を襲った必然の作用であって、日本人に二大政党の物理的衝突以外に、他の選択の余地などはなかったのだ。

ドイツでも代理戦争は同じ頃激化し、ベルリンの壁ができたのは、岸内閣が倒れた翌一九六一年である。五九年に西ドイツの社民党はマルクス＝レーニン主義と絶縁した。東西ドイツの対決は決定的になったが、その代わりに、西ドイツの社民党は健全な現実政党になった。十三年も政権を担当し、今のドイツの政界地図で現実の一部をきちんと代表している。

日本は分断国家でなかった幸運の代償に、残念ながら社会党という「東ドイツ」を国内に抱えた。いつまでもマルクス＝レーニン主義と手を切れないこの党に、国民は一定以上の議席を決して許さなかった。同時に自民党はどんなに党内抗争をしても一枚岩を守り、分党を許されなかった。それもこれも国際政治の力学の反映であって、日本国民は米ソの代理をなす力の衝突が列島を引き裂く恐怖を予感し、必死に回避したのである。

しかし、このことはいいかえれば、社会党はいつまでも日本の現実と無関係な政治のアマチュアであればよく、自民党は国際共産主義の防波堤の役割を果たせればそれで十分で、党内部での思想対決や真剣な政策論争などはどうでもよかったことを意味する。自民党は国民の無性格な集合意志を漠然と表していただけで、政党ではなかった。「保守合同」すれば防波堤の目的を果たし得たこの党は、理念や主張で生きてこなかったので、今では分裂するエネルギーもない。

改憲か護憲かの対決をも掲げられない今の日本の政治状況の曖昧さ、問題先送りの逃げの精神は、政治文化の成熟でもなければ、日本的宿命でもなく、ドイツや朝鮮のような分断国家でなかった幸運の代償の付けがいま一挙に回ってきた結果であり、幸運の時代が去り、悲劇が始まっていることを正視しようとしない政治家たちの知的怠惰の表れに外ならない。

時代を操れると思う愚かさ おこがましい戦争の肯定否定

平成七（一九九五）年一月六日

今年［平成七年］は戦争終結後五十年めにあたる。

われわれはあの戦争をすでに、半世紀も経った地点から眺めている。始まりがいつであったかなどをしきりに定義している。原因の新解釈も盛んである。けれどもあの戦争を戦った人間は、いちいちそんなことを考えて生きていたわけではない。何戦争などと定義して、戦ったわけでもない。

例えば今のわれわれは、いかにもある一つの時代を生き始めているようにみえる。名付けようがないから冷戦後などと呼んでいるが、「後」と言っているのは新しい時代がなにも見えていない証拠である。われわれには今のこの「冷戦後」を、終わった地点から眺めるなどは、もちろん思いも及ぶまい。始まりがいつであるかも、本当は分かるまい。冷戦終結がけじめになっているのかどうかも、ずっと後になってみないと分からない。われわれはそんなことをいちいち考えて今を生きているわけではないであろう。生きるのに、何時代などと定義して生きるバカがいるだろうか。

そして、あの戦争を戦った当時の日本人もまた、今のわれわれと同じように生きる以外の生き方を知らなかったはずだ。

昨年［平成六年］急逝された福田恆存氏は、自分は「大東亜戦争否定論の否定論者」だという名文句を吐いたことがある。あの戦争を肯定するとか、否定するとか、そういうことはことごとくおこがましい限りだという意味である。肯定するも否定するもない、人はあの戦争を運命として受け止め、生きたのである。そのむかし小林秀雄が、戦争の終わった時点で反省論者がいっぱい現れ出たので、「利口なやつはたんと反省するがいいさ。俺は反省なんかしないよ」と言ってのけたという名台詞と、どこか一脈つながっている。

しかし利口な人間は後を絶たない。かつて林房雄の『大東亜戦争肯定論』は中央公論に連載されたのだが、この本は中央公論社からは出版されなかった。中央公論誌の元編集長でもあった評論家粕谷一希氏が、当時福田恆存氏の所へやってきた。私は現場にいたわけではなく、福田氏からの単なるまた聴きだが、粕谷氏が「福田先生、林房雄氏と先生とは同じだと世間では誤解していますよ。ここで自分は林房雄とは違うという評論を一本お書きになって身の証を立てた方がお得ではありませんか」と語ったそうだ。そのとき福田氏は烈火のごとく怒った。「私に踏み絵をさせる気か。私が他の思想家と違うか否かは、読者が決めることだ。私の言っていることが林房雄と違うことは、分かる者にはいつかは必ず分かる」

再び新たな帝国主義が

粕谷氏はあるいは事実は少し別だというかもしれない。私自身は福田氏の怒りのまだ冷めやらぬ時代にこれを聞いて、「踏み絵」以下の言葉づかいまではっきり覚えているが、福田氏の真意はつまりはこうだ。編集者は職業柄、対立し合っている執筆者とつき合わねばならぬことがある。自分が評価していない人の本も出さねばならぬときがある。しかし、思想の商人になってはならない。思想の商人とは執筆者を操る人間のことだ。執筆者を操っているつもりで、彼は何ものかに、つまりは世間の風潮に、社会の「空気」に操られている。

しかしこれは勿論編集者だけの話ではない。大概の執筆者もたえず「踏み絵」を踏まされて生きていないか、こころに確かめられよ。大江健三郎がノーベル賞になると、マスコミが絶賛の嵐になるのはそのいい例である。

冷戦後、世界では各地でゆっくりと、再び新たな帝国主義が生まれつつある。アジアでは中国が覇権へのきばを研ぎはじめた。中国市場をめぐって日米がしのぎを削る状況は、日露戦後から第一次大戦へかけての時代とそっくりだが、韓国が次第に中国に接近し、朝鮮半島そのものが日米から離反し、大陸に秋波を送る状況は、日清戦争の前に近いともいえる。今、韓国に最大の発言権を持っているのは中国であって、米国ではもはやない。米国は朝鮮半島に見切りをつけ始めている。昔と違うのはロシアとイギリスが手を引いていることと、日本に打つ手がないことだ。

昔の時代はなにひとつ参考にならないのに、状況は百年前に少しずつ似ている。いったい日清・日露まで日本はなぜ自分の羅針盤ひとつを頼りにして、何とか国を亡ぼさずに大過なく生き延びることに成功したのだろうか。自分の過去を否定したり反省したりする利口な人間がいなかったからだ。自分の時代を何時代だなどと定義して生きるような閑人《ひま》がいなかったからだ。未来が怒涛のごとく押し寄せてきても、小利口に生きる余裕は誰にもなかった。本当は第二次大戦だって、われわれはそのようにして生きたのである。それが軌道を踏み外した錯誤だったのかどうかも、じつをいうと、誰にもまだよく分からない。さらに五十年、日清・日露と同じくらいの時間の距離ができなければ、なにひとつまともな、後世に恥じないですむ判断はできないだろう。時代を、他人を、社会を自由に操れると思っている者は、つねに目にみえぬ何ものかに操られ、振り向けば、風に吹き流された人生であったことに気がつくであろう。

平成七（一九九五）年二月八日

朝日新聞正月企画に反論する
独の対日道徳的優位論は破綻

元旦［平成七年］から十五回にわたる『朝日新聞』の大型連載「深き淵より　ドイツ発日本」

は、数年前からいぜんとして変わらず、今でもまだ、日本がナチスと同一同質の罪を犯したとする前提の誤記、ないし前提の無理から出発している。その上で戦後補償、謝罪などに関する日本の責任欠如、ドイツの道徳的優位を言い立てているので、無理はとりつくろえぬほどに広がり、論旨を破綻させ、内容を混乱させている。

私は一昨年［平成五年］十一月号『諸君!』論文で、ヴァイツゼッカー前大統領が有名な記念講演において、ドイツ国民全体の罪は存在しない、罪はどこまでも「個人」にのみ関わると語ったくだりを重視するよう、強調しておいた。今度『朝日』の記者がこの点をご本人に問い正し、証言を得たのは成功である。前大統領は私の予想した通り、ドイツ国民住体が背負うのは道徳的責任ではなく、政治的責任だけであると明言している。「私の自動車を他人が運転して事故を起こしても、私は賠償責任を負う。政治的責任とはそういう意味の責任だ。一方、人は自分がしていないことについて、道徳的な責任はとれない」

日本人は戦後生まれまでがアジアから「道徳的責任」を問われているように思って、身構えている。戦争に行かなかったドイツ人は金銭弁済すればそれでよいのだ、という前大統領の割り切り方が、日本人にはむしろ意外だろう。

しかし意外でも何でもない。戦争責任を「道徳的」と「政治的」とに区分したのは、ヤスパースの『責罪論』（一九四六）に始まる。ナチスによるユダヤ人など他民族大量殺戮、戦争行為によらざる殺人目的のための殺人の恐怖戦慄から、戦後のドイツ国民をいち早く守ろうとした、ヤスパース一流の便法であった（この点については拙著『全体主義の呪い』第七章が徹底的に論証しており、一月三日付の『朝日』は明らかに拙著の論証に依存している)。

もし『朝日』の記事が前大統領の右の証言に立脚してその後の連載をつづければ、日本とドイツの戦争・戦後を同一視できないはずだし、ドイツの道徳的優位などを簡単にいえないはずではないか。論旨の破綻とはまずこのことである。

日独の異なる体験内容

他民族の絶滅を企図し実行した民族は、今度は次に自らが絶滅の対象とされる可能性を排除できない。米国の占領政策モーゲンソー計画を知ったときのドイツ人の自暴自棄は、恐怖の深さを物語る。日本人は占領軍に「十二歳」などとバカにはされたが、絶滅されはしないかという恐怖は感じなかった。戦後ドイツ人が、ナチスの幹部などの「個人」に道徳的責任があり、国民全体は政治的責任を負うにすぎないと苦しい詭弁を弄したのは、彼らの生物的恐怖心、生き残りをかけた自己防衛心理に発していないか。日本人が責任を二分するような無理な論理まで駆使しないのは、前提となる体験内容を異とするからである。シュミット前首相は『朝日』の記事中で次のように語っている。

「われわれは占領した国への犯罪を深く反省した。とりわけ、強制収容所における殺戮が近隣諸国の土地で執行されたことについて、その生き残りの人々、殺された人たちの家族に多くの補償を支払った。日本はこうしたことを実行していない」

ドイツ人が高みから日本人に向かってこういう説諭の仕方をすることに、われわれは強い抵抗を覚える。日本はナチスドイツのしたようなことはしていない。シュミット氏の盗っ人たけだけしい言い方に、辞を低くし教えを乞うている『朝日』の姿勢には、さらに怒りさえ覚える。また元駐日大使ハース氏の次の言葉が記事の中では「日本への助言」とされている。

「インドシナやフィリピンでは、最初は日本軍が歓迎されたかもしれないが、すぐに疎まれるようになった。ドイツがウクライナでそれを経験した。ウクライナ人は最初、ソ連から解放してくれたと歓迎したが、すぐにドイツは支配的になり、歓迎など消えてしまった」

ナチスはポーランド市民を二百万人、旧ソ連ではその数倍の市民を、戦争行為とは無関係の方法で殺害した。ハース氏はナチスの計画表の中で、全ポーランド人の絶滅、全ウクライナ人の絶滅が立案されていたことを知らなかったのだろうか。それとも日本軍もナチスのように、全インドシナ人の絶滅、全フィリピン人の絶滅を計画していたとでもいうのだろうか。日独の比較そのものが成り立たないのではないか。日本軍がアジアの国々を軍靴で踏みにじったのは、それが目的だったのではなく、対英米戦に勝つためであった。

私は日本人が今年［平成七年］戦後五十年を総括し、反省することが無意味だと言っているのではない。ただ反省の資にドイツを引き合いに出すことは果して適切だろうかと疑っている。ドイツ人は日本人に忠告や助言を与える資格があるのだろうか。ドイツ人は日本人を歴史の同伴者にまきこみたいのではないか。ナチスと日本は同一ではないと言われるのを最も好まず、戦後の日本の反省不足を言い立てて、戦後のドイツ人の立派さを少しでも信じたい。それもこれも自分を守りたい心理から出ているのではないか。私は戦争の総括に際し、ドイツ人よりも英米の歴史家の方がまだしも公正であり、欧州戦線とは異ったアジアの複雑な歴史を客観的に見る余裕が、彼らにはまだあると思っている。

有馬中教審会長に再問する教育界の「自由」の病理

平成七（一九九五）年五月十一日

われわれは明日わが身に何が起こるかを知らないで生きている。知らないがゆえに、明日は生きるに値する。もし未来に関するすべてが分ってしまったら、かりにそれが人も羨む輝かしい未来だとしても、生きるに値しない未来であろう。

今の若者の大半が無気力で、自分に閉じこもり、社会的メッセージを欠いているのはなぜだろうか。オウム真理教に入信した高学歴者の問題は特別なケースではなく、明日どの若者をも襲う目の前の問題である。教育に関する限り現代はすでに全体主義体制で、「主体の自由」はない。すべてを計量化し物量化する思考。数と凡庸への屈服。統計学ではじき出された偏差値という科学的数字は、「あなたの未来は分ってしまった」という公的宣言である。これは受験の失敗者を不幸にする制度だから非人間的なのではない。受験の成功者を知らぬ間に無意志、無感動にする点にこそ最大の問題がある。偏差値で未来が決められた有利な人生は、若者にとって生きるに値しない人生だからである。教育が、失敗や過誤を含む生の可能性の量り難い部分に大きく門戸を開いておく余裕を失って、すでに久しい。

第十五期中央教育審議会が発足した。私は諮問文を一読したが、文部省文書の例に洩れず、地下鉄サリン事件が起こるような秩序崩落のこの時代の病理や不安への危機感をヒタヒタと感じさせるような言葉はやはり一つもない。残念なことに、そういう問題意識の片鱗もない。国民は目前の混乱を治安の問題だと思っていない。根源的には教育の問題だと思っている。けれども、誰ももう教育には絶望していて、ことさら口にしない。新しい中教審が学校五日制やマルチメディアを取上げて悪いとは思わないが、ただもっと究極的な、国民が真に救済への出口を求めているもっと困難で、根本的なテーマがあるはずである。

例えば、有力大学同士の点数優等生獲得競争が野放しにされている「自由」に、日本の教育がいま必死に考えなければならない課題の一つがあるのではないか。日本の大学は「入口」だけが重視され、入試は無意味な記憶力競争となり、大学の「序列」は明治以来の順序で固定したままで、学問の活性化にとって大切な大学間競争を阻害している。同時に高校以下の教育に深刻な圧力を及ぼし、それがついに小学生をも過当競争にまきこむ危険水域を超えている、と第十四期中教審で指摘されたほどである。日本の大学だけが、他の国に例のないピラミッド型の多層的序列構造を形づくり、一部の大学に点数優等生が集中する「寡占状態」をなすすべなく放置してきた。この構造は高校以下にも波及している。全国的に序列上位の学校が下位へ向け点数の高い受験生を獲得する自由度が放任されている弱肉強食の法則の貫徹は、他の業種、他の業界にみられない完璧な閉鎖状態を呈し、子供の世界に理不尽な不自由を強いている。一方の自由は明らかに他方の自由を侵害している。最近は戦後憲法の「信教の自由」が疑問視されだした時代だが、教育界のこの種の自由も同様なわが国の病理の一つである。

「真贋」というもう一つの尺度

東京大学の入学者の約五割が、私立を中心とする六年制中高一貫校で占められ、五十人以上の入学者を出す高校数はわずか三％なのに、入学者総数の約三分の一を占めるという数字を第十四期中教審が発表したとき、日本の社会には衝撃が走った。この「寡占状態」を解消するため、全国のできるだけ数多くの高校から入学者を選ぶ方式を考え出すよう、最終答申は提案し、大学審に申し送った。しかるに大学審は今に至るまで作業に着手していない。のみならず、右の答申提出時に際し、有馬朗人東大総長（当時）は、特定高校出身者の入学について、東大の現状はまだ「寡占」といえる段階ではない、とむきになって数字上の事実に反した反論を行った。私は『朝日新聞』（平成三年五月十五日）紙上で有馬氏に公開質問状を呈したが、氏は自ら回答を避けたことを記憶されているであろう。

有馬氏は今期中教審の会長に選任された。文部省審議会の継続性からして、第十四期答申と矛盾する結論を出すことは許されない。東大の立場を離れた今こそ、ぜひ自己刷新し、国民の自由を守るためには、別の自由を犠牲にする必要があるという深刻な現状認識に達して頂きたい。「自由」そのものが問われている時代なのである。

他の委員諸氏にも申し上げたい。

教育というと日本では空想めいた甘いイメージばかりで、人間性の暗い側面や社会の発展に逆行する価値に権利を与えるというような考えがそもそもテーマにならない。死への心構えにも、悪の魅力にも、正面から目を向けない。つまり教育は人間性の半分に目をつぶっている。これでは「死ぬ覚悟があるか」という邪教の教祖の端的な問いに抵抗できない。加えて、最近の大学改革では一般教育が追放される方向にあり、理科系の大学生にこそ必要な文科系の知性の育成が削られていく一方である。自閉的な今の若者に必要なのは、社会救済への問いではない。それはよく誤解される点である。環境問題も、消費文明の反省も、欲望の滅却も、今の若者にはどれも通りのいい、心地よい言葉にすぎない。大切なのは何を求めるにせよ、歴史の評価に耐える尺度、「真贋」というもう一つの尺度があることを教えることではないか。

どうか文部省の諮問内容に関係なく、時代の危機によく対応した、正直にホンネを吐露した、リアルな答申を出すよう、今からお願いしておきたい。

平成七（一九九五）年六月二日

「戦後50年国会決議」を考える歴史は粘土細工でない

自国の歴史について国民のなかに多様な見解が保存されていることは悪いことではない。さきがけの某代表が、日本が中国と韓国に謝罪し、両国から信頼される国にならない限り、自分はのどに一本棘《とげ》がささっている感じを拭えない、と語っていたのを読んで、これが国民一般の感じ方とは思わないが、彼のような感じ方が現にいつまでもわが国に残存していることもまた止むをえない、と私は思っている。自国の過去にいろいろな意見があるのは当然かもしれない。韓国や旧西独と違って、わが国は分断国家を免れた代わりに、見えない〝三十八度線〟や〝見えないベルリンの壁〟を永い間国内に抱えていた。今ここに来てにわかに歴史観の統一を図ることにはどだい無理がある。まるで水と油の歴史観が背中合わせに張り合っていたのだ。その証拠に、[平成七年]四月一日付の社会党のパンフレット「国会決議実現にむけて」によると、日清・日露を含む明治以後のわが国の行為はすべて侵略であったということになる。これほどの極論がいまは政権与党のなかにある。

繰り返すようだが、自国の歴史について多様な見解が許容されていることは、ゆとりの証しで、それ自体は悪いことではない。少なくとも冷戦終結から間もないいま、水と油は簡単には一緒にならない。無理して混ぜ合わせることも、足して二で割ることもできないし、してはなるまい。つい先頃まで、まったく相容れない対立した世界観、互いに共感できない歴史観が激しくぶつかり合っていたことはすべての日本人の忘れることのできない事実である。現在はその後遺症を引き摺っている。先述のさきがけの某代表は、私の歴史観・戦争観にたぶん共鳴しないであろう。しかし私の意見を地上から抹殺することもできまい。私もまた彼の考え方・感じ方に共鳴しないが、その存在をむげに否定する積もりはないと断った。お互いに寛容が必要である。冷戦後間もない今はそれしかない。ゆっくり時間をかけ、国論が一つにまとまってゆく方向を静かに見守る以外にない。それには恐らく二、三十年の歳月を要するであろう。

だとしたら、いまどうして一方の支配的意見であわただしく国会決議をきめようと綱引きし合うことが許されるのであろう。意見の多様性を尊重し合うべきである。自民党執行部に申し上げたい。異なる二つの歴史観を足して二で割ることが可能と思うのは、歴史を粘土細工のように思っている証拠である。

例えば、「侵略戦争」の一語を避けて、代わりに日本が「領土拡張政策」をとった、と言葉をすり替えることで妥協を図ろうという動きが、自民党執行部のなかにあると報じられているが、これはかえって誤解を招き、始末に悪い。わが国は南下するロシアのように、徒に領土的野心を持った事実はない。東南アジアの広域を占領したかもしれないが、占領地域を大日本帝国の領土の一部であると主張した事実もない。わが国は米英と戦うために、当時主権を持っていないこれらの地域を「予防占領」した。それは米国がドイツと戦うためにアイスランドや北アフリカを戦争中の一定期間「防衛措置」として占領したのと同じである。ところが米国のマスコミはこれを無視し、当時日本が世界最大版図の大帝国を目ざしているかのように誇張して宣伝し、日本人を狂暴視した。戦時中のそのプロパガンダが戦後の占領政策にひき継がれ、日本人のその後の歴史観を縛った。

中国に対し日本は米英の権益を排除し、利益を独占しようとしたかもしれないが、中国全土を日本の領土にくり入れようなどと夢みたであろうか。日本に「領土拡張政策」があったなどと公式に認めると、米国本土の占領・支配も企てていたのではないかと誤解されるであろう。例外は山東半島・台湾・朝鮮半島だが、いずれも第二次大戦以後のいわゆる五十年問題の範疇に入らない。もし朝鮮半島を意識して「領土拡張政策」という言葉を用いようというのなら、日本の当時の外交政策の一部をもって全体を代表させる文意になり、世界中に誤解を与える結果につながる。なにしろ「領土」は日本の主権の及ぶ地、日本国の一部にするということだから、先の大戦全体を表す言葉としては不適切である。

中韓両国の目的は過去ではなく現在

このように両派の妥協を策して、歴史概念をへたにいじると、たいへんに危険である。異なる二つの歴史観を足して二で割ることの不可能を、自民党執行部はぜひ念頭に置いていただきたい。いったい米国はベトナム戦争を、フランスはアルジェリア戦争を、各国の議会で道徳的に評価議決したであろうか。半世紀前もの自国の歴史と道徳を自ら国会で裁いた国はおよそ世界史に例がない。世界の常識に従うのが得意なわが国外交が、なぜ今回だけ迷うのか。中韓両国からの威嚇があるからと思われる。日本を屈服させる両国の目的は過去への執着ではなく、現在の政治的意図である。であれば、日本も道徳的にではなく政治的に行動しなくてはなるまい。ことに核実験をくりかえし、覇権へのきばを研ぎ始めた中国と、その意向に敏感な朝鮮半島をみていると、再び歴史は百年前に徐々にもどり、日清戦争以前の状況の再来をさえ思わせるものがある。油断は大敵で、謝罪だ、反省だという甘いことを言っている時代はとうに終わったのではないだろうか。

それにしても一体なぜ今ごろ国会決議が問題になるのかというと、社会党の党略ではないかと思われる節がある。社会党は永い間、北朝鮮だけを承認し、韓国を国家として否認してきた。政権与党になり、今ここにきてにわかに韓国を承認しなくてはならない。一方、社会党も韓国から認知されることが必要である。そのために韓国と社会党は握手しなくてはならないが、両者が手を握り合える共通点は何であろうか？　それは日本の歴史をひたすら攻撃することなのである。

日本人が誤解している「政教分離」欧米では宗教を警戒

平成七（一九九五）年九月二十八日

ほかでも書いてきたことだが、冒頭で強調させていただく。日本では自由を脅かすものは国家だと誰もが頭から思いこんでいる。国家がとかく宗教の自由を脅かすというのが、宗教法人法のすべての論議の前提となっている。しかし、「信教の自由」を言い立ててきて近代理念としてこれを確立した欧米諸国では、自由を脅かす最大の敵は宗教であって、必ずしも国家ではない。例えば世界で最も厳格な「政教分離」を実行しているフランスでは、一番恐れられているのは政治を脅かす教会の力で、誰も国家を恐れない。フランス人は右翼から左翼まで胸をはった国家主義者である。しかしカトリック教会は市民社会の秩序を侵しかねない存在として、最大限の警戒心をもって、政治や教育といった公的な場から排除されている。

アメリカはフランスほどではないが、公立小学校の教室で聖書の一節を朗読してよいかどうか憲法裁判所で審理されている。聖書の教え方に国家の干渉が入るのを恐れてではない。話は反対である。非日常性と非理性に立つ宗教は原則として、日常性と理性を尊重する国家社会の秩序と対立関係にあるので、公立小学校などにもちこまないで、どこまでも私的領域にとどまるべきだという節度が求められているからである。それには永い歴史的背景がある。西洋史では周知の通り、ローマ教皇の権力と各国の王権ないし国権との間にじつにすさまじい対立抗争があった。教会は二十世紀初頭まで武力を持った強大な政治勢力であった。イタリアもドイツもさんざん苦労し、今ようやく信仰を背中に背負った政治勢力のまがまがしい怪異な力と妥協が成立し、これを一定の枠内に封じこめることに成功している。

宗教はがんらい不寛容なもの

日本で「政権分離」といえば、国家から宗教を守って、宗教団体に自由を保証するという話だが、世界中どこへ行ったってそんな暢気なことを言っている国はない。民主主義政治は寛容を基礎とするが、宗教はがんらい不寛容なものである。オウム真理教にかこつけて言っているのではない。宗教の歴史は世界中どこでも血塗られた闘争の歴史である。地上の人間のなすことの優劣を判定し評価基準を決定できる者は地上にはなく、原理的にいって「神」以外に存在しない理屈だが、よく考えていただきたい、宗教は互いにその「神」を争っているのだから、どうにも始末に負えないのだ。闘争はとどまる所をしらず、最後には武力でケリをつけるしか仕方がないというのが、今活動している、本物の宗教であればどの宗教であっても、内に奥深く蔵している本音であろう。昔から宗教には必然性がある。ことに冷戦終結後、世界各地で再び顕著になった。ボスニアの状況は宗教戦争以外のなにものでもあるまい。オウムは宗教ではなかった、などとどうしていえよう。宗教が悪と反道徳を表現したとしても、宗教でないことの証拠にならない。

もうお分かりであろう。「政教分離」を日本人は完全に誤解している。政治と宗教を分離するのは、政治（国家）から宗教を守るためではなく、不寛容で、排他的な宗教団体が政治勢力化したり武力集団化したりする傾向を防ぎ、これが政治を左右しないように予防するためである。

世界では原理主義が跋扈し、宗教が国民国家の政治の枠を無視した動きを示す――小型ファシズムたるオウムの国境無視の動向をみよ――時代に入った。今こそ「政教分離」の、世界で果されている本来の役割を日本に回復し、有効利用すべきこのときに、憲法学界は国民をミスリードしつづけ、国を挙げて、宗教団体を庇護するのが「信教の自由」だという旧態依然たる認識から一歩も出ない。

宗教法人審議会は構成員十五人のうち十一人が宗教団体代表で、最近行われた外部からのヒアリングもみな宗教団体代表である。これでは農産物の価格決定を農民代表にゆだね、消費者代表を入れないで審議させるのと同じ、独善的閉鎖性の容認につながる恐れがある。宗教法人法改正案には委員を五人ほど増員する計画がもられているようだが、その五人はぜひとも法務省、自治省、国税庁、マスコミ、市民団体の各代表で構成されるべきで、宗教関係の学識経験者などの増員はもうこれ以上あってはなるまい。宗教人たちが自分に都合のいい、好き勝手なことを言いつづけ、その揚句の果てがオウムを生んだだけでなく、税申告漏れの五割、所得隠しの七割が宗教法人という税務調査発表日の年中行事をもたらしたのである。

今回の改正案に、形式さえ整えば宗教法人として自動的に認めている認証制度の不備を改める見直し案がはっきり出ていない。これは改正さるべき最重要ポイントである。なんと十八万ものご神体がこの国にはあるのだ。さらに毎年怪しげな神様が続々と登場することに国民はうんざりしている。文化庁宗教課の十名くらいの職員ではとうてい手が回るまい。文部省に所轄を一括するなら、職員の数と資質の向上が不可欠である。役人に権限を与えるなら、能力も与えなければいけない。さもなければＰＫＯの二の舞いになる。

いずれにせよ冷戦後、宗教が国家的危機の温床になる時代が始まった。日本では宗教法人の目に余る横暴はすでにオウム以前にさんざん批判されていた。改正には時間をかけてやれという人がいるが、すでにいやというほど議論はされてきたのである。新しい時代の危機予防は今や国民的課題でもある。目先の政界の思惑と混同されてはならない。

政治的なヴァイツゼッカー演説
臆面もない歴史の不連続発言

平成七（一九九五）年十月三十日

去る八月［平成七年］ヴァイツゼッカー前ドイツ大統領が東京新聞の招きで来日し、「ドイツと日本の戦後五〇年」と題した講演を行った。これをＮＨＫ教育テレビが数度にわたって放映、平和主義の使徒のごとくに扱った。新聞では例によって彼を神聖視する日本人の声は少くなく、ある一流企業の社長は「魂の伝道師」などと歯の浮くような讃辞で形容した。

しかし講演全文（『東京新聞』八月八日付）は大変に政治的で、用心深い言い回しの多いのが目立った。日本の国内にヴァイツゼッカーを利用する勢力があり、彼の名に反発する日本側の対立感情の発生にも明らかに気がついている慎重さが随所にみられる。彼は政治家であるから微妙に政治的であることは彼の名誉でこそあれ、失点ではない。

朝日新聞社の月刊誌『論座』十一月号に私は乞われて「ヴァイツゼッカーは聖者じゃない」という論文を発表し、来日講演を批判的に吟味しておいた。序《つい》でにいっておくが、拙論のタイトルは『論座』編集部がつけたものである。

そこでも言ったが、今回のすこぶる慎重な内容の講演のほぼ中段に、あっと驚くような、きわめて臆面のない政治的主張が述べられているのである。すなわち十二年にわたるナチ支配はドイツの歴史における「異常な一時期」だが、日本の歴史には戦前から戦後にかけての連続性がある。ドイツ史には断絶があり、日本史にはそれがない、と。客観的に政治史を比較すれば、右のようなことはたしかに一面ではいえる。ナチスドイツは歴史上かつてない党主導の独裁国家であり、二十世紀型テロ国家であり、全体主義的革命国家でもあった。これに比肩できるのはスターリニズムの諸国家だけで、日本の軍国主義体制とは明らかに系列を異とする。

一人の天皇が戦前から戦後を統治した日本の歴史には連続性があり、私はこれを日本がナチスのようなテロ国家に陥らないですんだ「幸運」の一つと考えている。幸運とまではいえないという人でも、日独の当時の体制の質的相違は認めるであろう。ドイツの学会でもかねてから日本史の連続性を日本人が歴史性を失わなかった証拠とみる羨望的見方と、なぜ天皇は責任をとらないのかという批判的見方の二派に分れている。ただどちらの派もドイツ史の連続性だけは絶対に認めたがらない。ドイツ史には「異常な一時期」があって、その一時期だけナチスという暴力集団に歴史が占領されたが、今は彼らを追い払って清潔な民主国家に生まれ変わったという前提にあくまで立とうとする。これがドイツ国民の年来の政治的自己主張である。ヴァイツゼッカー氏が来日講演で強調したポイントも、まさにこれである。ドイツは十二年間だけ悪魔に支配されたが、それ以前の歴史にもそれ以後の歴史にも悪魔はいない。丁度フランスやオランダやポーランドがナチスという悪魔から「解放」されたと同じように、ドイツも一九四五年に悪魔の憑きが落ちて、きれいさっぱり浄化されたと、そういう含みを孕んだある臆面のない主張が展開されている。

ヴァイツゼッカーの欺瞞的論理

しかしこれは通らない。ドイツにおいてもやはり歴史は連続している。ナチスにはそこに至る前史がある。またナチス協力者千二百万人が裁かれずに社会復帰した戦後史がある。ナチスを支えた司法にも、行政にも、戦後いっさいのメスは入っていない。ナチスでも過去は清算されず、継続したままである。ただドイツ人はそれを必死に認めまいとする。日本人が戦前からの歴史の連続性を正直に認めているのは、他民族絶滅政策というナチスのような異常犯罪に走っていないからだし、米英仏蘭ソと日本の戦争では、はたしてどちらが「正義」の戦争か分らないという一面があるからである。しかしドイツ人にはいっさいの自己弁明は封じられている。それゆえにヴァイツゼッカーが歴史のなかのある一時期をなかったことにする欺瞞的論理を展開しているのも、同情できないことはないのだが、ところが彼の来日講演は厚かましくも一歩踏み込み、日本の歴史の連続性を非難し、ドイツは戦後ナチスから「解放」され民主国家になったが、日本はわずかに経済発展が制度を少し変えた程度で、いまだに皇室制度など古い体質を引きずって困ったものだ、といわんばかりの言辞を弄している。

一体ドイツ史と比較して日本の過去をこんな風に批判する資格がドイツ人にあるだろうか。それを感激して聴いたり、公共放送の電波にのせたり、聖者のように扱ったりする日本人は、政治的思惑をそこにこめていないとしたら、よほどのバカであり、こめているとしたら、よほどのワルである。

ドイツでは戦前、ヒトラーが政治的失敗をしても、国民はそれは誰か別の下輩の失敗とみて、「ああ、そのことを総統が知っていてくれればねえ」と言ったそうだ。それほどにドイツ国民はヒトラーを一度は愛していたのである。そういう自分の過去をなかったことにすることができるのだろうか。一時的に暴力集団に歴史が占領されたなどという言い遁《のが》れのきくような単純な話ではない。ヒトラーとその一味を悪者にして、自分たちはそうではなかった、ということを言外に必死に言いたいために、前大統領は日本にやってきた。しかも素朴に日本人にそう訴えたのではなく、西欧劣等感を持つ日本人を「日本は古い」という言葉で威脅して、オロオロする日本人の隙を突いて、巧みにドイツ擁護論をぶって帰国したのである。

日本人よ、知的に翻弄されるな、しっかりせよ。私はただそう言いたいだけである。

チャンスを逸しつつある自民党
勇気を欠き無定見な社会党化

平成七（一九九五）年十一月二十九日

なにか新しいことを切り拓くには必ずリスクが伴う。リスクを知ったうえで実行するには決断を要する。勇気も要する。他方において緻密な計算や用心深さも物事を成就する条件であろう。勇気と用心深さのまんなかにチャンスがある。そんなことは分かりきったことだと人はいうかもしれない。しかし他人の動きにはそれが見えても、自分のことになると誰も分からないものなのだ。

自民党は単独政権に返り咲く絶好のチャンスをいま逸しつつあるように私にはみえる。用心深さは十分にあるが、勇気が欠けているからだ。リスクを承知で、解散総選挙を実行する瞬間が今までずっと続いていた。ひょっとするとまだ続いているかもしれない。しかし追い風を受け、社会党とさきがけを切り離した単独行に成功する可能性は、いま急速に去りつつあるようにみえる。

日本の政治は「空気」で動く。日本新党がブームになり細川政権が誕生したいきさつにも、さしたる理性的根拠はなく、すべては「空気」のせいだった。

あのとき自民党は老廃化した腐敗政党として国民から見捨てられた。総選挙に勝った後なのに、反自民の名の下に結集した烏合の衆に勝てなかった。烏合の衆を「野合」と非難する声はあのときは上がらなかった。公明党を抱えた彼らに「宗教の脅威」を言いたてる者もいなかった。四十年に及ぶ自民党単独政権に風穴をあけることがともあれ国民の悲願であり、夢の実現であるという世の中の「空気」がすべてを決めていた。

やがて自民党は政権に返り咲いたが、風向きは変わらなかった。それどころか社会党を抱きこんだ無差別が嫌われ、今度は「野合」と罵られた。社会党はたちまち自民党化したが、心ある人が憂慮したのは自民党がずるずると社会党化していくことだった。無定見なこの傾向は今なお進行している。しかし五十年問題の国会決議では、自民党は謝罪と不戦に抵抗し、この二語を使わせず、ある程度の筋を通してみせた。海部・羽田両氏の新進党よりも見識のあるところを示した。ここで保守本流はやはり自民党かと思わせた。けれども村山政権を維持している限りは、社会党化の流れをくい止めることはできない。八月十五日の村山首相の謝罪談話は、自民党にこれを抑える力も意思もなく、事実上の垂れ流しだった。その揚げ句が中韓両国からスキを突かれた、江沢民・金泳三両氏の「日本人の歴史意識を正す」合同批判声明である。

謝罪が足りなかったという話ではない。首相が謝罪したから、かえって弱みを握られ、嵩にかかって言い募られたのである。外交の失敗はたいてい内政の弱みに由来する。江藤隆美総務庁長官の不信任決議を提出した新進党は、党利のためには国の不利益をも顧みない、愛国心のない政党であることを暴露した。しかし自民＝社会「野合」政権は、内部分裂を恐れ、不信任決議を堂々と迎え討つことが出来ない。結果的に、国の不利益をも顧みず、政権を維持するためとあれば、どんな恥ずかしいことでも平気でする体質を再び示したのは、自民党である。与野党はともにどっちもどっちである。ともに党利のために国を売る悲惨な国家が、今の日本である。

どっちも無節操で愚劣

自民党が社会党と組んでいる限り、この悲惨に終止符を打つすべはない。国民はみなそのことが分かってきている。新進党が保守本流の役割を果たすことが出来ないのなら、自民党単独政権にそれを期待するしかない。橋本龍太郎総裁はそのために登場したはずであった。自民党が村山政権を維持するのは総裁選挙までとかねて噂されていたはずなのだ。しかもオウム真理教事件と宗教法人法問題は、社会秩序の回復と宗教勢力の政治への介入防止を願う国民感情に、一気に火をつけた。自民党は分裂以来はじめて、久しぶりに追い風を受けている。村山首相は準備ととのった破防法にさえ尻ごみしている。

新進党は内部に宗教勢力を抱えた単一政党となった段階で——公明党が連立の一翼を担うという形式でなくなった段階で——すでに「政教分離」の形式に反している。自民党はいまや絶好のチャンスを迎えている。誰でもそう考える。社会党と手を切り少数与党となる勇気さえあれば、あの「空気」は間違いなく自民党に有利に作用する、そのような時節を迎えて、何カ月か経っている。

ところがどうであろう。自民党は尻ごみしている。橋本氏はなすすべなく時間を無為に過ごし、タイミングを逸しかけている。宗教問題もそのうち鎮まるだろう。人の目は新進党のグロテスクと自民＝社会連立のグロテスクとを秤りにかけ、どっちもどっちで、双方同じくらいに無節操であり、同じくらいに愚劣であることに再び気がつくであろう。そうなればどうしても政権与党に風当たりが激しくなる。あの目にみえない「空気」は再び野党にたなびいていく。

自民党はもともと政党ではなかった。国民の漠然とした保守感情の集合表現にすぎなかった。五五年の保守合同以来、ソ連を代弁する社共両党への単なる防波堤でさえあれば、役割を果たし得ていたので、近代政党としての努力をしないですませてきた。自民党は内部で激しい路線闘争ひとつしたことがない。政策論争で内部が対決し合ったこともない。だから分裂するエネルギーももうないし、社会党と離れて少数与党として戦う気力もない。じつにダメな政党である。チャレンジングの精神を失い、だらだらと現状にしがみついているだけのこの政党に未来はない。国民は彼らにももう期待しないほうが良い。

「歴史認識」は共有できるか 困るのは却って韓国の側

平成七（一九九五）年十一月三十日

日韓の歴史教科書の歩み寄りを企てる日本人研究家グループが韓国に渡って、韓国側学者と討議し、結局歩み寄りに成功しなかったいきさつを詳しく描いたテレビのドキュメンタリー番組を見たことがある。数年前である。歴史教科書の歩み寄りを企てる学者は日本の学会ではまだまだ少数派である。例外的な進歩派の学者グループである。しかしその彼らですら手に負えないで挫折する次のエピソードは、まことに印象的で、記憶に深く刻みついている。彼らは日本の教科書を修正するだけでなく、石川啄木のような日韓併合に反対した日本人がいたことを韓国の歴史教科書にのせてもらいたい、と申し出た。ところが、韓国人歴史学者からとんでもない、と一喝されてしまうのである。

日本人学者グループは匙《さじ》を投げて、帰国する。去る［平成七年］十一月十四日、中韓首脳会談後の共同記者会見で、金泳三韓国大統領が「今度こそ（日本側の）悪い癖を直してみせる」と、江藤（隆美）総務庁長官発言に関連して豪語したというニュースを知ったとき、私は右のテレビドキュメンタリーの最終シーンを思い出していた。自分の歴史観だけが正しく、他国の歴史観を一切認めない態度、「対話」の成立をすら拒んでいる態度をファッショ的という。日本が韓国で行ったことの中には良いこともあった、と江藤氏に具体例を指摘されたのだから、韓国側も具体例で反論し、理性的に対応すべきではないか。

今後、日韓両政府の間で、民間の共同歴史研究を進展させようという方針で意見が一致したといわれる。おそらくその共同研究の中にはドイツとフランス、ドイツとポーランドを参考にした歴史教科書の改善計画が含まれてくるだろう。そこで、いち早く起こり得る誤解を想定し、関係方面にあらかじめ釘をさしておきたいことがある。国際的な歴史教科書の改善運動は、欧州では一九二〇年代に始まり、ナチ時代にも行われていたのである。古代以来互いに入り組み、密接に絡み合った共通の歴史文化を持つ地域にしてはじめて成り立つ発想で、敵愾心《てきがいしん》や偏見をできるだけ小さくしたいという思いは欧州では当然昔からあった。そこで、両国間の教科書改善委員会は

「勧告」を出す権限を与えられるが、戦後の勧告はフランスにも、ポーランドにも向けられている。ドイツの歴史教科書だけが歩み寄りを強いられてきたという話ではまったくないのだ。むしろフランスなどに向けられた改善勧告はドイツに対するものよりも多いくらいである。

例えばビスマルクの帝国建設への欲求は正当で、ナポレオン三世の政策がドイツの生存のための障害とみられ、戦争をしてでも障害を除去しようとしたドイツ側の決意の正当さをフランスの教科書は記述すべきこと。ビスマルクのドイツ帝国は西欧全域の支配を夢みていたという主張を、フランスの教科書から取り除くこと。ナチズムは単なるヒトラー主義で、ドイツの歴史的発展の必然的な結果ではないこと。フランスの若干の教科書はドイツの近代史はナチズムに向けて進んできたかのような印象を与えるが、これは間違いである。ヴァイマル共和国をナチスの前史としてのみ扱うのではなく、ドイツ史の民主主義発展の全体の中で位置づけるべきこと。フランス史におけるファシズムの記述をフランスの教科書は忘れないこと、等々。一九五一年から八五年の間の勧告から拾った内容である。

「世界史」は存在しない

ポーランドとの間ではドイツが戦後失った東方領土の歴史的人種的優先権をめぐる争点が勧告の中心である。例えばポーランドの教科書では、中世におけるドイツ騎士団の軍事力膨張主義的な役割が強調されすぎている、と勧告書は批判している。

教科書改善運動は敵愾心や偏見をなくすために、歴史を現在の気儘《きまま》な政治感情から見るのではなしに、その過ぎ去った時代の必然性において、長い尺度で捉《とら》え直す、というのが基本である。もし日韓間で同じ企てを試みたら、困るのは日本の教科書ではなく、韓国の教科書ではないだろうか。韓国に対する敵愾心を煽《あお》るような一語すら日本の今の教科書にはあり得ないが、韓国の教科書のほうは大丈夫だろうか。日帝時代の分量の多さはバランスを欠いていないか。歴史を通じての反日教育はなされていないか。

十九世紀半ば以後朝鮮半島は国際軍事上の重要拠点で、そこの住民は自己管理能力を欠いていた。英米露の三国のいずれかが管理する以外に地域の安定は得られない。しかし三大国は他の二国が管理に当たるのを嫌がった。だから日本がその任に当たるのは三大国には勿怪《もっけ》の幸いだった。ことにロシアの南下を恐れた英米は、日本が半島の管理役を背負ってくれることを歓迎した。英国は日本に合法的な併合の方法を教えた。国際的に万全の体制で、事は進められた。もし朝鮮併合が日本の犯罪だというのなら、英国はこの件で共犯であり、米国は従犯である。韓国の教科書は歴史を当時の厳しい国際情勢の下にリアルに、客観的に捉えているだろうか。ドイツとフランス、ドイツとポーランドとの間では、最低限の条件として、過去をその過去の必然性で捉える現実主義的理解だけは守られている。

「世界史」というものは存在しない。存在するのは各国史であり、各民族史である。とくに欧州と異なり、東北アジアの各国は近代まで相互孤立関係を歴史の基本としてきた。もし韓国が歴史を善悪や道徳の観点だけでは見ないという、右の最低限の条件を守ってくれないなら、歴史の共同研究や教科書改善運動は事実上不可能であろう。

歴史は沈黙しつつ抵抗している
何のために日本が戦ったのか

平成八（一九九六）年一月四日

歴史には沈黙している部分がある。沈黙しながら、じつは声を発している。無言の裡に声を発している。そういう部分がある。簡単には言葉にならないし、あえて言葉になろうとはしないのだが、外から言葉を与えられると、不服従を示すのである。

戦争に敗れた国の歴史は、一般に抑圧されている。敗北民族は自らのかつての神を忘れ、勝利民族の神を新しい守護神として祭壇に祀りあげる。生きるための必要がそうさせる。そのうち自分が信じていた神の名さえ忘れる。世代が代わり、旧敵国の道徳を自分の道徳とし、旧敵国から加えられた不正や犯罪までをも、自分の神の罪深さのせいにしている方が便利で、生活しやすいということになると、もう誰も昔の神のありがたさを思い出す者はいない。

けれども、そういうときでも、歴史は声を発している。言葉は発していないが、黙って語りかけている。歴史には沈黙している部分がある――これは古代から現代に至るまで変わらない。

日本人は先の戦争に対する言葉による清算、心の整理をまだ済ませていない、というような非難を外国から浴びることが今でもよくある。中韓両国首脳による最近の、内政干渉といえなくもないいささか異常なトーンの強硬発言に、必ずしも限らない。フランスでも昨夏［平成七年］、反日オピニオンの声が高まった。核実験に抗議する日本の論調に反発して、日本人にはもともと道義の感覚がない、西欧社会と異なり日本人には恥だけで罪の意識がない、という古臭い批判に加えて、日本人は原爆の犠牲者であることを口実にして戦争責任を回避してきた、日本をアジアでの反共政策の軸にするというアメリカの政策と経済成長の号令が集団的無責任を生み出してきた、等々。西欧によくある型の非難である。日本とドイツの戦争を同一視しているのが特徴であり、フランスが南太平洋に今でもまだ「領土」を持ち、そこで世界が目を剥く核実験を強行しているのが植民帝国主義の最後の名残りであるという反省をまったく欠いているのも、驚くべき横柄である。

南太平洋のフランス領は、つい先頃まで続いていた西欧の横暴の残りカスであるとともに、そこでの今のフランス政府の高姿勢は、半世紀前の西欧のエゴイズムのもの凄さを、目に浮かぶように感じさせるではないか。そしてあのとき一体何のために日本が戦ったのかを、日本人自らは忘れかけているが、歴史はそれを決して忘れていない。

「日本の過去」が政治手段に

日本の国内にはドイツと違い、多様な戦争観がいまだに存在する。すっきりした国会決議などできるはずもないほど、歴史観は不統一である。言葉によるいかなる過去解釈も国民的合意点に達していない。しかしそれは日本人が罪の意識に対し峻厳でないからでも、道義的にだらしないからでもなく、戦争の様態そのものがドイツと違って複雑多様で、両面性、多義性を持っていたがゆえに、世界各国が日本の戦争の意義をそれなりに承認してくれる日がくるまでは、日本人はあえて統一意見を述べないという意志表示ではないか。歴史には沈黙する部分があると言ったのはそのことだ。すなわち国民意志の不統一、統一見解の不成立の裡に、日本人の無言の政治的自己主張がこめられているといっていい。外から一面的な規定をされることに歴史の奥底から自ずと拒絶反応が働くのも、言葉では曰く言いがたい「道義」が信じられていればこそである。道義に対しだらしないからではない。言葉による清算をしたくないからではない。「清算」などという安易な表現で片がつくとはとても思えないほどに、歴史は重く、深いのである。

昨年［平成七年］は中韓両国首脳が共同記者会見で「日本の過去」を叩くという初めての統一行動をとった。これは新しい現象である。江藤総務庁長官のオフレコ発言を韓国紙に通報した一記者の行動が、ただ非難される程度に終わらず、刑法に触れる犯罪ではないかとさえ取り沙汰されるようになった。「日本の過去」を政治手段として用い、日本を屈服させようとする内外の威嚇は、新段階に入った。

中国がアジアで覇権のきばを研ぎ始め、韓国が中国の顔色を窺うようになった今日、謝罪外交でやっていけると考える甘い誤算は危険ではないか。「ご免なさい」と言って相手に好意をもってもらおうという程度に、国家間の関係をとらえていい範囲は、条約違反や領空侵犯など、きわめて小さな分野に限られている。戦争に関する解釈は、戦勝国と敗戦国の双方に言い分があり、ある段階から先は沈黙以外にないのが常だ。昨年［平成七年］八月の村山首相の不用意な謝罪談話が、つけ入られるスキを新たに作った。中韓両国はここを突っこめば日本は白旗を掲げると確信し、勇み立っている。

もうここまできたら日本は肚をきめ、自らの政治意志を明言しないわけにはいかない。日本もまたかつては「半植民地国家」であって、被抑圧の歴史の一部をアジアと共にし、自国が破滅するわけにはいかなかった、これ以上道徳的に非難される理由はない、ときっぱり拒否すれば、もうそれから後はかえって何も言ってこなくなるというのが、私の見通しであるだけでなく、政治の常識である。

そしてそれでも戦争の解釈そのものは未解決で、まだ残る。それは時間の裁きに待つべきだろう。歴史には沈黙している部分がある。われわれはそこを軽々に踏み荒らしてはならないのだ。

国民から遊離した法律の世界　新しい現象への対処を考えよ

平成八（一九九六）年四月十八日

世には素人の口出ししにくい専門的案件が多く、専門家に任せておけば安心と思っていると、とんでもない。住専やエイズ薬害のように、専門家が閉ざされた独善と非常識に走り、国民から遊離している。専門的知性がこぞって常識から逸脱しているもう一つの例に、最近では法律の世界があげられる、と私は見ている。

すでに多方面から批判されているが、つくばの医師の妻子三人殺害事件で、二人の子供の殺害動機について、被告である父親の「母親を亡くし、父親が殺人者となった子供の将来を思った結果」という言い分をそのまま認めた判決文には、呆れてものがいえない。子殺しは父親の利己的動機の匂いがあり、判決は事実誤認の疑いがある、と言いたいだけではない。被告のこんな主張を認めてしまうと、今後、どんな尊属殺人も正当化される。「子供が殺人者となった父親の老後の不名誉を思った結果」、子供が自分の父親を殺害することも合理化される。

沖縄女子小学生暴行事件で、米兵三人は最高懲役七年の実刑判決を受けた。またオウム裁判で、教団「防衛庁長官」の岐部哲也、教団「西信徒庁長官」の都沢和子に、建造物侵入罪、住居侵入罪で、懲役一年の実刑判決が言い渡された。これらは法曹関係者の間ではおおむね適法の範囲とされる。経験的にいうと、これでも量刑はやや重すぎるそうだ。もともと日本には女性や子供への性的暴行、虐待に対する重罪規定がないし、建造物侵入、住宅侵入ていどの初犯に対しては執行猶予付きが通例であるからだそうだ。上訴審でくつがえる可能性すらあると聞く。

沖縄の事件が米国で裁かれれば最低三十年から最高四十年の刑になったろう、とロサンゼルス郡検事局の専門家は語っている。中国人の私の知人はオウム真理教の幹部は中国でならただちに銃殺刑に処せられるだろうと言っていた。オウムの幹部の共同責任、全体に関与した罪、犯罪を知っていた罪が問われないで、建造物侵入罪、住宅侵入罪などで裁かれるばかばかしさに、国民の大半はあきれている。

沖縄の事件は今後婦女暴行罪の量刑の見直しにつながるのを期待している。しかしやっと破防法適用が決断されたオウム裁判に、たしかに今はこれ以上は望めまい（編集註／政府は決断したが公安審査委員会は適用を見送った）。内乱罪が適用されない限り、「集団の罪」は裁けないと聞く。どこまでも刑法の範囲で「個人の罪」を問うていくしかない。破防法は刑法を越えていない。それは私のような素人にも分る。しかしオウムは一種の〝小型ファシズム〟であった。〝国家内国家〟を画策した武装集団であった。二十一世紀にかけて、同じような破壊活動が手を替え品を替え立ち現われる可能性は十分にある。それに従来の刑法では対処できまい。今度は刑法の裏をかく新手が現われよう。この新しい政治現象に法的に新たにどう対処するかの議論ひとつ湧き起こらない法曹界の非現実性を私は問題にしているのである。

不十分な戦後憲法的解釈

「政教分離」は日本以外では政治から宗教を守るだけではなく、宗教から政治を守るという一面もあり、これからの日本においても戦後憲法的な従来の解釈だけでは不十分だと、私は再三主張してきたが、仄聞する限りでは、世界からみて当然のこの常識も、内閣法制局のかたくなな抵抗に合って、戦後憲法的解釈に再び押し戻されているらしい。

法律の世界ほど素人の口出しを拒んでいる高踏的な、閉ざされた世界はない。敢えて最高度に排他的な世界だといってもいい。その必然性を私は理解していないわけでもない。法がぐらついては困るからだ。法はあらゆる恣意を超越し、現象の上に屹立《きつりつ》していなくてはならないからである。けれども、他面において、法は現実に有効に役立たなくてはなるまい。現実から遊離した法は危険でさえある。法律家が謙虚でなければならないのは、法の抽象性に対してよりむしろ、現実性に対してであると私は思う。ところが今の法律家たちは専門の名における閉ざされた独善集団で、非現実的、空想的、幻想的になっていないか。

その一番いい例証は夫婦別姓問題である。裁判の判決で量刑を少しでも軽くするのが進歩的で、文明的だと思いこんでいる法曹界の風潮と、法制審議会のひとりよがりの独走ぶりは、表裏一体である。総理府のアンケートで国民の過半数が反対している民法改正を、仲間うちの身勝手な答申を口実に強行しようとしている法制審議会、並びに法務省は、個人主義を絶対善とするフランス革命以来の革命幻想にとり憑かれているにすぎない。家庭というさいごの共同体をこわして、社会を個人というアトムに分解するのが文明の方向だと、単に盲目的に思いこんでいるだけである。

男女どちらの姓を名乗るも自由だと現行の民法が定めているのだから、あえていま改正の必要はまったくない。改正は「事実婚」(いわゆる同棲)を確実にふやす。世間の目を憚って婚姻の正式届け出をしてきた義務感から解放されれば、人は格別メリットのない「法律婚」をしなくなる。離婚も簡単で、同棲をやめればよいだけで、犬や猫の生活と変わらなくなる。

さらに、多くの人が言っているように、日本は集団的自衛権を保持しているが行使できないという、内閣法制局のばかばかしい硬直ぶりは、アジア情勢下で日本を危険にしている(編集註/平成二十六年、安倍内閣において一定の要件を満たした場合の集団的自衛権の行使容認を閣議決定。平成二十七年、平和安全法制が成立)。今や法律家たちの孤立した独善が国民感情から遊離し、集団的非常識に走るのが時代特徴であることに、われわれは批判の目を向けるべきときではないか。

第三章

歴史戦争

二〇世紀の戦争解釈が国益分ける歴史が国際政治の最大闘争に

平成九（一九九七）年一月四日

冷戦構造が解体した一九九〇年頃から、緊張のゆるみとともに、世界には巨大事件が相次いだ。ドイツ統一、ソ連消滅、湾岸戦争、ユーゴの内乱——いずれも主舞台は東アジアからははるか遠くへだたっていた。いつものように東アジアには変化は最後に訪れる。だから日本には変化への十分な準備期間があったはずだが、いまだ用意はまるきり出来ていない。少しずつ、恐ろしい局面の転換が迫りつつある。

冷戦構造の解体は、日本の場合には、国内に二つの異常事態を生んだだけだ。見境いのない自社野合政権の出現とオウム事件である。どちらも冷戦のしめつけが去った気のゆるみから生じた痴呆症状である。通例なら、冷戦の枠組みが消えたときに、さあ大変だ、日本は自分以外にもう頼れるものはないぞ、という緊張感が高まるのが正常な心の働きであると思うのだが、残念ながらわが国の場合にはまったくそうはならなかった。反対に、のほほんと呑気に、心たのしく気がゆるんで、前代未聞の前記二つの無警戒自由幻想心理を生んだ。社会党左派をさえ抱きこんで首相にかつぎ上げた当時の自民党執行部は、国際社会のリアリズムに完全に背を向け、自己満足的「国家内国家」をつくり上げて、非現実的唯我独尊に遊んだ点において、上九一色村の第七サティアンに立て篭った連中と、まさに時代の空気を共有していたといってよいのではなかろうか。

しかし一九九六年において、外からの日本への圧力は、ようやく目にみえて少し厳しくなってきた。竹島、尖閣諸島にはじまる領土のしめつけ、そして沖縄問題。いよいよ冷戦後の何かが身近に迫って来たのである。サンフランシスコ講和会議で放棄をうたっていない――従って一九〇五年の条約が国際法的に生きている竹島。もし韓国が本気で争う気なら、国際司法裁判所への日本の提訴を逃げるべきではないだろう。日本敗戦後の不法占拠は、どさくさ紛れの「侵略」といっていい。そして裁判の回避は侵略の継続にすぎない。尖閣諸島の場合はもっと簡単だ。米軍は沖縄統治時代にここを射爆場にしていた。尖閣諸島が沖縄の一部であると認知していた証拠である。けれどもクリントン政権は尖閣諸島の危機に際して、日米安保条約が発動されるとは決して口にしなかった。竹島領有問題にももちろん立場を明らかにしない。

しかし、米国の戦略をひるがえって考えてみれば、これは当然である。米国はかつて日ソ間に国境紛争が永く継続することを画策して、日本の北方領土の領有範囲をあらかじめ不明確にした当事国である。自国の利益のためとあれば、何でもする国である。日ソ間に争いを残したほうが米国にとってよい。そこまで残酷で、かつ冷酷に計算する米国はいま、尖閣諸島紛争が出来するや否や、しめたとばかりに、日中間の紛争で米国自身が漁夫の利を得るために、これを黙過し、どちらかに決して加担しない。これが米国の年来の流儀であり、生き方である。驚くべきことでもなんでもない。

フィクションが世界を駆けめぐる

米国が北方領土を不明確にする戦略を立てていたのは一九四〇年代だといわれる。しかし当時、米国文書に尖閣諸島の名は出てきていなかった。さしもの米国ですらあの小島は関心の外だった。しかし今、国務省は日本と中国を半永久的に敵対させる手段をついに手に入れたことに、秘かにほくそ笑んでいるに違いない。だから領土問題で米国が日本を応援することなど考えられない。

それならそれでいい。日本政府は尖閣問題で一言、安保適用内を発言するよう米国政府に正当な要求をし、さもなければ、沖縄の米軍基地の使用についてもなんらかの制限を言うべきであろうし、論理的にも言うことが可能なはずであろう（編集註／本コラム執筆から二十年後、平成二十九年になって日米首脳会談後の共同声明で尖閣諸島が日米安全保障条約第五条の適用対象と明記された）。

ところが日本政府はそれもしない。絶対にしない。米国に対してだけではない。中韓両国の領土侵犯に対してもなにもしない。なにもできない。できても、しようとする意志がない。そういう国になっている。

冷戦後の巨大変化はまずヨーロッパに起こり、ようやく日々、東アジアに迫りつつある。聞える者の耳にはその跫音《きょうおん》がはっきり聞こえる。けれども日本の政治家たちは呆然と手を拱いてなすすべなく「敵前逃亡」以外のなにも出来そうもない体質をもろに世界中の人の目の前にさらけ出している。一九九六年はそういう年で終った。

けれども逆にいえば、このばかばかしさは、限度ぎりぎりまで来ているということをも意味するのである。この潮流に惰性で従っている政治家たちは、明日無能の烙印を押されて失脚するであろう。選択はそこまで来ている。

一九九六年は歴史教科書問題に火の点いた年でもあった。なぜ歴史教科書なのか？　二十一世紀には二十世紀のような大戦争はない、と期待したい。その代り世界では、二十世紀の戦争をどう解釈するかが、国益を分ける大争点になると予想されるのである。「歴史の解釈」が国際政治上の最大の闘争になるのだ。

たとえばドイツは立派な国だが日本は駄目な国だというフィクション、でたらめな「物語」が世界を駆けめぐり始めている。どこにもない日本、どこにもないドイツの「絵」がどんどん描かれている。これと戦わなければ、日本は劣悪国の位置にねじ伏せられてしまうであろう。いまの教科書で育った子供たちが二十一世紀の主役になっていくと考えれば、戦争の解釈をめぐる教育に、もう「待った」は許されないのだ。

冷戦は終わり、米国は冷淡な「他者」になったことにどうして日本人は気がつかないのか。

破防法の法的不備露呈
欧米先進国に比べ格段の遅れ

平成九（一九九七）年二月十八日

自由な社会は自らが尊重するその自由の破壊を目的とする政治団体の自由をどこまで許し得るか――これは矛盾を孕んだ、このうえなく困難な問いである。自由社会の自由をむさぼり、徹底して自由を利用し尽くした上で自由を破壊したオウム真理教の出現は、この困難な問いを初めて日本に突きつけた。

「結社の自由」はいうまでもなく先進国のどの国もが憲法で保証しているが、しかし、テロ対策に悩んできた先進各国は「結社の禁止」の条項をも同時に憲法で規定している。例えば極右や極左や外国人破壊分子に悩むドイツは、憲法第九条一項で結社の自由を保証しているものの、二項では憲法的秩序に反する団体の禁止を同時に定めている。しかも禁止、すなわち解散命令と財産没収に対しては裁判所の判定をさえ要しない。内務大臣の認定で即刻禁止が決められる。私はドイツの国内治安法を調べていて、これを知ったとき、正直驚いた。あまりの簡便さに不安になった。日本では考えられないことだと思った。

政党と一般の結社とは区別されていて、政党の解散には連邦憲法裁判所の決定を経なくてはならないことになっているが、一般の結社、ネオナチや赤軍派やパレスチナ学生総連合とかクロアチア民族抵抗戦線といったドイツの治安を乱す外国人組織を取り締まるのに、いちいち裁判の手続きを経ていない。担当の行政庁すなわち内務省の判断ひとつで、あっという間に解散させられる。しかもまだなにも民主主義的秩序に反する暴力犯罪を犯していなくても、その可能性のある団体だとの認定だけで、即時解散が実行される。

これは日本でならさしずめ官憲の反民主主義的暴挙ということになるだろう。旧西ドイツの統計になるが、憲法規定に基づいて一九六四年に「結社法」が制定されて以来、八九年末までに、四十五団体が実際に右の通りに処断され、禁止させられているのである。

しかしドイツだけではない。危険な可能性のある団体をみな萌芽の段階でいち早く摘んでしまうという緊急措置は、フランスも同様であり、他の欧米民主主義国にもほぼ共通している。世界中にカルト宗教は多数発生したが、みな小型で、自壊的であったのはそのためである。

立法が行政に立ち遅れている

周知の通り「破防法」の適用成立の要件は（1）政治的な目的をもった団体であること、（2）暴力主義的破壊活動をすでに行ったこと、（3）将来も再犯の明らかな恐れがあること、の三つである。このうちドイツやフランスの団体規制法は、憲法秩序に反する団体とみなされれば、（1）の条件だけで適用が成立するのだ。（2）も（3）も必要としない。アメリカは多分（2）の要件まで必要としたと思うが、読者の皆さん！　よく考えていただきたい。（3）の要件、すなわち「将来も再犯の明らかな恐れがあること」の立証まで行政に求めている団体規制法なんて、世界広しといえども、わが日本の破防法以外にないのである。常識からいってそもそも「将来の再犯」があるか否かなんて水かけ論になるのは必定、どうやって法的に立証したらよいというのか。破防法は公安調査庁にもともと常識に反する無理な立証を求めていた法律なのである。

ところが、周知の通り今度のオウムの破防法適用破棄は（1）（2）は立証され、（3）が立証されなかったことに基づく。ということは、破棄は民主主義の勝利でも何でもなく、「破防法」という法律の法的不備、昭和二十七年社会党の反対の怒号の中でやっと成立した時代遅れの不完全な法律であったことに原因があるのである。

いったいどうして破防法が民主主義を脅かすあぶない法律だというのであろう。私はもともとこの法律は無力だと言っていた。かりに施行されても、オウム教団の実質的活動の継続を防ぎ得ないのではないか、とさえ私は書いた。しかし日本にはそもそもこれ以外に団体規制の法律がほかにない。だからこれを用いるしか仕方がないのだ、と（『新潮45』平成八年八月号）。立法が行政に立ち遅れているからである。

今回請求棄却をした公安審査委員会の面々にむしろ聞きたい。欧米はより進んだ反テロリズム法を持っている。日本には時代遅れのこんなばかみたいな法律しかない。しかしこんな無力な法律でも必死に追いこんだからこそ、オウム教団はここから逃れようと必死に努力し、教団施設を明け渡したり、逃亡信者が出頭してきたりしたのではないか。無力な法律の「無力」を天下に知らしめてしまったこのあと、取り締まりの方法をどこに置いたらよいというのか。公安審査委員会は公平ぶった臆病のゆえに、たいへんに大きな危険を国民生活の今後に残したことにならないか。

今回の措置で例えばオウム教団が何年かの後に再び国境の外に「布教」に出ることを許可したわけであるから、そうなったときには、日本は国連から――彼らがかりに宗教活動だけをしたとしても――「テロ支援国」の汚名を着ることにならないだろうか。審査委員会はそこまで考えているのか。

ここで今、公安調査庁の改廃を云々する人がいるが、こういう事情を考えると話は逆ではないかと考えられる。日本は「破防法」のような考えられる限り穏やかであり、見方を変えれば生ぬるい団体規制法ではもうやっていけないことが分かったのであるから、欧米先進国並みの、現実のテロ時代にフィットした新しい法律を作り、同庁の支援をさらにいっそう仰がなければならない必要がますます増したのではないのか。

どうして人は現実を空想にすりかえ、逆に考えるのであろう。

有馬中教審会長に応答する
平均学力低下の答申

平成九（一九九七）年七月十一日

私は第十五期中央教育審議会が発足した際「有馬中教審会長に再問する」と題して、この欄［「正論」欄、本書百二十一ページ参照］において有馬新会長への注文を申し述べた（平成七年五月十一日）。大都会の特定私立高校出身者の東大合格率の「寡占状態」が象徴するように、真の自由な能力主義（メリトクラシー）が日本社会から消え去ったことに、私も参加した第十四期中教審は、先に強い警鐘を鳴らした。しかし当時東大総長であった有馬氏は、東大はまだ「寡占」といえる段階ではない、とけんもほろろに数字上の事実に反した反論を行って、第十四期の答申を一蹴した。しかし、氏は東大の立場を離れ、中教審会長になったのであるから、今度こそ国民の活力と自由を回復するためには、ある程度「学校選択の自由」を犠牲にする矛盾にぶつかってほしいと、私は本欄に書いたのだった。すなわち入試を規制し、選択の自由を制限し、エリートとなる人材を全国広域から拾える新しい「公正」を確立するように、と。

あれから約二年経って、本年〔平成九年〕六月二十六日に、有馬審議会の答申が出た。以上のいきさつに基づいて、今次答申に対する私の感想と批評を述べる。

今次答申のポイントは（一）大学入試改善（二）中高一貫制度の公立校への導入（三）数学と物理の天才を高二から飛び級で大学に入れる、の三つである。いずれも第十四期から引き摺ってきたテーマで、われわれと同一の課題を継承し、誠実に追跡しており、その点では好感を持った。

ことに大学入試改善について、影響力のある特定大学が率先して改善に取り組むよう求めているのは、わが意を得た思いだ。今回の、分離分割方式の後期日程の募集人員の増加や、地域指定の入学枠の設定は、序列化を崩す試みとして第十四期の最終答申にも書きこまれたテーマである。有馬氏は、私が『朝日新聞』（平成三年五月十五日夕刊）紙上で、東大の前後期の比率九対一を大幅にこわし、五対五にし、全国の国立大もそれに合わせること、また地方の公立高校に優先入学枠を設定することなどを、東大総長としての氏に要請したことを覚えておられようか。大都会の私立中高一貫校出身の、野性味のないスピッツのようなエリートをいくら量産しても、日本に未来はない。

有馬答申が私のこの提言に若干とも答えてくれたことはともあれ嬉しい。

「影響力のある特定大学における工夫改善が不可欠。また多肢選択式のペーパーテストに依存する一部の私立大学に対して、一層の改善を特に要請」も、よく言って下さったと思う。有力私大の入試の受験科目削減のわがままを規制しなければ、国の教育全体の向上は絶対に望めない（この件で私が西原春夫元早大総長と大喧嘩したことを覚えている方もおられよう）。

統一試験は一利なし

こんな風に、今次答申は今までの流れに必然的に添っている点が少なからずあり、十四期からのテーマの執拗な追求には感謝するが、しかし秋期入学やアドミッション方式などの手間をかけた丁寧な選抜については、首を傾げざるを得ない。大学内に常設の入試本部を作らなければこれは出来ない。入試担当専任教官の設置である。秋期入学を行えば、春学期と同じ入門講座を秋にも開講しなければならなくなる。大学の教員に今以上の負担を求めるのは酷である。文部省が定員増を認めない現状でどうしろというのか。

大学入試センター試験を信用しすぎているのも気になる。全国統一の試験は、米国のように州によって高校のカリキュラムがばらばらなら意味がある。しかし学習指導要領で、一定の教育内容がほぼ保証されている日本では、統一試験は百害あって一利ない。各大学独自の入試をもっと進めるべきで、生徒に二重の負担を強いるセンター試験は縮小ないし廃止すべきだ。

地域の有識者、地域産業の関係者、高校やＰＴＡの意見を入試に反映させるなどという考え方も大いに疑問がある。精神の高さと反社会的情熱とがしばしば一致する年齢の青年が対象なのである。大人の社会に気に入られない生徒が不利になり、自分の学力だけで合格できるという日本本来の実力試験の良さが失われる。社会的に適合していない、個性的な人材が排除される危険性がある。これは「個性」を育成するという答申の冒頭部分と矛盾する。

(二) 中高一貫制度の公立校への導入は、学力試験を前提としない以上、受験エリート校の創設が目的ではないように思える。答申をよく読むと、じつに多様な性格の一貫校が想定されている。これは要するに、高校を事実上義務教育化する布石とみえる。例えば島に三つの中学と一つの高校があるケースで、島の外に出ていく生徒の向上心を阻止し、最初から島の中に囲いこむ保守的な政策に通じている。中高一貫校といえば受験エリート校と考えられた時代は終わった。エリート校の創出が今次答申の本心ではないようだ。

全体として私は子供たちが受験で苦しまなくなるだけ平均学力が低下する、そういう方向を促進している答申とみた。なにかといえば、ゆとりの必要を唱え、ゆとりを生み出すには受験科目を削減するといったアプローチは、安易をめざす子供への妥協であり、時代迎合である。

(三) 数学と物理の天才を十七歳で大学へ入れるという「飛び級」を今回はもうひとつの目玉にしているが、これも平均学力向上を否定する思想で、時代先取りのようにみえ、易きにつく時代迎合だとしか思えない。例えば千葉大学の学長だけが今勇み足で、高二の天才を受け入れると言っているが、ほんものの天才少年が千葉大なんかに行きたくないと言ったらどうするのか。大学には「序列」があるのである。それが克服さるべき最大のガンだということも分からないで、丸山工作氏だけがひとりはしゃいでいるのが、私にはただただ滑稽にみえる。

忘れられた戦勝国の蛮行
原爆ドームは人道罪告発の遺産

平成九（一九九七）年八月九日

わたしは月刊誌『正論』に「わたしの昭和史」を連載している。たまたま［平成九年］九月号に、子供時代の「日記」に張ってあった古新聞から、衝撃的な写真を転載した。戦時中の昭和十九年八月十一日付のベルリン電送の一枚の写真で、米誌『ライフ』に掲載された日本兵の髑髏である。米国兵がこれを記念品としてアメリカの少女に送り、彼女が頭蓋骨を目の前に置いて礼状を認《したた》めているシーンである。「あゝこれぞ南溟《なんめい》の孤島に玉砕したわが勇士の聖骨だ、日本人たるわれら到底正視するに忍びざるものがある、思わずはっと眼をつぶってたゞ祈る英霊の冥福……」と記事にある。

日本人戦死者の頭蓋骨を記念に本国に送る悪習は、戦争末期、日本の都市への無差別爆撃が開始されてからいっそう盛んになった。この蛮行を発見し、非難したのは、フィリピンへ派遣されたローマ教皇使節だった（クリストファー・ソーン『太平洋戦争とは何だったのか』、草思社、一九八九年三月刊、第四章参照）。ナチスの強制収容所で犠牲者の皮膚からランプのシェードが造られ、ドイツ人の家庭で使われたという話はいつ聞いても背筋が寒くなるが、日本兵頭蓋骨の記念品はそれに勝るとも劣らぬ異常心理である。ここまでしたのはナチスとアメリカ軍以外にない。ただ、戦勝国の特権でアメリカの蛮行は忘れられている。敗戦国の残虐だけが誇大に伝えられ過ぎている。

昭和十九年九月から日本の本土上空はほぼ制空権を失っていた。米軍の空襲は逃げまどう無防備な日本市民の集団惨殺行為だった。全国の住宅密集地域への焼夷弾による効果的な絨緞爆撃は、単なる「戦争犯罪」とはいえない。その枠を超え、「人道に対する罪」に外ならない。三月十日の東京大空襲に際しニューヨークタイムズの特派員は、米国市民にナチスのゲルニカ空襲の犯罪性を思い出させるに相違ないと空軍当局に警告した。しかし米国市民は黄色人種の大量殺戮に道徳的反応を示さなかった。小磯国昭首相はラジオを通じて、殺人目的のこの襲撃はもはや戦略的目的を持っていない破壊のための破壊であると非難した。ゲルニカの死者は三千人だが、東京は一夜にして十万人を失った。

広島・長崎の原爆投下は周知の通り、日米和平交渉の試みの開始後に実行された。アメリカはパリの独軍が降伏した直後に、すなわち早くも昭和十九年九月に、原爆開発の米英独占と対日使用を検討、戦後の対ソ牽制策を画策した。フランスの三人の知識人、サルトルとカミュとボーヴォワールは南フランスを旅行中、広島への原爆投下を新聞で知った。「ドイツの都会だったら、白人種の上にだったら、彼らも敢えてなし得たか疑問だね。黄色人種だからね〜。彼らは黄色人種を忌み嫌っているんだ」と、サルトルは言った。

日本人は米国を許していない

昨年［平成八年］末、ユネスコの第二十回世界遺産委員会総会は、米国と中国の反対を押し切って、広島の原爆ドームを世界遺産に登録することを決定した。世界遺産は大抵は神社仏閣などの文化遺産だが、人類にとって恥となる「負の遺産」は三つしかない。広島の原爆ドームのほかにはアウシュヴィッツ強制収容所跡と、奴隷貿易の拠点だったセネガル・ゴレ島である。そして、このことはきわめて象徴的な意味を持っている。原爆ドームの世界遺産登録を歓迎する日本人は異口同音に、これは核廃絶の世界の永遠平和の願いだというが、それならなぜ米中二国が反対するのだろうか。日本憎しと核保有国である自国の今の現実が反対を言わせている。私は広島の原爆ドームの登録を核廃絶を祈る人類の願望の表現だとは決して思わない。むしろアウシュヴィッツに並ぶ「人道に対する罪」の告発の表現だと考える。つまりアメリカはこれを以てニュルンベルク裁判の被告席に立たされているのと同じことになる。それゆえにアメリカは公的にユネスコの決定を絶対に認めることが出来ないのだ。ドイツが「集団の罪」を絶対に認めることがないのと同じように。

ここに決定的な対立が露呈している。表向き日本人は核廃絶への祈願の表現だといって自他をごまかしているが、突き詰めると決してそういうことにはならない。日本はアメリカを許していないという世界への自己宣言になっているし、そう見られても仕方がないことを知るべきである。

日本に軍国主義があったように、アメリカにも軍国主義があったのだ。ある意味では日本以上の。日本人はそれを自らに認めないアメリカを心の奥底で今も許していないのである。軍国主義はお互いさまだということを認めないアメリカを日本人は決して許していない。

ところが素っ頓狂なことに、本島等前長崎市長が「原爆ドーム世界遺産化」に反対する長い論文を書いた。広島は昔から最重要軍事基地だから原爆を落とされても仕方がない、悪いのは中国を侵略した日本人で、原爆投下は世界中から喜ばれている、というのである（広島平和教育研究所年報平成九年三月発行）。四月二十三日付『毎日新聞』はこれを大きく取り上げ、はしゃいでいる。これが一般の知識人ではなく、前長崎市長のことばだから驚きである。どうして長崎の被爆者市民は黙っているのだろう。広島は市民殺傷効果を見るに最適規模だから選ばれたのであって、重要軍事基地だから選ばれたのではない。長崎が選ばれたのは天候のせいにすぎない。日本人をモルモットにしたアメリカの実験はまさにナチスの犯罪と同じ「人道に対する罪」であって、普通の「戦争犯罪」とすらいえないのである。世界遺産登録はそのいわば証言であり、戦勝国の軍国主義への初めての世界的次元での告発であり断罪であるといわなくてはならない。

日本絶望論も間違いだ 尚武の気風、正義の感覚を

平成十（一九九八）年一月十四日

十六世紀に地球をわがもの顔に自由にしたポルトガルとスペイン、とりわけスペインが、征服をあきらめ、唯一の例外として恐怖を抱いた強国は日本だった。本紙［産経新聞連載］『地球日本史』が始まってから、私はいろいろな資料を読み、キリスト教的独善の極限ともいうべきイエズス会の征服欲にはっきり拒絶意志を示し、抵抗したのは日本以外になかったことを確かめた。私が執筆を担当した「西欧の野望・地球分割計画」と「フィリップ二世と秀吉」の中で、この点で

の具体事例を紹介しておいたので、お読み下さった方もおられるであろう。

もちろん一番遠隔地だったという地理上の有利さはある。スペインが日本に魔手を伸ばしかけた頃そろそろ国力が衰えかけていた幸運な事情もある。けれども、日本人には尚武の気風が漲っていた。シナ人その他のアジア人はなめられ切っていたが、日本人だけは侮れない、という警戒心はポルトガルやスペインの将兵にも、宣教師たちにも行き渡っていた。

徳川時代になってからも、渡来した西欧人は日本人が名誉を重んじる勇敢な国民であることを繰り返し語った。一六二八年、まだ自由航行ができた当時、オランダ領になっていた台湾で、オランダ人総督により薩摩の商人が不当に捕囚され、苛酷な扱いを受けたことがある。帰国報告を聞いてこれを日本人に対する侮辱と受けとめた薩摩では、わずか七人の若侍が報復行為を具申し、出発の許可をもらうや、台湾に赴き、総督に謁見を許されると、たちまち抜剣し、その身柄を捕らえ、白昼堂々と護衛兵や住民のいる中を人質として自国の船へ連行した。この大胆な行動（浜田弥兵衛事件）はケンペル（一六九〇―九二滞日）も、ツュンベリー（一七七五―七六滞日）も、傷つけられた名誉に沈着さと勇気とを以て報復する日本人の特性を示す例としてとり上げている。

元禄時代の日本について、「長期の平和、じっくりした平和が続いても、この国民は、多くの他の国民の間でしばしばみられてきた柔弱さ、ときとして無為無気力に転落することにならなかった」（ケンペル『鎖国論』）とも書かれている。

他方、日本は高度の文明国であるとの観察も繰り返し述べられている。スウェーデンの植物学者で後年ウプサラ大学学長となったツュンベリーいわく、「日本国民は自由の権利を知っている。

……日本は専制政治下にあるけれども、その専制政治は正義を全然排除するものではない。この国民の最下層は奴隷となっているというものがあるが、それは誤りである。それならば日本の庶民よりも残酷に扱われている欧州の下僕や兵士たちこそむしろ奴隷といえるだろう」「この国では正義という言葉は決して空な言葉ではない。専制君主といえども自分の近くの者に対して正義の観念を欠く行いをすることはできない」。

百の経済、千の改革論議よりも

このところ日本では日本という国そのものがもうダメになったという絶望論が幅をきかせている。マスコミは口をそろえて、日本の繁栄ももはやここまで、文明は老化し、絶頂期を過ぎたと言い立てている。何をやってもうまくは行きそうもない。行き詰まっている。日本民族そのものが劣弱無能だからで、未来に希望は全然ない、といわんばかりである。

しかし果たしてそうだろうか。ジャパン・アズ・ナンバーワンといわれて浮かれたこと自体は間違いであった。しかしその反対に、今浮足立って、〝日本はやっぱりダメ式〟の悲観論を言い立てるのも間違いである。

日本人は民族的優秀さというものに——敢えてこう書くのは気羞しいのだが——もっと自信を持ったほうがよい。尚武の気風をとり戻し、正義の感覚を回復すること——これがいろいろ経済政策をいじったり、行政改革を論じたりすることよりもはるかに、はるかに重大なことなのである。

メーカー勤務の知友から頂いた年賀状のことばが印象的だった。

「目出度さを賀し奉らむと思へども、我が胸に余りに遠し。せめて生青い文字を連ねて松の内なる世に問うてみん。と書き出して昨今の日本社会の状況に論じ到らんと丸一日唸りましたが敢えなく失敗。どう捻っても賀詞の舞台を勤め得る言葉にはなりませんでした。不況だから思いが暗い訳ではないのです。製造業に身を置くせいか、経済に根本的な不安は感じません。思い起こすあれこれの事象の内に立ち腐れゆく日本の露顕が実感されるのです。奈落を覗き込むようです。問題は国や社会を殆ど無意識レベルで成り立たせている微妙な気構えの衰弱にあると思われます」

そう述べて、だからこそ「新しい歴史教科書をつくる会」に期待していると言って下さるのだが、この「衰弱」の是正に「果たして間に合いますかどうか」と、疑問も書き添えている。まことに胸も塞がるる憂鬱さである。

『Ｖｏｉｃｅ』二月号［平成十年］で櫻井よしこさんが「日本人よ怒りを取り戻せ」と題し、橋本龍太郎首相が北京市公安局勤務のれっきとした中国の諜報部員と交際していた事実が露顕しながら、それが常識からいって直ちに内閣総辞職になるべきところを、その常識が働かない状況に清冽な怒りをほとばしらせている。「私たちは激しく怒るべき場面なのだ。にもかかわらず、この静けさは何なのか」。社会全体が人任せの甘えに浸って、おかしなことをおかしいと感ずる能力を失っている、と。昔の日本人にあった尚武の気風と正義の感覚のほんの僅かの回復が、百の経済議論、千の改革論議に先立つべき必要がある所以である。

「近隣諸国条項」批判で調査官更迭
文部省だけが軽挙妄動

平成十（一九九八）年十二月二日

文部省の主任教科書調査官福地惇氏が「近隣諸国条項」を批判したとして［平成十年］十一月二十六日更迭処分された事件には、慰安婦問題と同様に、再び左翼に仕組まれた明確な罠が読みとれる。問題が生じてから処分までが余りに短い。おおよそ二―三日なのである。待ってましたとばかりに急いで処分した文部省幹部ないし文部大臣その人が左翼体質である可能性はきわめて高い。

問題発言の載った会員制月刊誌『ＭＯＫＵ』九月号［平成十年］が最初に人の目に触れたのは、版元によると九月初旬である。左翼関係者が問題化を目論んだのはいつかは分からないが、すぐに問題化せず、時期を待っていたのには理由がある。江沢民来日に照準を合わせるためであった。共同配信記事十一月二十三日付を見て、それだけのことで有馬文相は二十四日に記者会見を行い、間髪を入れず「厳正に対処したい」と返答。『朝日』に文相記者会見の記事がのったのが二十四日夕刊であり、出版労連など六団体が福地解任の要請書を提出したのが二十五日である。その二十五日にかねて予定した通り江沢民が日本に来た。二十五日と二十六日の『赤旗』に一連の関聯《かんれん》記事がのり、二十六日夕方に更迭処分が発表された。電光石火の勢いである。まるで呼吸を合わせているかの如き素早さである。

不思議なのは文相が、出版労連など左翼六団体が文部省に要請書をまだ出してもいない前の日に、どこでどういう仕掛けがあったか、あわてて「厳正処分」を口走り、その通りにしたことである。背後に左翼の動きがあって、理科系で人文思想のない（あるいは最初から左翼に好意的な）文相がシナリオ通りに行動した、ということか、それとも江沢民訪日の生贄に身内を捧げることで文部省が内閣に忠誠心を示そうとしたか、のいずれかであろう。ばかげた話である。なぜなら小渕（恵三）内閣は今回可能な限り中国の圧力に屈しまいと努力し、外相も私の見る限り日本の利益を守るために良くやったという印象だからである。ひとり文部省だけが軽挙妄動した。やらないでもいいことをやった。内閣の中で突出したことをやって、むしろ内閣を傷つけた。そして、日本国民を侮辱した。国民はこの大臣のしたことをしっかり覚えておこう。

日本人は悪魔か外道か

いわゆる「近隣諸国条項」は昭和五十七年の教科書誤報事件をきっかけに設けられるなど、成立過程に疑問があり、これの廃棄が今後保守政権内部で、中韓両国の内政干渉を排除するためにどうしても必要な案件になるであろう。しかし今さしあたり、この条項は存在するのである。すなわち「わが国と近隣のアジア諸国との間の近現代の歴史的事象の扱いにあたっては、国際理解と国際協調の見地から必要な配慮がなされていること」という件りである。が、それをかりに認めるとしても、福地氏の雑誌発言は言論の自由の範囲にあり、どう考えても同条項に違反するものには読めない。

「近隣諸国条項」は近隣への「必要な配慮」をうたっているだけで、近隣諸国は正義の化身、日本は悪魔か外道という「全面屈服」を書けと言っているものではない。ところが現行教科書が文面においても、イラストにおいても、日本人を悪魔か外道のように描く行き過ぎた誇張に堕しているることを、われわれは実証してきた（扶桑社刊『新しい歴史教科書を「つくる会」という運動がある』第1章小林よしのりインタビュー、及び藤岡・西尾対談『国民の油断』ＰＨＰ刊を見よ）。

福地氏は現行小学校教科書が、「ほとんど戦争に対する贖罪《しょくざい》のパンフレットなんです。それで、侵略戦争を二度としないようにするためには、どうしたらいいかということが最後の結びになっている。僕はちょっと気が滅入りました。あの戦争はよかったとはいえませんが、わけありであいうことになったわけで、日本だけが悪いという感じで書かれると、子供たちが本当にどういう気持ちがするだろうかと思いますね」

と述べているが、氏は現行教科書が「近隣への配慮」を越えて「全面屈服」となっていることを批判しただけで、なんら近隣諸国条項に違反していない。「贖罪のパンフレット」という言葉がいけないということだが、それは低劣な教科書の実態を蔽い隠して、検定制度は立派にやっているとのみせかけの権威を守りたい文部省の言いがかりにすぎない。今の歴史教科書の下劣さが政治パンフレット以下ですらあることは、文部官僚諸氏が文部省を離れて、一私人の常識に立ち還れば、残念ながら一人として例外なく認めざるを得ない処であろう。

福地氏が「わけありであいうことになった」と戦争を説明した内容は、仮に日本というものがなくて、中国と朝鮮だけだったら、東アジアはどうなっていたか、に関聯して、中国はロシアとイギリスに上手に分割されたのではないか、日本の中国進出には、そういうことを阻止した面もあった、というリアリスティックな判断に終始している。これは左翼歴史家を除く、今日の近現代史家の大半が所有する良識的認識の範疇に入るといっていい。

こういう立派な現実思考の歴史家を追い落とすことで、このレベルの人物が調査官を志さなくなり、今後の検定内容がさらに劣化することを私は最も恐れている。しかもそれが文部省の左翼迎合競争の虚栄に発するとしたら何をかいわんやである。昭和五十七年当時「近隣諸国条項」の成立に抵抗し、首相官邸に反抗した気骨ある先輩文部官僚を少しは見習ったらどうなのであろう。

大陸とは無縁の列島文明
江戸以降中国を黙殺し続けた

平成十一（一九九九）年一月七日

日本は東洋の一角にあるために、永い間日本の文化は東洋の文化の一種だと思われてきた。仏教文化圏、漢字文化圏、稲作文化圏といったことばが、日本文化は東洋の大陸文化の中の一変種であることを、さながら自明の前提であるかのように思わせてきた。しかし日本の文化の歴史を探究し、そのあり方を考えていくと、大陸の文化の影響は表面的であって、むしろ治乱興亡目まぐるしい大陸の文化とは、大いに異なる側面を持っていることに気がつくのである。

東洋と西洋とは対立しているように考えられて来たが、どちらもが地続きの一つの大陸である。

スキタイや突厥《とつけつ》や匈奴《きょうど》などの跳梁《ちょうりょう》したはるか遠い時代から、今日まで、大陸では独立した民族の生活文化は簡単には成り立たなかった。さまざまな民族が征服したりされたりしながら入り乱れて、怒濤のように動いてきた歴史が存在し、人の命がいかに粗末に扱われてきたかは驚くばかりである。

奈良にも平安にもそもそも日本の都には城壁がない。家屋もおおむね戸口は大きく、窓はなく、戸外への開放形式である。けれども大陸ではどこも都市そのものが閉鎖的で、城壁に囲まれている。家も窓を小さくし、密閉式になりがちである。都市と家のこの形式は朝鮮半島において早くも始まり、大陸全域を経て、ヨーロッパに及ぶ。

日本の古代の邸宅すなわち寝殿造の祖形は唐の宮殿であるが、日本のそれはすでに初期から中国とは著しい相違をみせていた。中国は土間式だったが、日本は高床式であった。だから日本は寝所が中国式のベッドではなく、畳上に直接寝る形式になった。座式を守り、唐風の椅子式の生活にはならなかった。柱などすべての木部を丹土塗などにせず、日本人好みの簡素の象徴である白木造にした。履物を脱いで上がる和風もいち早く確立されている。部屋も中国やヨーロッパでとられる個室本位から、融通自在で開放的な大部屋形式になった。畳は日本の独創で『古事記』に記録があるが、床つき畳は鎌倉中期に始まる。かくて座敷という日本人の好む広々とした無の空間が成立した。

決定的な要因は言語

昨年［平成十年］話題になったサミュエル・ハンチントン『文明の衝突』（集英社）でも、日本はユーラシア大陸に対峙した独立の一文明圏である、との指摘が、なされている。家屋・都市・庭園などをみる限り、中国の自然を排除した左右対称形のかっきりした合理空間は、ヨーロッパの美意識にむしろ近い。

繰り返すようだが、日本文化は東洋と西洋との二大文化が対立するその中の、東洋文化の一翼ではない。西洋の文化ばかりではなく、東洋の文化に対しても対立している。両方ひっくるめたユーラシア大陸の文化全体と日本の文化とが相対しているのである。

その決定的な要因は言語である。現代言語学の達成した成果によると、日本語はユーラシア大陸のどの語族にも属さぬことだけは明らかになったようだ。大陸のアルタイ諸語（モンゴル語、トゥングース語、テュルク語等）のどの系統にも属さない。インド＝ヨーロピアン語の研究に代表されるように、一つの「祖語」という共通の幹から枝分れした系譜図を辿って、言語の歴史を探究するという従来の方法では、せいぜい今から五、六千年前に遡る程度にしか突きとめられないらしい。五、六千年前というのは言語史的にいえばむしろまだ新しい歴史である。その頃多数の新興の言語が急速に勢力を拡げて、古い言語を地球の辺境に駆逐した。その際、駆逐された側に属するのが日本語、朝鮮語、アイヌ語、ギリヤーク語その他シベリア古語の幾つかで、東北アジアの沿岸部から北西アメリカ、南太平洋にも、系統関係が定かでない、この頃追いやられたらしい言語が幾つか残っているそうである。ということは、これは壮大なロマンで、日本列島と北アメリカ大陸がまだくっついていた地質学的過去にまで遡って、アプローチの仕方を変えないと、日本語は地球上のどの言語の系統に属していたかが突きとめられないことを意味する。どこかに兄弟語はきっとあるが、一、二万年単位よりさらに大きな間尺を必要とする。奈良時代には日本語と朝鮮語とは通訳なしでも話が通じたであろう、などとときおり活字化されているが、これは言語学的にも国語学的にも到底いえないインチキである。

恐らくこの列島は言語的にも、人種的にも太平洋に全身を向け、わずかに今から千六百年ほど前の近い過去に文字利用においてのみ中国大陸とつながった、大陸とは浅い因縁の別個の文明である。日本語は中国語とは遠縁の親威語ですらない。しかも日本語は中国文字の一字一音を廃し、訓読みを導入し、二種のかな文字を混在させる自由自在な表記法において、漢字漢文より高機能の、より進んだ文字文化を発明し、発達させた。

成程《なるほど》、日本という国号が誕生してからまだ二千年は経っていないが、この列島の文明はユーラシア諸王朝の交替劇を尻目に、上昇しつづけてきた。十世紀唐の崩壊以後、一国の民族史としての中国史などというものはもはや存在しない。しかしこの列島の歴史は縄文弥生の一万年と直結している。江戸時代に日本は経済的にも中国を凌駕し、外交関係を断って、北京政府を黙殺しつづけていた事実を忘れてはならない。

知識思想世界のパラダイム三度目の大転換期

平成十二（二〇〇〇）年一月十一日

ニューヨーク・タイムズの東京支局長ハワード・フレンチ氏から、日本における千年紀（ミレニアム）をどう思うかというインタヴューを年末に受けた。日本には元号、陰暦、皇紀などの独自の暦があるのに、年々西暦の使用が広まり、ついにミレニアムのカウントダウンまでがお祭り騒ぎで行われる日本の現状をどう思うか、という質問である。

なぜ私にことさらにこの質問を？　と反問したら、つねづね伝統価値を主張している日本人に、日本社会で使われてきた暦が消えていくことによってその暦で培われてきた文化が失われていく危険性を感じていないかを知りたいためだ、という応答である。こう言われると私は、さりげなく、たいして気にもかけていませんよ、と本能的に防戦する構えになる。

日本人は外国からの圧力の度が過ぎるとこれを武断的に排除したがる性格を持つ反面、周知の通り、深い考えもなしになんでも無差別に外国のまねをしたがる矛盾した性格をも持っている。豊臣秀吉の朝鮮出兵のころ、日本人の間にポルトガル人の服装や料理がにわかに流行したことがあった。秀吉が北九州と京都を往復するときに、供回りの者は競って西洋風の服装をしたがった。マントとケープと襞《ひだ》のついたシャツに半ズボンという出で立ち。仔牛の肉料理にも人気が集中し、秀吉までがこれを好んだ。当時キリシタンでもないのに主の祈りを捧げ、アヴェ・マリアを暗誦する者さえあった。

日本人のこの無原則ないし無性格は、ほとほといや気のさすこともあるが、日本の前進の原動力である。一見して外国崇拝のいやらしい形態をとりながら、じつは確実に普遍文化をとりこむという結果をひき起こすのは、文化に国境を見ないこの無差別主義のせいでもある。秀吉の時代にはそういう良好な結果にはならなかったが、古代日本人が仏教や律令をとり入れたときに、中国文字を介するという屈辱などはおそらく感じたはずがない。漢字漢文は当時の国際公用語であった。中国崇拝に光だけを見た。それで危険はなかった。日本は大陸の軍勢に蹂躪《じゅうりん》された経験はないからだ。

日本文化の貯水池のような深さ

同じことは明治にも繰り返された。英語やドイツ語やフランス語を学んで、文化的植民地に陥る恐れが十分にあったし、現にあるのだが、そのときにはそうは考えないし、現に考えていない。他のアジア諸国に起こったことが日本には起こらない。日本人は外国崇拝を胸を張って行って、自国文化の独立にかえって役立ててきた珍しい国である。

日本文化は貯水池のような深さがある。何を外から入れても、アイデンティティが壊れない安心感がある。何を入れても結局何も入らないからかもしれない。ニューヨーク・タイムズの東京支局長に私はそういう意味のことを答えた。

しかし相手は私のことばを信じなかった。自分は日本文化のフレキシビリティ（柔軟さ）はよく知っているが、圧倒的な西暦使用に不安を覚えないか、と食い下がってきた。それに対し私は、元号と西暦の併用は定着しているものの、日本人の生活感覚の中に「十九世紀」はなくて「明治」

があるという歴史意識の古層は変わらないのだ、と反論しているうちに、だんだん不安になってきた。

私が不安になったのは、ミレニアムへの大衆社会の附和雷同ではない。日本はいま知識思想世界のパラダイム（ものの考え方の枠組み）の大転換をせまられつつある秋《とき》を迎えている。その大転換とはたしかに自国の外に基準を置く今までの日本人のやり方がダメになってきた喫緊の自覚である。日本史にはときどきこういう急転換が起こる。外国崇拝の度が過ぎると硬直し、自立心を失い、発想の自由がきかなくなる。今まではいっさいの基準を外から取り入れても内が壊れないで安心でいられたが、これからは自分で自分の基準を作らないと、外の尺度は役に立たないし、かえって内を束縛し、不自由になる。欧米という外の基準に自分を合わせる明治以来の習慣がもはや光をもたらさず、悪癖になっているということに、私の知る大学社会や指導者層一般がまったく気がついていないか、あるいは気がついても容易に自分を変えられないでいるという深刻な事態がある。

日本社会は古代初期（弥生時代）と明治初期とに次いで、三度めのパラダイムの大転換期を迎えている。漢字漢文を基軸にする思考と欧米語を基軸にする思考と、二つがともに無効になった。私が『国民の歴史』を書いたのは、まさにその点を警鐘乱打するためであった。

読者から大反響を頂いたのは国民のかなりの層がこの点に気がついているからだが、他方に、拙著をナショナリズムの再来とか、モノカルチュアーの民族史とか、戦前への回帰とかまでいうあきれた言いがかりさえあった。大学社会や知識世界に住む人間の現実の変化の見えなさ、パラダイムの転換に身を合わせられないみじめさが、しきりに目立つ。
質問で食い下がるハワード氏に私は心の底にある自国知識人への私の不安と絶望を言い当てられたようなヒヤリとした思いを味わった。

「神の国」発言が突きつけたもの カミの概念、政教分離、西欧産思想

平成十二（二〇〇〇）年六月七日

去る五月三十日［平成十二年］北陸大学の公開講座に招かれて、金沢に赴いた。わかりやすい時局テーマから話してほしいと乞われ、首相の「神の国」発言を枕に「政教分離」について話した。聴衆の中にたまたま森喜朗首相後援会の関係者がいた。翌三十一日午後、同じ話を首相の地元、石川県根上町（現能美市）でしてほしいと頼まれ、急遽、緊急講演会となった（各紙六月一日付報道）。あまり用意のないまま、一時間半、八百人の地元の人を前に一所懸命に話させてもらった。

私の話は三部分からなる。最初はカミの概念をめぐってで、すでに本欄［「正論」欄］で長谷川三千子氏（五月二十四日）、加地伸行氏（五月三十一日）が言及しているテーマなので、ここでは多くを費やさない。カミはもともと「上」であり、「お上（かみ）」あるいは「上（うえ）さま」と同じ概念だという江戸時代以来の説に、異論はあることは承知だが、もう一つは「鏡（かがみ）」か

ら由来するという説も紹介し、この日本的概念に「神」という中国文字を当てたときに第一の誤解が生じた。漢字の「神」は電光の屈折して走る形である。さらにキリスト教のＧｏｄを神と訳したときに、誤解は決定的に二重になったいきさつを述べた。

それでも日本人古来の自然信仰は生きている。古い井戸や老木や竈《かまど》や厠《かわや》や村のはずれに、そして八幡の鳩、春日の鹿、稲荷の狐に神を感じる日本人のアニミズムの根は深い。菅原道真は学問神であり、乃木希典は軍神で、また生きていても尊いお方はカミであり、天皇はだからカミであることになんの不思議もない。天皇を「現人神《あらひとがみ》」とか「現御神《あきつみかみ》」というのは、復活するイエスの神話より、ずっと現実的、非神話的である。森首相もそういう自然神のカミの概念において、日本人の畏敬の心を大切にしようと語っているにすぎない。一行だけ引き抜いて、ねじ曲げて非難する一部マスコミはまったく、無知であり、卑劣かつ愚かという以外のなにものでもない。

西洋こそが宗教を帝国主義の手段に

私の話の第二のポイントは、欧米では「政教分離」が厳格におこなわれていると一般に信じられている錯覚について反論した。イタリアでは第二次大戦以後、「キリスト教民主党」が第一党を占めてきた。ドイツも長期政権であったコール氏率いる保守党の名は「キリスト教民主同盟」である。スペインでも一九七六年にやっと政党の自由化方針が決定されたとき、まっ先に誕生したのが「キリスト教民主党」であった。「キリスト教」を頭につけた政党が政権を握る各国は、どうして「政教分離」の国といえるであろう。日本で「神社神道民主党」が政権与党になるような話である。

よく考えてほしい。ドイツでは「教会税」を徴収して、国家が教会を保護している。公立学校が宗教教育をすることは憲法で義務づけられている。一般にヨーロッパで「自分は無神論者だ」と公言するのは「自分はテロリストだ」と言っているのと似たようなことで、バカにされ、警戒される。それほどに市民社会の中に、口に出して言わなくても、何となく教会的秩序があるのであって、政治に及ぼす影響力のほうも量《はか》りしれない。厳密な「政教分離」なんてあり得ない話である。

そのあり得ない話、「政教分離」を形のうえで最も徹底し、純粋厳正に守ろうとしているのはフランスだけである。フランスは例外中の例外である。理由はフランスが革命国家であったこと、フランス革命が端的に反カトリック暴動であったことに由来する。国家と教会が敵対的であるこのような歴史を、他のヨーロッパ諸国はまったく経験していない。

アメリカはややフランス寄りであるかもしれない。「政教分離」を少しうるさく言う人もいる。けれども、アメリカ連邦議会の両院には専属の牧師がいて、毎日議事について祈祷しているし、海軍士官学校や陸軍士官学校にも牧師がいる。アメリカの国家と宗教の間に密接な協力関係が成り立っている。大統領が就任式で聖書に手を置いて宣誓することはよく知られている。

問題は日本の憲法解釈が、もっぱら革命国家フランスに合わせていることである。

しかし、世界の事情を私が以上いくら説明しても、日本が再び妙な祭政一致の国になることはもうご免だという感情論は戦後から今までずっと根強い。私が石川県で語った第三のポイントは、先の大戦の主たる要因は植民地主義、マルクス主義、ファシズムという西欧産の思想にあり、アジアの遅れた国の歴史、日本の封建制や前近代性にあるのではないという点だ。神道や皇室がその長い歴史において帝国主義の膨張イデオロギーを内部に抱えていたというような事実はまったく存在しない。むしろキリスト教がどの宗教よりも歴史的にみれば戦闘的な武装イデオロギーの役割を果たしていた。日本が近代以前に、神道を外国侵略の先兵に用いた例が一つでもみられるだろうか。日本は西洋人から宗教を帝国主義の手段として使う手本をみせてもらったまでである。

近代の総力戦は何でもかんでも利用した。第二次大戦中に米英でも教会は総力をあげて戦争に奉仕した。スターリンは外来思想の共産主義では祖国解放戦争を戦えないので、教会とよりを戻し、イワン雷帝を讃えるなどの反動思想でロシア人の愛国心喚起につとめた。

もうこれらのすべては終わって半世紀をへたのだ。日本人は自国の伝統宗教に関しても、ここいらでバランスのとれた落ち着いた自己像を確立すべきときである。

終戦での「解放」話は嘘
思い出した「不服従」の感情

平成十二（二〇〇〇）年八月十五日

過日ある会合で一老紳士が茨城県日立市で迎えた終戦の日の思い出を語った。約三百人ほどの会衆に、司会者が天皇の詔勅を聴いた人がおられるかと問うたら、二十人ほどがパラパラと手を挙げた。会場からホーと驚きの声があがった。予想外に多い、という驚きである。それほど時間は急速に流れ、戦争の体験者はどんどん少数派になっている。

日立市は昭和二十年七月十七日、早朝五時から七時間余にわたって、米空母発進の艦載機二百機に執拗《しつよう》に襲われた。そして同日深夜、米英艦隊による短期集中の艦砲射撃に見舞われた。一時間に四〇センチ砲弾など八百七十発が撃ちこまれたのだ。

轟音は東京にまで届いたといわれる。早朝からの艦載機の攻撃は、艦隊を無傷で陸地に近づける用意のために行われたのだと思う。

私は国民学校の四年生であった。父母と共に水戸市でこの夜を迎え、父に連れられ郊外の農家を頼りに避難した体験を『わたしの昭和史』（新潮社、一九九八年）の中で次のように綴《つづ》っている。

「逃げなかった方が安全だったのかもしれない。しかしあの夜は恐らく、聞きなれぬ爆発音が艦砲射撃によるものだということすら分からなかったのではないだろうか。無我夢中だったのである。肺腑《はいふ》にこたえる大音響の、いまだ聞いたこともない異様さに、東京で焼夷弾《しょういだん》の雨を潜《くぐ》り抜けていた父ですら度肝を抜かれたのではなかったかと思われる。一時間に八百七十発はたしかにもの凄い。日立市民の恐怖はいかばかりのものであったであろう。」

艦隊射撃は日立の工場群に砲撃を加えたものだった。一日置いて十九日に、B29百三十三機が再度襲来し、市の中心地は火の海となり、街は消え去った。

民間住宅地を狙った明らかな「戦争犯罪」だが、当時誰もそんな言葉を思いついた人はいない。私たち一家は水戸市ももう危ないと悟って山奥の寒村へ逃げるが、水戸市が罹災《りさい》したのは私たちが立ち去った四日後の、八月一日―二日の深夜だった。水戸市には大きな軍需工場はない。全市を焼き払った空爆はこれまたやはり民間人殺傷目的の「戦争犯罪」である。北は北海道から南は鹿児島までの各都市に、虱《しらみ》つぶしに殺人目的の爆撃が加えられた。そして八月十五日がやってきた。

行動の不条理は当然

日立市で終戦の日を迎えた前述の老紳士は、司会者に乞《こ》われ次のように語った。

「自分は当時軍属にあり、広島に〈新型爆弾〉が投下されたと知ってから、北関東の山をくり抜いて、安全な工場や格納庫を入れる広大な地下壕を造成する大工事に取り掛かっていたその矢先に、陛下の終戦の詔勅を聴きました。しかしこの工事をやめる気はありませんでした。許可を得て、早速に東京へ赴き、一面焼け野原の帝都を見て、感じる所がありました。日本をこのままにしてはいけない。もう一度祖国を起ち上がらせなければいけない。日立市にもどって自分がしたことは、地下壕の工事をそのまま続行することでした。何日間か夢中で掘りつづけました。そんなことをしていてもダメだと分かるのに何日かかったか覚えていませんが、ともかく必死で掘りつづけました。日本の再建のために他に自分に出来ることはないと思ったからでした。」

そうだ！　あのときの日本人の気持ちはたしかにこうだった、と私は話を聴いていて、思い出せないでいた往時の感覚をありありと思い出した。私はほとんど感動していた。行動の不条理は当然である。日本人は戦争を止める気がなかったからだ。

私と同じように、あの夜の艦砲射撃で恐怖に戦《おのの》いていたはずのこの方が、終戦を知って、短期的に命拾いをしたとホッと安堵《あんど》したかどうか、そんなことは分からない。人間に生物的反応があるのは必然だからである。しかし未来に明るい展望が開けた、などとほんの少しでも彼が予感した、ということは考えられない。日本人は敗北後のことを予測していなかったからだ。

空襲や艦砲射撃の恐怖にも拘わらず、その後に来るのは敵の上陸であり、本土決戦であると信じられていたから、終戦と知って、最初に襲われたのは「不服従」の感情であった。自分は納得しない、という戦意継続の確認であった。今までと同じ行動をつづける以外になすすべがない。今までと同じ行動の中にしか自分の生命感を確かめるよすがない。地下壕を掘りつづける工事をやめなかった、というあの方の不条理な行動には、まことに明白に条理が通っている。しかも、占領された日本で自分の身に何が起こるか分からない新しい「恐怖」が人を捕らえ始めていた。

終戦を知って、自分も日本も救われる、全身に喜びが走った、と、とかく「解放」を語る人の文章を、その後数多く見ることになるが、まったくの嘘っぱちである。間もなくはてしない徒労感と脱力感に襲われるようになったのはたしかだ。しかし、最初から自分は戦争のばからしさを見抜いていた。終戦とともに明るい未来を手にした、などというのはみな戦後になってからの作り話である。

「森降ろし」は「いじめ」と同じ
「加藤の乱」と自民党

平成十二（二〇〇〇）年十二月七日

政府自民党の最近の一連の動き、「加藤反乱」から「野中退任」をへて第二次森内閣の成立に至るまでの、国民の声と称するマスコミの風説には、私などまったく理解できない筋違いの解釈がとび交っているように思えてならない。加藤紘一氏の反乱が国民の期待を一身に背負っていたなどという話は、そもそも本当だろうか。野中広務氏が森内閣に院政をしいて権力を維持するという説は、果たして当たっているだろうか。

総裁は誰になっても、自民党が長期低落傾向にあることは避けられないのかもしれない。しかしその原因は総裁個人にあるのではなく、商店街やサラリーマンなど一般庶民の固い保守層に利益還元をしてこなかった永年の政策の失敗、野党も経済界も例外でないこの国のリーダーシップそのものの弱体化、そして何よりも旧社会党の消滅と共に役割を失った保守一党支配の反共防波堤としての必要性の終焉《しゅうえん》――等にあることは、あらためていうまでもないであろう。

しかしそれでも、国民は他に代替の勢力がないので、保守政治への期待をもちつづけている。鳩山由紀夫、菅直人氏らの「戦後民主主義」リベラル左翼路線は、米中の谷間にある国際政局に耐えられそうもなく、あぶなくて見ていられない。そう思う人は、自民党政治の最後の挑戦に望みをつないでいる。しかし安心して大樹に身を寄せる心境ではない。保守政治に今や最善の道を期待するのは間違いであり、つねに「次善の道」を選ぶしかないことをやむなく承認している。

私は加藤紘一氏の「反乱」が失敗に終わったとき、ホッと安堵した。加藤氏の政策は鳩山・菅ラインの「戦後民主主義」リベラル左翼路線とさして変わらないからだ。加えて野中広務氏が表舞台を退いたときも、これで良いのだと思った。自民党の中に一貫してつづく反知性主義の系譜は、自ら失うものがないのでパワーを握り易く、これがリベラル左翼路線と手を結ぶことほど恐ろしいことはない。人権、友好、環境、平和などの合言葉に流される浮ついた進歩主義が政治の一隅にあって、批判勢力を形づくっている分にはそれなりに有効だが、これが主舞台に躍り出て、パワーをつかみ、人事権を左右し始めることほど危険で、有害な事態はないといえるだろう。

日本の安定と発展を願う国民の最大多数は、これ以上日本が中国寄りになり、無意味な援助金を増額しつづけることに反対であり、また拉致《らち》やミサイル問題を放置して、北朝鮮を承認することにも反対である。外国人参政権法案は直ちに廃棄にすべきと考えているし、教育基本法の改正のときが近づいていることを歓迎してもいる。

森喜朗首相はこのような状況下で、とまれ伝統文化と保守思想に忠誠を誓ってきた政治家であって、教育改革に情熱を燃やしてきた人だ。加藤紘一、河野洋平、野中広務の諸氏のようなあざといまでのリベラル左翼路線の思想の持ち主ではない。リーダー不足のこの時代に、首相を貴重な逸材として守ろうとせず、保守マスコミ界までが悪言罵倒《あくごんばとう》を投げつけるのは何という見当違いであろう。

マスコミの無礼

夏以来の森降ろしのコーラスは、日本を中国寄りにさせたい勢力の政治的意図が半ばを占めていて、「加藤反乱」を後押ししたのはこの勢力である。それはそれで筋が通っていると私は思う。問題は、深く考えもせずに森降ろしに付和雷同した他の一般マスコミであり、自民党内部である。私の眼には学校生徒の「いじめ」と同じものにみえた。自民党の各派閥の長にも「嫉妬」があったのだと思う。

そして、それが心の隙になり、首相を軽んじる風をみせ、加藤氏が自分にチャンスが近づいたと状況を甘く見る誘因となった。まぎれもなく自民党の油断である。ひるがえって第二次森内閣が実力者や経験者を結集させた有力な陣容となったのは、自民党が自らの油断に気づいた証拠である。森首相をもり立てて行かなければ党として活路が開けないことに気がついたのである。これは勿論、良い兆しである。

それにしても、[平成十二年十二月]五日午後の官邸における各大臣呼び込みの記者会見で、記者たちが森内閣を沈みかけた「泥船」呼ばわりし、全大臣に、「泥船に入閣した心境は?」とそのつど同じ言葉を鸚鵡《おうむ》返しに繰り返した無礼には、あまりにもしつこいだけに、私は嫌悪感を覚えた。大臣たちの礼儀正しさと対照的で、悪童連中がわいわい騒いで「いじめ」を演じつづけている図は、新聞の信用を失わせるほど下品である。

しかるに第二次森内閣は派閥順送り内閣でも、滞貨一掃内閣でもなかった。元総理二人体制の、幹部クラスをそろえた、重厚な実務型内閣であった。新聞やテレビは悪口の言いようがない。それでも無理をして悪口を作り出して言う。元総理が二人になって森首相の地位が下がったとか、橋本元総理に復活のチャンスを与え、首相は寝首をかかれるだろう、とか口さがないことである。

すべてはムードめいた無責任なことばの遊びで、根拠のない心理的状況が存在するだけである。空気が変わると、あっという間に霧を吹き払ったようになり、森首相では参院選は戦えない、の合言葉は、森首相でなければ参院選は戦えない、に変わってしまうだろう。

保守思想界の左翼返り
「近代戦争」をテロと同質視する無知

平成十四（二〇〇二）年二月十九日

石原慎太郎氏が本紙二月四日付［産経新聞平成十四年］で、東京の中央線で二人の大学生が日米間に戦争があったのを「お前知ってるか」「嘘っ！」と対話しているのを愕然として聞いたという元軍人の話を語っていたが、今の日本では若い人ばかりではなく、いい大人たちがあの戦争の何たるかが分からなくなっているように思える。保守思想界で名だたる名士の数々が、アメリカと戦った旧日本軍をいまの暴発したイスラムのテロリストになぞらえて、歴史的位置関係をそのまま今の時代に置き換えることに疑問を持っていないからである。この取り違えへの私の驚きは、私が信頼していた保守思想界の人々であるだけに、大学生の無知に対する呆れ返った気持ちよりむしろ大きいくらいである。

米国同時多発テロで真珠湾、特攻の名がアメリカから飛び出し、原爆投下の罪をビンラーディンが鳴らした。原爆についての反応は複雑だったが、真珠湾、特攻は意味が違うと日本から反発の声があがり、テロリストと旧日本軍は動機が違うということが認識された。けれども真珠湾はテロに似た「暴発」であると何となく信じられたままであり、大東亜戦争自体が巨大な欧米に対する弱者の反乱、「西力東漸《せいりきとうぜん》」の波に対する非力《ひりき》なアジアのナショナリズムの反逆という点だけで説明できるという前提ですべての論議が進められている。私が彼らは無知だというのは大東亜戦争のこの性格づけに関してである。

とかく昭和の日本は開戦に向けて「暴発」したとか「暴走」したとかいう表現が戦後使われてきた。これは昭和の政治史に戦略的な知恵と忍耐がもっとあったら良かったのに、という反省や自戒をこめての比喩的表現であって、正確な歴史的表現ではない。実際には国をあげての計画的な総力戦であった。あの大戦からテロに似た暴発や暴走を連想するのは、四十、五十歳代より下の世代の、歴史書の比喩的表現をいつしか現実に重ね合わせてしまった錯覚ではないか。

大東亜戦争を可能にした「近代」

今の若い人と話をしていると戦前の日本をさながら北朝鮮のごとくに思っている人が少なくない。開戦の二日後までアメリカ映画が上映され、大人気だったことを知らない。戦前の日本には勿論エレベーターもあり地下鉄もあり、雑誌ジャーナリズムも女子高等教育も社会保障制度もあったことを知らない人が多い。男女同権も農地改革も戦前にその芽があった。戦時体制は一挙にこの国を「近代化」した。男子の減った社会で女子の労働力は尊重され、総力戦は地主階級の特権を制限こそすれ、拡大することはなかった。戦後の平等と民主主義は必ずしもアメリカが与えたものでなく、合理を追究した戦時体制とまっすぐにつながっている。

過日私は広島県の呉市で、戦艦「大和」の遺品や模型や設計図をはじめとする呉海軍工廠《こうしょう》の成果を記念する「呉市海事博物館」の準備展示場を案内してもらう機会をもった。大和、長門、陸奥、扶桑などの巨艦を造りあげた技術が、戦後において世界最大のタンカーを数多く建造する技術に結びついたありさまを一見した。

大東亜戦争を可能にした主役が「近代」であったことは紛れもない。日本はアジアの中で唯一、近代を獲得し得たがゆえに、「近代戦争」に突入することが可能になったのである。そしてそれが可能であったがゆえに、戦後経済大国になることにも成功した。歴史は連続している。あの戦争は非力なアジアの一国の捨て鉢な反逆だったのではない。反西欧・反近代のナショナリズムですべて説明できる事態でもない。欧米と互角だったからこそ可能になった、四年にもわたる長期戦争である。単なる暴発でも、自爆でもない。現代のテロと同質視するのは余りにも無知である。

思うに、保守思想界ではこの十年余、大東亜戦争の帰結として「アジア解放」が強調され過ぎてきた嫌いがある。そのために四十、五十歳代の論客に知的な錯覚が生じたのではないだろうか。勿論、戦争の結果アジア各国が独立を得たという厳然たる事実の存在を私はきちんと尊重しているが、最近この観点が特筆され続けたために、あの近代戦争を巨大な欧米文明に対する遅れて貧しい封建的なアジアの反乱の一種とみなす、主に占領軍と進歩派左翼が唱えた誤解の一つに立ち還ってしまったのではないか、と思える。
保守思想界の一部が左翼返りしたというばかばかしい一幕であった。

若手保守派の広範囲な結集に期待
本来の国家に立ち還る必要性

平成十四（二〇〇二）年五月十六日

このところ相次いで起こった外交政治上の事件には、日本のひ弱な政権基盤にしては考えられない一定の方向性が認められる。朝鮮総聯系金融機関への初手入れ、加藤紘一、鈴木宗男両氏の失脚、それに伴う野中広務氏の権力衰退、辻元清美氏の追放など、互いに無関係にみえる一連の出来事に、北朝鮮や中国やロシアの影を振り払おうとする目にみえない形の力の作用、小泉（純一郎）内閣に背後から梃子《てこ》入れしている政治的パワーを漠然と感じる者は、私ばかりではないだろう。

今春［平成十四年］の突然の靖国参拝で夏の公約を再度逃げようという、姑息《こそく》な手を弄した小泉首相に、大陸諸国に断固にらみをきかす見識と政治力があるとはとうてい考えられない。

例の不審船の調査と今後の引き揚げの可能性も、米高官が記者会見で直ちに支援を申し出ていた事実と関係があると思う。小泉首相は初めて拉致問題を重要視し、犠牲者の家族と会見したが、それが出来たのはなぜやっと今なのか。本来なら、一連の外交案件の方向は、首相自らの権力の発動によって開始され、推進されたと考えるべきだが、悲しいことに誰もそう思っている者はいない。

憲法の制約のせいであるから首相に同情すべき一面もあるが、それにしてもクリントン氏からブッシュ氏に米大統領が代わり、同時多発テロが起こって以来の、世界の権力構造の変化に、日本の政界はようやく反応し始めているのである。二年三カ月スパイ容疑で北朝鮮に抑留された元日経記者が、突然二月十一日に釈放されたのも、ブッシュ大統領が北朝鮮などを「悪の枢軸」と名指しで非難した直後であった。

人はあまり公言したがらないが、短期間でアルカーイダを掃討した米空軍の爆弾の威力が、北東アジアの力関係に影を落としていないはずはない。息をつめ、声を殺して必死に影響を計算していたのは、金正日氏であり、江沢民氏であった。そして、日本がこの機を利用して、まともな国家として立ち上がるのを手伝おうとしているのがブッシュ政権であると、大雑把にいってよいであろう。いずれそのうち日本の首相は、八月十五日の靖国参拝をさえ、米空軍の支援で実行するというみっともないていたらくの倒錯を演じるのであろうか。

「歴史教科書問題を考える超党派の会」

話は変わるが、ソ連消滅後の日本の政界再編成（細川内閣成立時の）が、旧竹下派の内紛で始まった不幸は、今なお尾を引いている。野党に保守の一部が回り、与党の半ば以上がリベラル左翼というねじれ現象は、日本の政治を停滞させつづけている。しっかりした二党対立は、掛け声倒れに終わっている。ところが最近、目をみはる新潮流として、超党派の保守系議連が連携し、大同団結するというニュースが伝わってきた（本紙四月二十五日）。

連携のモチーフが、中国や北朝鮮の有形、無形の脅威、歴史観、国家観の共通性にあると聞いて、心づよく思った。動きの中心は中川昭一氏率いる「歴史教科書問題を考える超党派の会」で、ほかに朝鮮総聯系金融機関の問題、拉致の早期解決、首相の靖国参拝などの各議連や議員有志の会が、意見交換の場を設け、連携を強めていく方向がきまったそうだ。「これからは党にこだわる時代じゃない。思想・信条の方が大事だ」という声も上がっている。ようやくして保守が超党派で手をつなぎ、自民党の不毛なねじれ現象を解消する動きが、「歴史認識」の共通性を合い言葉に活発化してきたことを心から歓迎したい。

いつまでもアメリカに力の源泉を求める半端国家の状態であっていいはずはない。自らの国の舵取りは自らがする、戦前までの日本がそうであった本来の国家に立ち還る必要はどうしてもある。さりとて、中国の力が事実上朝鮮半島の南端にまで及んでいる現在、武力なき日本はアメリカに手伝ってもらわなければアメリカから独立できないという哀れな逆説の中にある。よほど政治家が自己への静かなこの怒りを燃え立たせ、結集しなくては、逆説を乗り越えることはできない。若手の超党派議連がこのことに気づいて、今、政治家本来の使命感に目ざめて動きだしたのは、まことに頼もしい。

小泉首相のように掛け声だけで、こわがる必要のない中韓の圧力をこわがり、内政干渉に対し退けばスキを突かれ、かえって無限後退になるのを知らないのは、歴史観、国家観の根元がぐらついているからである。若手の保守の広範囲の結集を期待するや切である。

第四章

繰り返す朝鮮半島問題

「金体制」崩壊の戦略を持て
朝鮮半島を日米に近寄せる大計画

平成十四（二〇〇二）年九月二十一日

ベルリンの壁が崩落してから十三年経《た》った。この間ヨーロッパに行くたびに、アジアでなぜ共産主義体制の崩壊が起こらないのかと聞かれた。しかし今度の日朝会談でようやくアジアにも地滑りの兆しが見えた。

とはいえ、独裁者の居直りなどのアジア的不徹底さがまだ尾を引く。中国にも、共産党を解党したゴルバチョフのようなすっきりした幕引きは現れない。北朝鮮も国外逃亡した東独のホーネッカーや、銃殺されたルーマニアのチャウシェスクのような、同国人にもわかる形をまだ見せない。

しかし、ヨーロッパと同じ時代の動きが始まった。金正日は「拉致」が北朝鮮による国家犯罪であることを事実上認めたが、ユーゴのミロシェビッチ大統領の犯した体制の犯罪に等しく、いずれは国際法廷の場に立たされる運命となる規模と質の犯行である。人は拉致の責任者の追及をというが、責任者は金である。

日本政府ならびに外務省は、この認識で対応しなくてはならない。間違えても、金体制がいつまでもつづくという前提で、それを温存する方向で、国交正常化交渉をすべきではない。北朝鮮を決して信用していないアメリカの理性をむしろ頼みとしつつ、東北アジアからテロ国家を一掃し、その残滓《ざんし》もきれいに拭い去った後に初めて日本の巨額経済支援がなされるという未来の方向に、自国の国家戦略をしっかり打ち樹てて立ち向かっていただきたい。

北朝鮮各地で飢餓救済に当たってきた米国の国際開発局のナチオス局長の新著によると、大飢《き》饉《きん》は今や人民軍を蔽《おお》い、兵士の多くは家族が餓死したという悲惨な体験を有し、その原因が政権にあるとの認識についに達している。独裁政治は揺らぎ、内戦の可能性も高い。金正日の言動にも人民軍への恐怖を示す兆候がはっきり出て来たという（『産経』東京版〔平成十四年〕九月十一日）。なりふりかまわぬ今回の「拉致」や「工作員」に関する独裁者の自己告白は、足元に迫っている彼の恐怖と動揺をむしろ証明している。

民主主義国家に仕立てる道

ミサイルの輸出と開発の中止、さらに配備ずみのミサイルの撤去という日韓への段階的危険除去は、米朝協議に委ねられるほかないであろう。ならば、経済協力という人参を馬の口先にぶら下げる日本政府の交換条件は何であるべきか。私は東ヨーロッパの解放の例にならうべきだと思う。ルーマニアを除いて、東ヨーロッパには西ヨーロッパのテレビ・ラジオの電波が自由に流れこんでいた。印刷物の自由化はすぐにとはいかないだろうが、韓国や日本からの電波の自由化、それを受信できるテレビ・ラジオの大量のプレゼント。政府が受信を妨害しないための核査察ならぬ情報査察の実施。映画の自由化。そしてやがては書籍の搬入可能化。インターネットの国際接続化。

両国が「近くて遠い国」でなくなるためには情報鎖国の中止以外にないことを絶対条件とすべ

きである。

アメリカとの共同で北朝鮮を民主主義国家に仕立てる――それが日本の国家戦略でなくてはならない。幸いアメリカはイラクとともにあの国に「悪の枢軸」の認識をもつ。ある米高官はイラクについて「ガラガラ蛇が庭先にいるとき放って置けるか」と言ったが、北朝鮮が腰くだけになったのもアメリカの決意と力である。日本は脅威除去に動くアメリカの妨害になるような、何にでも使える無差別援助は絶対にすべきではない。

しかるに日米協調の朝鮮半島の民主化を、ロシアも、中国も必ずしも望まないという現実がある。韓国でさえも北に心理的に接近している。日本の共産党、社民党も現状維持を期待している。面白いことにみなこの勢力は小泉訪朝を成功とみなし、歓迎した。アメリカだけは注意深く今後を見守りたいと態度を保留している。

困ったことは周辺諸国の思惑が、金正日の延命にあり、小泉訪朝はそれに役立つのではないかと期待されていることである。もともと朝鮮半島はいま、大陸勢力に属すべきか、海洋勢力に属すべきかの迷いの中にあり、韓国の金大中政権は北朝鮮を尊重し、中国に傾斜した。韓国野党はこれに疑問をもち、アメリカ路線に戻ろうとしている。

小泉政権の半島政策は、北朝鮮に対してはもはや遠慮無用のこの機を利用し、金体制を崩壊せしめる方向へ戦略を重ね、アメリカとの協調によって、朝鮮半島を中露の大陸勢力から日米の海洋勢力へとり戻す大計画を展開しなくてはならない。

朝日の「声」欄から見える珍風景
日本を「丸裸の国」にするつもりなのか

平成十四（二〇〇二）年十一月七日

日朝交渉で日本は初めて有利な立場に立っているといわれる。巨額経済協力と核開発阻止の国際圧力、つまりアメとムチで威圧できる立場に立っているというが果たしてそうか。北朝鮮はクアラルンプールの会議を待たずに五人を帰国させた。ここに謎はないか。親が子供を自ら置いて一時帰国したというのはウソで、親子切り離しで帰国させたのはすでに北の政府の深謀遠慮の一手ではなかったか。

彼らが核開発カードをあっさり捨てるとは思えない。米国の対イラク戦争でやがて世界の足並みは乱れる。日本の世論も揺れる。北はそこが狙いで、拉致家族の新情報をちらつかせながら日本を誘惑し、日米分断を図る。新しい被害者を何人か帰国させ、最初の五人の家族を人質のままにする手もある。日本は引き離された親子が可哀そうだというヒステリーに陥るだろう。国連が核査察を決議しても北は応じまい。イラク戦争が終結し、米国が本気で動き出すまで、日本は経済協力はせず、のらりくらり過ごさねばならないが、不安な要因はなによりも国内世論にある。

北朝鮮が他の自由な国と同じ法意識や外交常識をもつという前提で、この国と仲良くしようという無警戒を示すことは、日本側の結束をこわし、北の作戦を助けることだが、一つの意図をもってそれをやっているマスコミがある。朝日新聞投書欄「声」である。

例えば「じっくり時間をかけ、両国を自由に往来できるようにして、子供と将来について相談できる環境をつくるのが大切なのではないでしょうか。子どもたちに逆拉致のような苦しみとならぬよう最大限の配慮が約束されて、初めて心から帰国が喜べると思うのですが。」(〔平成十四年〕十月二十四日)「彼らの日朝間の自由往来を要求してはどうか。来日したい時に来日することができれば、何回か日朝間を往復するうちにどちらを生活の本拠とするかを判断できるだろう。」(同二十五日)

こういうことが出来ない国だから苦労しているのではないか。日本政府が永住帰国を決めたことについては、「24年の歳月で築かれた人間関係や友情を、考える間もなく突然捨てるのである。いくら故郷への帰国であれ大きな衝撃に違いない。」(同二十六日)「ご家族を思った時、乱暴な処置ではないでしょうか。また、北朝鮮に行かせてあげて、連日の報道疲れを休め、ご家族で話し合う時間を持っていただいてもよいと思います。」(同二十七日)「今回の政府の決定は、本人の意向を踏まえたものと言えず、明白な憲法違反だからである。……憲法22条は『何人も、公共の福祉に反しない限り、居住、移転及び職業選択の自由を有する。何人も、外国に移住し、又は国籍を離脱する自由を侵されない』と明記している。……拉致被害者にも、この居住の自由が保障されるべきことは言うまでもない。それを『政府方針』の名の下に、勝手に奪うことがどうして許されるのか。」(同二十九日)

顔のぞかせる新聞社の下心

常識ある読者はなぜこんなわざとらしい投書を相次いでのせるのか不思議に思い、次第に腹が立ってくるであろう。あの国に通用しない内容であることは、新聞社側は百も知っているはずである。承知でレベル以下の幼い空論、編集者の作文かと疑わせる文章を毎日のようにのせ続ける。そこに新聞社の下心がある。やがて被害者の親子離れが問題となり、世論が割れた頃合を見計らって、投書の内容は社説となり、北朝鮮政府を同情的に理解する社論が展開される。朝日新聞が再三やってきたことである。

何かというと日本の植民地統治時代の罪をもち出し、拉致の犯罪性を薄めようとするのも同紙のほぼ常套《じょうとう》である。

今日本がとるべき政策は、金正日体制に経済協力せず、拉致問題と核問題を解決することで、国交正常化をすることそれ自体ではない。経済協力はポスト金正日体制へ向けてなされる戦略を立てる必要がある。そのためには起こり得る対イラク戦争後の米国の意向がすべての鍵をなす。

北朝鮮を自由の存在する普通の国のように友好的に扱う朝日新聞の作為的な言論は、日本の国内の対北朝鮮観を混乱させ、結束を乱し、金体制への経済支援を加速させる。もし日本の援助で米国に届く長距離ミサイル開発がなされたら、在日在韓の米軍基地は無力化し、日本は北朝鮮の意志に翻弄《ほんろう》される丸裸の国になり、日米関係は破局に至るであろう。そして、次第に対中従属国家に陥るだろう。朝日新聞はそれを狙っているかもしれない。

五人の被害者戻せば「北」の思うつぼ
謀略国家への甘い認識を捨てる時

平成十四（二〇〇二）年十二月十二日

国家犯罪とか全体主義体制の悪とかについての認識が日本ではあまりに低く、小説家や評論家のような立場の人がナイーヴすぎると思うことが少なくない。

旧東ドイツでは、約十万人といわれる秘密警察協力の専従者には、結婚の自由も、好きな友人との交際の自由もなく、自分の子供の職業の選択も制限され、誕生日のパーティーも週末の小旅行も届け出制だった。従って普通の住民との正常な接触は難しく、仲間だけで交際するゲットー風の生活だった。

北朝鮮の日本人工作員の住む居住区は鉄条網で囲まれ、その中に幼稚園も病院もある特別区だという。蓮池さんや地村さんは子供に危険が及ぶから口を閉ざしているが、東独同様に隔離された監視下の親と子が離された生活で工作員教育を施され、子供に自由な判断力は育っていまい。

それなのに、五人の被害者をいったん北に戻し、子供と相談させて、永住帰国かどうかを家族全体の自由意志で決めさせるべきだ、なんてまだ分からないことを言っている人がいる。日本を知り、北朝鮮を外から見てしまった五人はもはや元の北朝鮮公民ではない。北に戻れば、二度と日本へ帰れないだろう。強制収容所へ入れられるかもしれない。過酷な運命が待っていよう。そのことを一番知って恐怖しているのは、ほかならぬ彼ら五人だという明白な証拠がある。彼らは帰国後、北にすぐ戻る素振りをみせていた。政治的に用心深い安全な発言を繰り返していた。日本政府は自分たちを助けないかもしれない、北へ送還するかもしれないとの不安に怯《おび》えていたからなのだ。

北を西側の国と同一視する愚

日本政府が永住帰国を決定して以後、五人は「もう北へ戻りたくない」「日本で家族と会いたい」と言い出すようになった。安心したからである。日本政府が無理に言わせているからではない。政府決定でようやく不安が消えたからなのだ。

この心細い彼らの弱い立場が分からないで、「どこでどのように生きるかを選ぶのは本人であって、それを自由に選べ、また変更できる状況を作り出すことこそ大事なのでは」（『毎日』〔平成十四年〕十二月一日）と書いているのは作家の高樹のぶ子氏である。彼女は「被害者を二カ月に一度日本に帰国させる約束をとりつけよ」などと相手をまるでフランスかイギリスのような国と思っている能天気な発言をぶちあげている。

彼女は「北朝鮮から『約束を破った』と言われる一連のやり方には納得がいかない」と、拉致という犯罪国の言い分に理を認め、五人を戻さないことで「外から見た日本はまことに情緒的で傲慢《ごうまん》、信用ならない子供に見えるに違いない」とまでのたまう。

この最後の一文に毎日新聞編集委員の岸井成格氏が感動し（『毎日』十二月三日）、一日朝TBS系テレビで「被害者五人をいったん北朝鮮に戻すべきです」と持論を主張してきたと報告し、同席の大宅映子さんが「私もそう思う」と同調したそうだ。同じ発言は評論家の木元教子さん（『読売』十月二十一日）にもあり、民主党の石井一副代表も「日本政府のやり方は間違っている。私なら『一度帰り、一カ月後に家族全部を連れて帰ってこい』と言う」（『産経』十一月二十一日）とまるであの国が何でも許してくれる自由の国であるかのように言う。

五人と子供たちを切り離したのは日本の政府決定だという誤解が彼らにある。五人の親だけ帰国させた北の謀略なのである。子供を外交カードに使う謀略であって、一時帰国に沸いた十月十五日に日本は罠《わな》にはまったのである。

五人を北に戻せば、寺越武志さんの例があるように、五人は家族の意志による北での永住を誓わされ、日本の老父母が北を再三訪問するようになるだろう。幸せに暮らしていると称する五人の誓いの言葉を楯に、拉致問題は消滅し、金正日の責任は解除され、補償の必要はなくなるだろう。

日本が五人を北に戻さなければ、子供を帰さないことで、日本の世論を今のように困らせ、悪いのは約束を破った日本政府だと北は宣伝しつづけるだろう。五人の日本滞在中に子供を帰せば、北の全秘密工作が五人の口から暴露される。北はそれはできない。そう考えると、気の毒だが、北が近い将来に子供を帰す可能性は小さい（編集註／被害者五人の子供らは平成十六年に帰国）。

スパイ養成を国家目的としている国の心理のウラも読めないでよく小説家や評論家の看板をはっていられるものと思う。

米の北朝鮮政策に誤算はないのか
対応の危険な間違いに警告を

平成十五（二〇〇三）年二月四日

核拡散防止条約（NPT）によると、核兵器保有が許されるのは第二次大戦の戦勝国に限られる。それ以外の国は自国の核防衛に自己責任を果たせない仕組みになっている。日本はこれに署名させられている。従って同盟国アメリカは北朝鮮の核問題を、日本のために無事に解決する「義務」を背負っているのである。日本人はそのように理解しているし、そのように主張する「権利」を有している。

核保有国の無責任ないし政策の失敗は、必然的に核の拡散につながる。もし北朝鮮問題で米国が責任を果たさないのであれば、日本は不本意でもNPTを脱退し、核ミサイルの開発と実戦配備を急がねば、国民は座して死を待つ以外に手のない事態が訪れ得る。それは中国の核に対しても同様である。そして、日本が核開発すれば、そのミサイルは確実に米大陸に届く。

なぜ私があえて矢継ぎ早にそんなことを言うのかというと、米国の北朝鮮政策が根元の所に迷い、戸惑い、誤算があり、日米安保に背信の匂いが漂いだしたからである。そもそも北朝鮮の核脅威をここまで引き出したのは、イラクと並べて北朝鮮を脅迫した米国の責任ではないか。

それなのに、今頃になって日本は八個から十個の北の核兵器を容認できないかとこっそり問い質《ただ》しに来たり（［平成十五年］一月二十日コーエン前国防長官が来日、打診）、米軍の東アジアからの撤退と離脱と引き換えに、日韓両国の核武装を奨励する案も出た（シンクタンク「ケイトー研究所」提言、一月二十九日付『産経』）。加えて米マスコミは今年［平成十五年］に入って、ブッシュ政権の対北政策の混乱を一斉に指摘し始め、それをＣｌａｓｈ（不一致）であるとかＣｏｌｌａｐｓｅ（崩壊）といった否定語で批判した。日本政府はこのまま果たして黙っていていいのか。日本の言論界はなぜ反発しないのか。

米国の弱さのサイン

一月十五日米政府は北が核開発をやめたら食糧やエネルギーの援助を与えるといい、軍事進攻はしないとの約束を文章化する用意があるとも述べたが、北に拒絶された。私にはこの米政府の対応が、たとえイラク戦直前の時間稼ぎを割り引いても、とうてい理解できない。米政府は二カ月前までは一切の話し合いに応じないと言っていた。一カ月前には話し合いはするが交渉はしない、に言い方が変わった。そして今は封じ込め政策は止めて、北を宥《なだ》めすかすやり方に変えてしまった。おいしいお菓子をぶら下げて、こっちから先に手は出さないよと頭をなでてやれば北はきっと良い子になる、とでも思っているのだろうか。

話し合いはつねに安全ではなく、恐ろしい選択になることもある。米国は武力行使しないと言いながら、北朝鮮を徹底的に無力化する侮辱的な要求を突き付けている。地上軍の削減と国境からの撤兵を含み、国家が丸裸にされる内容である。北にすればバカバカしくて相手にする気にもなれない。米国のこの要求はいわばハルノートである。北朝鮮が米政府との直接的対話を要求しているのは、当然といえば余りにも当然である。

しかも、さらにいけないのは「先制攻撃」の手法がイラクには適用されても、北朝鮮には適用されそうにもないと北に高を括《くく》られてしまったことである。イラクは攻撃し易く、弱体なのである。米国はだから叩くのである。それに対し東アジアは難しい。北も米国軍は百人以上の戦死者が出たら戦争継続できない張り子の虎だと考えだした。地対地ミサイルが火を噴けば韓国は焦土と化し、三万七千の在韓米軍は全滅する。金正日は「核戦争はやってみなければわからない」とか「米国は朝鮮人の心を理解していない」とか言い続けている。

米国は自ら武力行使はしないなどとなぜ先に言い出したのだろう。それは相手を安心させず、米国の弱さのサインとなった。武力行使をちらつかせながら、北が受け入れやすい合理的な条件を段階的に出していくのが交渉の常道であろう。ブッシュにはまるで軍略がない。ハルノートを突きつけておいて、しかもそれが米国の真の強さから出ている要求ではなく、ブッシュ政権が自らの手詰まり状態、どうしてよいか分からない当惑から出ている要求だという弱みを北に読まれてしまっている。

これは果てしなくエスカレートする先行き不気味な関係である。金正日は国民の九割が餓死しても、核開発をやめない男なのだ。米政府の対応に危険な間違いがあることを、日本政府は警告すべきだろう。

軍事意志を示せない国
六カ国協議の焦点は日本

平成十五（二〇〇三）年八月二十六日

一つの有機体が衰微するときには、変化は内からも外からも忍び寄る。リンゴの芯《しん》も、腐る頃には、外皮もしなび、ひきつっている。国家も有機体である。内はシーンと静まり返って、死んだように動かない。そうなると、外から近づくものの気配にも気づかない。

小泉首相がアメリカのイラク戦争に誰よりも早く賛成の手をあげて、日本の立場を守った効果は、二カ月も持たなかったのではないか。北朝鮮という身近な危機になると無力をさらけ出すのは分かっていたが、集団的自衛権を宣言するとか、非核三原則の一部手直しを図るとか、トマホークの買い入れ交渉をするとか、首相が相次いで打つべき手はいくらもあるのに、全身麻酔でも打たれたように動けない。憲法は理由にならない。自民党内部の親中国勢力と妥協して政権の延命を図ろうとする昔からの党内政治を復活させた結果にほかならない。

東アジア政策にアメリカが慎重になっているのは事実だが、またしても日本を頼りにできないという失望感が政策をきめる重要な要因になっていることを、小泉首相はどこまで気がついているか。アメリカが頼りとするのはこのままいけば中国であって、日本にはならない。このことは日本の将来にとって致命的ともいうべき災厄をもたらす。

江沢民が退いてから、中国がほんの少しだけ対日微笑作戦に転じた。もはや経済大国日本を中国は恐れていない。国連常任理事国入りを認め、政治大国日本を許容しようとするかもしれない。しかし何としても軍事大国日本の出現を阻止しようとするだろう。歴史認識だけは忽《ゆるが》せにできない所以《ゆえん》である。中国の手のひらの上で、経済と政治だけで満足する日本を操作する、そのためにアメリカと話し合いに入っていると私は見ている。六カ国協議の焦点は北朝鮮ではなく、じつは日本である。表面には出ないが、日本の核武装を阻止し、米中の許容範囲の中でどの程度まで政治大国日本を泳がせるのか。

軍事力を欠いた政治大国というのは歴史上あり得ない。しかし日本の国内世論は、中国が希望する経済と政治にだけ関与した平和国家日本のイメージを歓迎している。アメリカは九・一一同時多発テロ以来、対中敵視政策の優先順位を下げた。拉致だけ騒いで、核に責任分担できないいつもの日本にはもう飽きている。東アジアの戦略から日本を外して、中国に任せるところは任せ、アメリカは北の核の開発と輸出だけ封じれば、後のことはどうでもよい。北の体制保証も代償として考え始めている。これは拉致の不完全な幕引き、生物化学兵器の温存放任、そして日本からの経済援助引き出しという、われわれにこの上ない不本意な結果をもたらすだろう。

集団的自衛権は店ざらし

しかし、よく考えていただきたい。六カ国協議の行方はどうであれ、あり得る米中合意後のこの結果は、NOと言うべきときに言わない日本政府の責任である。二年前に「自民党をぶっ壊す」と叫んだ首相にアメリカは一大変化を期待した。ところが無変化は経済だけではない。首相が自ら決断ひとつすれば片《かた》がつく集団的自衛権の問題は店《たな》ざらしのままである。これではアメリカは北に軍事意志を明確化できない。日米協力で経済制裁に踏み切ることもできない。金正日体制は守られる。日本政府がこれを壊すという政策意志を持たないことに責任の一半がある。

北は核を捨てても、生物化学兵器と特殊テロ工作員潜入で日本を威嚇し続けることができる。そういう国に日本が巨額経済援助をすることが米中露の合意意志とならないともかぎらない。戦争さえなければ何でもありが許される「奴隷の平和」に慣れてしまったこの国の国民の、シーンと静まり返った無意志、無関心、無気力状態は、外から忍び寄る変化の影にも気がつかない。

その結果は予想もつかない地球上におけるこの国の位置の変動を引き起こすだろう。一口でいえば「日本の香港化」という帰結を。

核だけ抜いて北朝鮮を維持し、日本を平和中立国家のまま北と対立させておくのは中露韓の利益に適《かな》い、日本自らがそれでよいなら、アメリカも「どうぞお好きに」となるだろう。日本列島は返還前の香港のような華やかな消費基地でしばらくあり続け、政治大国と錯覚している間に大陸に吸収される。アメリカは「サヨナラ」というだけだろう。今が転換点である。自ら軍事意志を示せない国は、生きる意志を示せない国でもある。

米国の日米安保への背信はないか
「対北先制攻撃」放棄の懸念

平成十五（二〇〇三）年十一月二十九日

イラク戦争の結果が北朝鮮情勢にはね返ることは戦前に予想されていた。米国はアフガニスタンとイラクでの大勝利の余勢をかって北朝鮮をさっと叩き潰すとの見通しもあった。

私は月刊『正論』平成十四年十二月号に小泉訪朝から以降の「観察記」を書いた。そこで「金正日が核開発とミサイル輸出さえしないと約束すれば、北朝鮮の金体制をアメリカはひょっとすると黙認するかもしれない」と述べた。「北朝鮮が今のままであるのはアメリカには一番有利かもしれない」とも。そしてイラク開戦は必ずあるが、（1）万一戦争がなく、アメリカがフセイン政権を容認する（2）イラクを攻撃して大勝利し、戦後処理もスマートにやってのける（3）勝利はするが、戦後の立て直しで失敗し、米国民の多くが責任を背負いこみたくないと考え、逃げ腰になる――の三通りの結果に応じた北朝鮮情勢を大胆に予測した。

金正日体制の除去にもっとも有効なのは（2）である。（1）の場合には金正日は形だけの核査察を受け、体制は温存され、日本は巨額の経済支援を強いられる。（3）の場合は最悪で、中露韓が発言力を増し、核疑惑をかかえた北に対し日本に資金を出させようとする。（2）のケース以外に拉致の解決はない、と。この予測記は小泉訪朝の一カ月後の昨年［平成十四年］十月半ばに書いた。その後、中西輝政氏との対談（『諸君！』三月号）でも、大みそかの『朝まで生テレビ！』でも、私はこのシミュレーションをあえて公開した。イラク戦争は今年［平成十五年］三月二十日に始まった。

開戦に先立つ二月四日付本欄［「正論」欄、本書二百五ページ］に、私は追い打ちをかけるように「米の北朝鮮政策に誤算はないのか」と題し、「もし北朝鮮問題で米国が責任を果たさないのであれば、日本は不本意でもNPTを脱退し、核ミサイルの開発と実戦配備を急がねば、国民は座して死を待つ以外に手のない事態が訪れ得る」「日本が核開発すれば、そのミサイルは確実に米大陸に届く」ことを知らしめよ。「核保有国の無責任ないし政策の失敗は」許せない、と記した。NPTは核保有大国の優先権を認める代わりに、非保有国の保護を義務付けている。さもなければ修羅のごとき核拡散が始まる。

イラク開戦の四十三日前に私は「日米安保に背信の匂《にお》いが漂いだした」ことを日本政府に警告したのである。「米国は自ら武力行使はしないなどとなぜ先に言い出したのだろう。それは相手（北朝鮮）を安心させず、米国の弱さのサインとなった」「ブッシュにはまるで軍略がない。ハルノートを突きつけておいて、しかもそれが米国の真の強さから出ている要求ではなく、ブッシュ政権が自らの手詰まり状態、どうしてよいか分からない当惑から出ている要求だという弱みを北に読まれてしまっている」と。

平和解決に平和は禁句

北が逃げ切り態勢に入り、イラクの混乱で発言力を増した中露韓がそれを守り、支えようとする現在の情勢は、以上の通り、イラク開戦の前に私が予想して恐れ、警戒していた構図そのものなのだ。

米国が六カ国協議を言い出し、中国に解決を依頼し、加えて北の体制を保証する「文書化」提案を持ち出すに及んで、米国の政策の危険な間違いは一段と明らかになった。私は明日にも米国の空爆を期待してこんなことを言っているのではない。本当に平和的に解決を図りたいなら、米国は先に平和を口にしてはいけないのだ。

中国は北の核を阻止するとリップサービスはするが、実効ある政策はなにひとつしない。経済制裁、海上封鎖、安保理制裁決議など、中国はこれまですべて妨害した。重油と食糧を北に供給している中国は、金体制を生かすも潰すも自由である。北に現状のような行動をとらせているのは中国である。その中国に効果的な政策をやらせるには、米国は実力行使の意思をいささかも緩めてはならない。

中国に認め難いのは北朝鮮に星条旗が立つことである。それさえなければ、核という火遊びを北に禁じ、米国の顔を立てることもあり得る。しかし、ポスト金正日の朝鮮半島の全面管理を中国に委ねることを、もし米国がすでに決定しているとしたら、日米安保への米国の背信は二重であり、過激である。小泉・ブッシュ会談ははたしてそこまで問題を煮詰めたのであろうか。日本政府は中露韓とは逆の立場に立つ国益を米政府に飲ませるべく必死の外交努力をしたであろうか。米国の核政策の失敗は米国には致命的ではないが、日本は国家の存亡にかかわっている。

竹島問題に及び腰の日本メディア
韓国を利する不作為の罪

平成十六（二〇〇四）年一月十八日

竹島は日本が江戸時代から実効的に支配してきた領土である。

韓国は一九五三年と五四年に竹島を守るわが国の巡視船を銃撃し、武装解除していた戦後日本の空白期につけこんで不法占拠した。韓国は銃撃後に警備隊を常駐させ、既成事実化を図った。わが国の抗議は七一年までに三十五回にものぼった。六五年の日韓条約では未解決のままに残ったが、「調停によって解決を図る」の一文が入った。つまり国際司法裁判所への付託に韓国政府は合意したわけだが、いまだこれに応じない。

こうして三十年ほど睨《にら》み合いが続いたが、韓国は再び動き出した。九七年、島に接岸施設を建設し、二〇〇三年には郵便番号をつけた。朝夕の天気予報に竹島地方のお天気が入っていることはつとに知られる。韓国は今月［平成十六年一月］十六日に竹島をあしらった記念切手を発行した。

なぜにわかに波風を立てようとするのか。尖閣諸島をめぐっても中国の論調に、台湾統一に踏み出す第一歩として尖閣の日本領有を妨げとみなす見解が堂々と出るようになった（産経新聞［平成十六年］一月四日付朝刊）。国際環境が激変したときにのみ動くもの、それが領土問題である。北東アジアの激変期が近づいている。人は肌に感じ始めている。北方領土や竹島を取り戻すチャンスが来たのであり、それは尖閣を奪われる危機でもある。日本はポカーンと口を開けて他人事のような顔をしているが、冷戦崩壊後、中韓両国は虎視眈々《たんたん》と目を光らせ、身じろぎし始めている。

NHKの報道姿勢に問題

小泉首相は竹島の記念切手をめぐって「荒立てる動きはしないほうがいい」と例によって穏便にやり過ごす姿勢だが、北東アジアの政治環境の急変するこのときに、今までと変わらぬ事なかれ主義でいいのだろうか。

北方領土に関しては声高の返還要請が国民こぞっての統一意思であるが、竹島、尖閣に対しては政府もマスコミもなぜか口ごもる。首相の靖国参拝のニュースを報じるNHKが「これに対する中国、韓国の強い反発が予想されます」などと言わないでもいい余計なコメントをきまって付けるのは、公共放送の中立性に反すると私は常々考えているが、中国の調査船が尖閣領海を侵犯し、軍船が周遊する不穏な動きをマスコミ、とりわけNHKがそのつどきちんと伝えることも、国際情勢の変化する今、必要になった。

韓国人は竹島を知らなかった。八十キロ韓国寄りの鬱陵島をも十五世紀以来、韓国は犯罪人の逃入を防ぐため、「空島政策」をとって放棄していた。江戸初期から日本人は漁採目的で鬱陵島へ行く中継地として竹島を利用し、文献や地図に両島が現れるのに対し、韓国にとって半ば捨てていた鬱陵島よりはるか遠い岩礁の竹島など、ほとんど知見がなかった。日本が一九〇四年に竹島を島根県に編入したとき、日本の強権下にあって、韓国は抗議できなかったと今は主張するが、当時の協約による日韓間の外交顧問はアメリカ人で、韓国は外交権を奪われていたわけではない。単に竹島に関心がなかっただけである。

さればこそ第二次大戦後、対日報復意図を持つアメリカも歴史事実を知っていて、五〇年に講和条約草案の注釈書に「鬱陵島とは異なり竹島には朝鮮名がなく、かつて朝鮮によって領土主張がなされたとは思えない」と認定、サンフランシスコ平和条約で日本が放棄する島の中に竹島は含まれないことになった。

しかるに五二年、公海上にいわゆる李承晩ラインが突如引かれ、竹島はラインの内側に取り込まれ、日本漁船は締め出された。これに抗議したのは日本だけでなく米英中の三国である。五三年、海上保安庁と島根県は竹島にいた韓国人に退去を命じ、日本領土の標柱を立てること四度に及んだ。しかし韓国による武力行使で、冒頭に記せるごとく万策尽きて今日に至る。

戦後の無力な日本に行った韓国の野蛮な武力行為を今はまず何よりも日本国民に広く知らせる必要がある。新聞はもとより、ことに公共放送であるＮＨＫは逃げてはいけない。政府はＮＨＫにドキュメント番組を作らせるなど内外に向け歴史知識の普及に努めること、進行中の日韓歴史共同研究会議で両国の主張を展開させ、両国のマスコミに全文を公開する協約を交わすことを私は差し当たりの提言とする。韓国のマスコミは竹島に関する日本側主張の情報公開すら禁じていると聞く。待った無しの激変期が近づいているのである。

今後百年の半島政策不在国家戦略なき小泉再訪朝

平成十六（二〇〇四）年五月二十八日

二回目の小泉首相訪朝の反響は一回目とよく似ている。歓迎し評価したのが共産党、社民党、朝鮮総連、そして中国、韓国、ロシア、このところ露骨に中国寄りのフランス。反発し否定したのが拉致被害者の家族会。自民党が二つに割れたのも前回と同様で、政府筋は建前上反対できない。自民党の党関係者は成果に懐疑的であった。

会談が完全に北朝鮮ペースで運ばれ、日本の首相が金正日に手玉に取られた印象は一回目と同じで、「外交は急ぎ過ぎる方が負け」（中曽根元首相）「外交を選挙の手段にすることがあってはならない」（仙谷由人民主党政調会長）はそれぞれ正論である。

私もせっかく首相が御輿《みこし》を上げたからには、もっと大成果が得られたのに、詰めが甘いと思った。が、それよりも二回の訪朝で共通して分かったことは、朝鮮半島をこれからどうしようとしていくのか、日本の国家意思がはっきり見えないことだ。首相の言動に今後百年の朝鮮半島政策がにじみ出ていないことである。私にはそれが一番残念だし、一番恐ろしい。

ここ数カ月で起こったことは、韓国が総選挙の結果、北へさらに一段と傾斜し、金正日に膝《ひざ》を屈さんばかりになっていること、金正日が中国を緊急訪問したこと、中国人が尖閣諸島に不法上陸し、その後日本の専管海域に調査船が平然と居座ったこと、イラク情勢が混沌《こんとん》の度を深め大統領選もあってアメリカが以前になく弱腰に見えること、等である。

小泉首相は金正日政権を承認したまま国交正常化をするつもりか。金正日を排除して別の独裁体制を相手にする気か。中国の意向に逆らってでも日米協力で半島全域の民主主義化を目指すのか。この三つのどれを最終の国家計略と考えているか。

次の問いは、小泉首相は今の朝鮮半島が半島全域として自己管理能力を失った日清戦争前の情勢に似ていることに気が付いているか。北は金日成というソ連の、南は李承晩という米国のひも付き国家で始まった戦後の半島が、米ソ冷戦が終わって、ひもは切れたが、ドイツのように自己管理のできる統一国家にすんなりなり得るか誰しも疑問で、一九一〇年日韓併合が必然的であった時代に再び近づいていることに気付いているか。日本は二度と管理者に名乗りを上げるのは真っ平である以上、アメリカか中国かのいずれかが半島の現実の力の行使者になるだろう。首相は北朝鮮に星条旗が翻るのと、韓国の南端まで北京政府の事実上の支配下に置かれるのと、日本の国益と安全保障にとってどちらが有利で、どちらが致命的であると考えているか。国交正常化をしたがる小泉首相は、どの未来図を頭に置いているのか。あるいは何も考えていないのか。

幕引きで暗部を隠したい日本の人々

拉致問題を解決しない限り国交正常化はしない、と小泉政府は言っているが、右の朝鮮半島政策が国家戦略としてはっきり確定していなければ、何をもって拉致の「解決」とするかで両国の調査はたちどころに暗礁に乗り上げるだろう。

十人の安否だけでなく四百人の安否も、北は全部すでに把握しているのである。地村・蓮池両家は北が日本に帰しても恥ずかしくない、良い扱いをしてきた、高い立場の人々である。とても公表できない悲惨なケースもあるに違いない。大韓航空機爆破事件や金王朝の一族絡みのケースは、無事に生存していても、金正日政権が倒れない限り、うその情報でお茶を濁し続けるだろう。

小泉首相はだから、何を、どうするつもりなのか。金正日はルーマニアのチャウシェスクのように銃殺刑に処せられてしかるべき人物である。拉致というテロを裏で支援してきた朝鮮総連はとうに破防法の対象となっていなくては、日本は法治国家とはとても言えない。一番問題なのは、すべてが曖昧《あいまい》で中途半端のままの国交正常化である。それを期待しているのは北朝鮮、韓国、中国だけではない。日本の側で幕引きして暗部を隠したい人々が、左翼にも自民党にも多数いるのだ。

九七年金正日総書記推戴の祝賀宴に顔を出していた者のリストを公表せよ。驚くべき高官から各テレビ局の幹部が名を並べているはずだ。日朝議員連盟の誰が、いつ訪朝し、総連と組んで何をしたか警察は今こそメスを入れ公開せよ。これから拉致をごまかそうとしてくるのは、むしろ日本人である。小泉氏はその協力者なのか。金正日の高笑いが聞こえてくるようである。

米国の政治意志「北朝鮮人権法」日本に求められる自助努力

平成十六（二〇〇四）年十月七日

北朝鮮のノドンミサイル発射の兆候を日米両政府がつかんだのは［平成十六年］九月二十一日午後だった。二十二日夜に公表された。結局何も起こらなかったが、何かのサインであったことは間違いないだろう。

「北朝鮮人権法」というこのうえなく重要な、中朝両国に厳しい内容の法案が七月に米国の下院を通過し、九月二十一日に上院に上程された。二十三日付『ワシントン・ポスト』は共和党議員が全員無条件で賛成、そこまで行ったが、民主党議員が法案内容をもっと詳しく知りたいといって留保した。丁度そういう日に当たっていた。

私は同法案とミサイル威嚇の間には、なんらかの関係があったと推理している。

同法案は中朝両国の人権侵害を弾劾し、内政干渉となろうがなるまいがお構いなく、「世界政府」的見地から、米国の法律を他国に適用するといういかにも合衆国一流の強引な内容である。けれども、これからの北朝鮮に対しては、拉致された日本人と韓国人の情報の全面開示、彼らの本国への全員無条件帰還が認められるのでなければいっさい経済援助の交渉には応じないものとする、というきっぱりした内容をうたっている。

いったいどこの国の法律であろう。米国の徹底度には目を見張るものがあり、人権と民主主義の総本山としての自負心横溢《おういつ》の文書といっていい。スキあらば日朝国交正常化を行おうとする小泉内閣の姿勢は明白に否定され、退けられたに等しい。

同法案は脱北者を摘発しては北朝鮮へ強制送還する中国政府を、手厳しく批判し、脱北者を助けようとする外国人牧師などの活動を迫害する中国政府の国際法違反を問責している。

腰が引けたこれまでの日本政府とは大違いで、日本政府の非倫理性は改めて糾弾されてしかるべきと思うとともに、やはり軍事力の支えがなければ一国の外交に正義と倫理を反映させることは不可能なのか、と改めて痛恨の思いを抱かざるを得ないのである。

国際協力とかいっている日本政府が脱北者支援のための国家プロジェクトを一度でも考えたことがあるだろうか。

韓国に海外逃避の兆候

同法案は北朝鮮の人権回復のために働く団体に年間二千万ドルの資金を提供することや、米政府系「自由アジア放送」を一日四、五時間から十二時間に増やすこと、脱北者の保護を中国政府に要求することなど、具体的なプログラムを掲げているが、軍事制裁には触れていない。しかし金正日政権の「転覆」をめざす政治意志は明らかで、法案は上院で［平成十六年九月］二十八日に修正可決、［十月］四日に下院が再可決したので、今後米国は同法に従う。

謎の爆発や相次ぐ大量脱北で末期に近づいている金政権は一九八八―八九年の、まずハンガリー人が逃げて、全面崩壊につながった東欧の状況に似ているように思われているが、決定的に違うことが一つだけある。ハンガリーからの避難民はウィーンなど西側自由圏に直接流れ出した。北朝鮮の避難民は中国へ逃げるしかない。これはハンガリー人などが当時のソ連へ逃げるというあり得ないばかばかしいケースに当てはまる。中国の協力がない限り、大量脱出といえども体制崩壊につながらないことを示すが、中国政府にその意志はない。

盧武鉉が大統領になってから韓国の親米派、自由主義者、富裕層は不快な攻撃にさらされ、北朝鮮が中国化されることを思うと不安で夜も眠れない、と書いている韓国人の文章を私は最近読んでいる。韓国から海外への不法送金は前年の十倍に達し、ロサンゼルスの不動産が高騰している。『中央日報』九月七日付によると、南米型の資本流出、富をそっくり持っての海外移住が始まっているらしい。

つまり、朝鮮半島でいま起こっていることは東欧の状況に似ていない。一九七五年のサイゴン陥落後のベトナムに似ている。南ベトナムの人々がボートピープルになって脱出したあの悲劇がまた起こるか否かは、米中両国の意志ひとつにかかっているが、日本の政治意志も全く無関係ではないのである。日本の目の前に迫っている日本の危機である。米政府が求めているのは自助努力である。

六カ国協議という外交交渉の限界は見えてきた。中国の対日敵意もはっきりしてきた。日本政府は「北朝鮮人権法」に示された米国の法の精神を他人事のように扱っているわけにはもはやいかないはずである。

国家を変える国民の意思を福田恆存没後十年を機に

平成十六（二〇〇四）年十一月三十日

十一月二十日［平成十六年］に東京で「福田恆存歿後十年記念」の会があり、福田氏の未発表講演テープのほかに作家の山田太一氏と不肖私が講演の役を仰せつかった。

山田氏のお話は大変味わいのあるいい内容で、福田恆存という人は何かを深々と諦めていて、寛大さの中に冷たさがあり、言論のむなしさを知っていて、それでもなおかつ諦めないで戦った処が余人にない偉いところ、もし人生に意味がないなら意味を作ればいい、と起ち上がった処が日本人的じゃない、と仰言《おつしや》ったのはまことにわが意を得て、納得した。ただ福田恆存はそれならばどう起ち上がってどう戦ったかは語られなかったので、そこを説明するのが私の役目だった。

福田恆存氏にはその値打ちにふさわしい光が当てられていない、とも山田氏は仰言ったので、私はこれを承けて、日本人は福田恆存の仕事をあえて忘れようとしているのではないか、とこの国民に、都合の悪いことを避ける集団忘却の癖があることをまず問題にした。それほどに的確、鋭利かつ残酷に、福田氏は現代人の見たがらない弱点を見抜いていた。

「戦後日本の最大のタブーは何か。言ふまでもなく、それは平和の一語であります。……この平和といふタブーは最初アメリカが日本全土に懸けた呪《まじな》ひであつた。が、それを引き繼《つ》いだのは日本の反米反權力の革新派であり、今度はその革新派は親米的權《けん》力者に同じ呪ひを懸けて身動き出

来なくさせてしまひました。」(「知識人の政治的言動」、一九六五年)

今の日本にいまだに当てはまる認識である。

「知識人の戰争責任論が論壇を賑はしました。それ等は論理的にも現實《じつ》的にも甚だ曖昧《あいまい》なもので、誰が誰を責めてゐるのか、具體《たい》的にどう責任を取れば良いのか、少しもはつきりしませんでした。といふのも、それは單に論じれば気が濟み、それによつて戰後に適應する為の呪文《じゅもん》の様な性格のものだつたからです。」(「平和の理念」、一九六四年)

あの時代より悪化した日本

当時の知識人の議論が「呪《まじな》ひ」や「呪文」のようなものだったのは正確な観察と思うが、それなら、保守が流行になっている四十年後の今のわれわれの時代に飛び交っている保守派の言葉も呪いや呪文めいていていないか。福田氏は現実を正確に言い当てただけでなく、現実を改変しようとする意思を国民に問い質した。ただの認識者ではなく、行動家だった。何かを深々と諦めていて、なおかつ起ち上がって戦った人だとはそういう意味だが、それならば保守が普通になった今の言論界で人は行動家たり得ているか。

じつは問題はそこで、私の講演は最後の三分の一で今の日本に焦点を当てた。平和、民主主義、平等、自由などの概念の安易さは今や多数の人の共通の疑問となっている。平和はそれ自体価値ではないこと。民主主義は生活上のルールであって信仰にしてはいけないこと。過度の自由は今では別の不自由を生んでいること。そういうレベルのことはみんなもう分かって、福田大先生の本なんか読まなくたってもう分かっていらあ、という気分かもしれないが、それなら現実はあれから少しでも改変されたか。むしろ平和、民主主義、平等、自由は政治体制として一段と固定し、ソフトファシズムの抑圧機構となり、福田氏の活動期よりも事態は悪化して、妙な事になっているのではないか。

あの時代には読書階層の半分以上が健全な保守層で、進歩的文化人をからかった「日本共産党禮讃」などという氏の戯文の痛烈な皮肉はぴんぴん伝わった。文部省は保守の牙城《がじょう》で、村尾次郎氏のような方が教科書調査官であり、ＮＨＫは今のように激論を逃げる衛生無害の「間接的な言論統制」の機関ではまだなかった。

今はがらりと変わった。知らぬ間に政府の各種審議会は全共闘時代のイデオローグに握られ、官庁や地方自治体の官僚は彼らに操られる「気分左翼」で、一握りの一部の政治家を除いて、首相を含め、大半が国家意志を持たない。

日本は国家として福田氏の時代よりもはるかに不安定で、危うくなった。氏が求めたのは現実の単なる認識ではなく、改変だった。国家を変えようとする国民の意思だった。そこが今、動かなくなった。われわれが福田恆存の生き方に学ぶのなら、あの正論を学習し、理解するだけでなく、われわれが今の時代にふさわしい行動家として、日本という国家を一歩でも前へ動かすことではないか。

戦後史を乗り越える新しい扉
心配は歴史認識での政府のブレ

平成十七（二〇〇五）年一月十八日

一月六日［平成十七年］、自民党は本年の運動方針案を発表した。拉致の早期解決、憲法改正、郵政改革のほかに、教育の重要性、靖国神社参拝の必要性をあらためて強く訴えた点に特徴がある。

本年こそ教育基本法の改正を実現するとしたほかに、「教科書の検定・採択は、客観的かつ公正、適切な教育的配慮がなされるよう努める。偏った歴史観やジェンダーフリーなどに偏重した教科書については、その内容の適正化を求める」とあえてはっきり打ち出した。教科書についてここまで明言した運動方針案の提出は、近年の自民党に例のないことで、背筋をすっと伸ばした、正しいさわやかな印象を与える。

戦後六十年を迎えた今年［平成十七年］は、再び中学の歴史と公民の教科書の採択が行われる新しい節目の年でもある。三年に及ぶ拉致問題で、日本人はようやく国家の重要性に気が付いた。中国原潜の侵犯で国防の不備と外務省の対中国尻込みおべっか外交の間違いを悟った。中国のサッカー反日暴動と日韓条約の無効まで叫ぶ例のむちゃくちゃな韓国の親日派糾弾法は、それぞれの国内事情に原因があり、意図的に歴史を曲げた両国の反日教育の積み重ねに由来することも分かってきた。

われわれとしては、中国と韓国の教科書がいかにでたらめかの証拠を示す必要がある。ついにアメリカまでが、中国の歴史教科書の歪曲《わいきょく》と捏造《ねつぞう》を問題にし始めた（『ニューヨーク・タイムズ』二〇〇四年十二月六日付）。

こういう情勢下に、自民党の今年の運動方針案が教科書問題で責任を果たそうという意思を示したことはまことに頼もしい。とはいえ、自民党と政府の意向は必ずしも同じではない。外務省と文部科学省の態度も不明瞭である。日本は今いよいよ戦後史を乗り越える新しい扉を開こうとして、どうしても思い切って、ぱっと開けないためらいの場面が無数にある。

中国の監視認めた外務省

例えば、懸案の李登輝氏の訪日は実現したが、京都大学は失礼にも門前払いし、新華社の記者と称する男がぴったりと張り付いた、いわば中国秘密警察の監視付きの旅だった。日本の外務省が許しているのである。待望の新幹線に初乗りしたといっても、名古屋より東へは決して近づかせない。李登輝氏の兄上は靖国に祀《まつ》られる日本の英霊である。氏の靖国参拝は個人としての権利である。次回にはぜひ実現を望む。

新しい歴史教科書をつくる会は、中学の検定教科書のすべてに従軍慰安婦が掲載された不当で異常な事態への国民的怒りの声に押されるようにして創られた。油断もスキもならないのは外務省だけではない。とうの昔に解決済みの話を政府が素知らぬふりで取り上げ、終わった話を蒸し返す事件が年末にあった。

細田（博之）官房長官は、韓国とフィリピンの元慰安婦と称する二人に衆議院議員会館で正式に面会し、「これは父親世代の罪。心から反省し、おわびする」と謝罪した。それに先だって「教科書から慰安婦の言葉が減ってよかった」と中山（成彬）文科相が語ったとされる一件があり、官房長官はこれについて問われると、「政府の考え方とは違い、理解できない発言だ。政府の政策に変更はない」と話したという（『朝日新聞』［平成十六年］十二月四日）。

心ある人は、変だなー細田さん、ちょっとおかしいんじゃないの、と思ったであろう。「娼妓」は存在したが、従軍慰安婦は存在しない。国家関与の強制行為、強制連行がなかったことは石原（信雄）元官房副長官の証言によって立証された。河野（洋平）元官房長官でさえ、自分の謝罪談話が証拠に裏付けられていなかったこと、あいまいな憶測であったことを認めている。教科書から従軍慰安婦の記述が減ったことを改善と見る中山文科相は正しい。これを否定した細田官房長官は事実に反するウソに加担している。

事情を調べてみたら、十一月四日の参議院内閣委員会で民主党の岡崎トミ子議員にうまく引っ掛けられて、元慰安婦と称する婦人たちに会わされ、謝罪を述べさせられたものらしい。情けない話である。さらに調べると、岡崎議員には、公用車でソウルの街に出掛けて韓国の反日デモに参加し、日本大使館に拳を振り上げて抗議した空前の事件があり、同じ民主党議員十五人から批判書を付きつけられたいわく付き、札付きの議員である。

官房長官の謝罪は国家行為になる。よほど用心してもらわなくては困る。文科相の正論を抑えるなどはもってのほかである。

問題の核心は偏向番組の放映
朝日vs.NHKで目を奪われるな

平成十七（二〇〇五）年一月二十八日

そのむかし、大阪の西中島南方に「ラーメン大学」という中華料理店があった。テレビには「ミニスカポリス」という番組があったが、むろん警察とは何の関係もない。

NHKvs.朝日新聞のトラブルで最近話題の「女性国際戦犯法廷」は、法的に意味のある「法廷」でもなんでもない。右が「大学」でも「警察」でもないのと同様である。ブッシュ大統領や小泉首相を裁いたと称するアフガニスタンやイラクの「国際戦犯民衆法廷」も、ただの政治的糾弾集会で「法廷」ではない。

なのに四年前［平成十三年］に番組化した「女性国際戦犯法廷」をさも正式な拘束力のある「法廷」のように錯覚させ、喧伝《けんでん》してきたNHKと朝日の双方のやり方は詐欺にも類する行為だと、あるインターネット掲示板に書き込みがあった。世間はよく見ている。私は全面的に同意する。

政治家の介入をめぐってNHKと朝日の間で言った言わないの泥仕合が続く（それはそれで、とことんやってほしい）が、その前に考えるべきは、問題の二〇〇一年一月三十日、NHK教育テレビが放映した番組「戦争をどう裁くか／問われる戦時性暴力」での従軍慰安婦の取り上げ方である。放映対象となった「日本軍性奴隷制を裁く女性国際戦犯法廷」とやらの、いかにも「法廷」めかした、その実ただの〝裁判ごっこ〟にすぎない、あっと驚く、ばかばかしい実態である。

その日、会場の九段会館には朝鮮の民族衣装の老女たちが「昭和天皇に極刑を」のプラカードを押し立てて続々と集合。最初にビデオが流される。「日本の責任者を処罰しろ」と老女たちが日本大使館に向かって抗議するシーン。最後は木に縛りつけられた昭和天皇とおぼしき男性に朝鮮の民族衣装の女性がピストルを向ける画像で終わる。それからシンポジウムが開かれる。日本の従軍慰安婦問題が徹底的に批判されていれば、ユーゴの殺戮《さつりく》と強姦も起こらなかったろう、とまさに一方的議論。そして裁判が始まる。

被告人は今や地上にいない昭和天皇、旧日本軍人。弁護人なし、弁護側証人なし。検察官は二人いたが、いずれも北朝鮮の工作員だと指摘され、その後入国ビザが発給されていない人物もいる。かくて裁判官が「天皇裕仁には性犯罪と性奴隷強制の責任により有罪の判決を下す」という と、場内は拍手のウエーブと興奮の坩堝《るつぼ》の中で歓喜に包まれたそうだ。

政治圧力という形式批判

NHKは最初こういう番組をそのまま無修正で全面放映しようとしたのだ。まず第一に、NHKのこの恐るべき体質が問題だ。政治家にいわれるまでもなく、試写で番組を見たNHK幹部は、「おまえらにはめられた」「このままではアウトだ」と言ったそうだが、当然である。カットして放映した措置を番組主催者は裁判に訴えた。裁判所は一審で、NHKの「編集の自由の範囲内」と述べたが、これまた当然である。

NHKにはともあれ、幹部にこれはまずいと判断するチェック機能があった。ところが朝日新聞には、会社全体にそれがない。本気で立派な内容だと今も思っているらしい。さらに私が驚いているのは、こうした偏向著しい糾弾番組を相手にして、政治家の圧力で改変されたという形式批判が成り立つと思っている朝日側の世間知らず、情勢判断の甘さである。

さすがに毎日新聞はついていけないとみて、山田孝男氏の署名で、NHKのあの番組がおかしいこと、従軍慰安婦の強制連行説を否定する実証的な反論が出ていること、九〇年代の政府の謝罪は日本に性奴隷制があったかのごとき国際誤解をまき散らしたことは反省すべきだとする記事を掲載した（平成十七年一月二十四日付朝刊）。正論である。

安倍（晋三）、中川（昭一）両氏の口出しがあったかどうかは、もはや問題の核心ではない。NHKが偏向番組を作り、朝日がそれを中立公正な番組であると信じたことが問題のすべてだ。

朝日に尋ねたいが、かくも幼稚かつ露骨な政治的アジテーション・プログラムを報道に値する中立公正の番組内容だと今でも本気で信じているのか。NHKにも借問したい。社内のヒステリー過激派の跳ね返りを押さえられないできたために、この件は起こった。彼らをどう処分し、路線をどう正常化するのか、方針を明らかにされたい。

「政治家はいかなる意見を言ってもいけない、NHKはどんな偏向番組を作ってもいい」。そんなばかな話がまかり通っていいはずがないだろう。

「人権擁護法」の国会提出を許すな自由社会の常識を覆す異常な法案

平成十七（二〇〇五）年三月十一日

国会に上程が予定されている「人権擁護法」が今の法案のまま成立したら、次のような事態が発生するであろう。

核を背景にした北朝鮮の横暴が日増しに増大しながら、政府が経済制裁ひとつできない現状がずっと続いたとする。業を煮やした拉致被害者の家族の一人が政府と北朝鮮を非難する声明を出した。すると今までと違って、北朝鮮系の人たちが手をつないで輪になり、「不当な差別だ」「人権侵害は許せない」と口々に叫んだとする。

直ちに「人権擁護法」第五条に基づく人権委員会は調査を開始する。第四十四条によってその拉致被害者家族の出頭を求め、自宅に立ち入り検査して文書その他の物件を押収し、彼の今後の政治発言を禁じるであろう。第二十二条によって委嘱された人権擁護委員は北朝鮮系の人で占められている場合がある。

韓国政府の反日法は次第に過激になり、慰安婦への補償をめぐる要求が再び日本の新聞やNHKを巻き込む一大キャンペーンとなったとする。代表的な与党政治家の一人がNHK幹部の来訪の折に公平で公正な放送をするようにと求めた。ある新聞がそれを「圧力だ」と書き立てた。すると今までと違って、在日韓国人が「不当な差別だ」「人権侵害は許せない」と一斉に叫び、マスコミが同調した。人権擁護法の第二条には何が「人権侵害」であるかの定義がなされていない。どのようにも拡張解釈できる。

全国各地に巨大執行組織

かくて政治家が「公平で公正な放送をするように」といっただけで「圧力」になり、「人権侵害」に相当すると人権委員会に認定される。日本を代表するその政治家は出頭を求められ、令状なしで家を検査される。誇り高い彼は陳述を拒否し、立ち入り検査を拒むかもしれないが、人権擁護法第八十八条により彼は処罰され、政治生命を絶たれるであろう。人権擁護委員は在日韓国人で占められ、日本国籍の者がいない可能性もある。

南京虐殺に疑問を持つある高名な学者が百四十三枚の関連写真のすべてを精密に吟味検査し、ことごとく贋物《にせもの》であることを学問的に論証した。人権擁護法が成立するや否や、待ってましたとばかりに日中友好協会員や中国人留学生が「不当な差別だ」「人権侵害は許せない」の声明文を告知したとする。人権委員会は直ちに著者と出版社を立ち入り検査し、即日の出版差し止めを命じるであろう。

南京虐殺否定論はすでに一部のテレビにも登場し、複数の新聞、雑誌、とりわけミニコミ紙で論じられてきた。人権委員会は巨大規模の事務局、二万人の人権擁護委員を擁する執行組織を持つ。まるで戦前の特高警察のように全国をかぎ回る。

人権擁護法第三条の二項は、南京事件否定論をほんのちょっとでも「助長」し、「誘発」する目的の情報の散布、「文書の頒布、提示」を禁じている。現代のゲシュタポたちは、得たりとばかりに全国隅々に赴き、中国に都合の悪いミニコミ紙を押収し、保守系シンクタンクを弾圧し、「新しい歴史教科書をつくる会」の解散命令を出すであろう。その場合の人権擁護委員の選考はあいまいで、左翼の各種の運動団体におそらく乗っ取られている。

私は冗談を言っているのではない。緊急事態の到来を訴えているのである。二年前にいったん廃案になった人権擁護法がにわかに再浮上した。［平成十七年］三月十五日に閣議決定、四月の国会で成立する運びと聞いて、法案を一読し、あまりのことに驚きあきれた。自民党政府は自分で自分の首を絞める法案の内容を、左翼人権派の法務官僚に任せて、深く考えることもなく、短時日で成立させようとしている。

同法が二年前に廃案になったのは第四十二条の四項のメディア規制があったためで、今度はこれを凍結して、小泉内閣の了承を得たと聞くが、問題はメディア規制の条項だけではない。ご覧の通り全文が左翼ファシズムのバージョンである。もちろん、機軸を変えれば共産党、社民党弾圧にも使える。自由主義社会の自由の原則、憲法に違反する「人権」絶対主義の狂気の法案である。

外国人が人権委員、人権擁護委員に就くことを許しているのが問題だ。他民族への侮蔑《ぶべつ》はいけないというが、侮蔑と批判の間の明確な区別は個人の良心の問題で、人権委員が介入すべき問題ではない。要するに自由社会の常識に反していて、異常の一語に尽きる法案である。予定される閣議決定の即時中止を要請する。

敗戦国に謝罪の義務はありえず
二重謝罪招く首相のおわび表明

平成十七（二〇〇五）年五月十二日

四月二十二日［平成十七年］、バンドンの首脳会議で小泉首相が例によってわが国の「植民地支配」と「侵略」を謝って以来、私はずっと胃の腑《ふ》になにか消化の悪いものがたまっているような気分から解放されない。中国の無法に耐えて謝ったからではなく、謝罪演説が欧米で評判がいいと分かってかえって私は気分がすぐれない。

中国が反日暴動に謝罪しない傲慢《ごうまん》さで世界の非難を浴びていたさなかだったので、小泉演説は大人の印象を与え、政治的に点数を稼いだ。米紙ウォールストリート・ジャーナルは二十五日、「今度は北京が謝罪する番」と書いた。欧米や国連の論調はたしかに小泉氏に好意的だった。それだけに私はだんだん腹が立ってきた。中国の強圧的無礼に屈した形になったことより、外電が歓迎したことのほうが私にははるかに不快だった。

アジア・アフリカ会議の出来事で欧米人がアジア人である日本人に点数をつけている。しかもドイツと比較している。そしてそれを日本人が喜んでいるような構図全体がこのまま固定したらひどくまずいな、と思った。アジアへの「植民地支配」と「侵略」をしたのはいったいどこの国々だったというのであろう。

最近しきりに考えるのは、第一次世界大戦と第二次世界大戦とでは勝者の態度に異変が見られることである。

　第一次世界大戦では四年にわたって悲惨な戦争をして、最後には毒ガスまで出て、ヨーロッパは焦土と化した。インドの詩人タゴールは文明がもたらす非文明、ヨーロッパの野蛮を指摘した。ヨーロッパの内部からも強い反省の声がわき起こり、『西洋の没落』（オスヴァルト・シュペングラー、一九一八年）という本が書かれ、不戦条約も作られた。

　しかし第二次大戦の後で欧米の勝者の中から反省の強い声が出てきたであろうか。惨劇の規模は前の戦争よりずっと大きかったのに、ナチスの悪口ばかり言って、ついに異なる戦争をした日本まで巻き添えにして、大量破壊史を展開した欧米人は、自己断罪を回避した。アジア・アフリカへの「植民地支配」と「侵略」を日本の首相が謝るのはおかしいのではないか。

究極の選択としての戦争

　ここで「謝る」とか「わびる」とかはどういうことかを原則から考えてみたい。

　国家同士も市民社会と同じように謝るべきことはある。幼児が罪を犯せば親が謝るようにクリントン前大統領は沖縄で起こった米兵による少女暴行事件に直ちに謝罪した。韓国の少女ひき逃げ事件ではアメリカはやり方を間違え、それが引き金で盧武鉉大統領を誕生させてしまうというヘマをしでかした。国家としての謝罪行為はいかに大切か。

　けれども、国家との間で断じて謝罪してはならないことが一つだけある。それは戦争に対してである。戦争は言葉の尽き果てた最後に、言うべきことを言い尽くし、屈辱を重ね、反論も謝罪も当然した揚げ句の果てにどうしようもなく、とうとう最後の手段として戦火の火ぶたが切られるという究極の事態であろう。

勝敗は言葉とは別の手段、暴力で決する。敗者は反論を封じられる。海外の権益を奪われ、賠償を取られ、領土を失い、その他あらゆる屈辱が強いられ、外交上の発言力は低下するし、国益は守りにくくなる。苦しんだ揚げ句、やっと講和条約が結ばれる。これが「謝罪」である。

当然ながら、もうこれ以上二度と「謝罪」ということはあってはならない。なぜなら双方言い分を出し尽くした結果一致せず、相手を互いに不当と信じて突入するのが戦争であるから、事後の謝罪はあり得ない。謝罪する余地がないから戦争になったのではないか。敗者は暴力に屈しても内心に多くの不満を残し、正当性の感情を蔵している。つまり敗者には敗者になる前からの理があって、結果に必ずしも納得していない。不服従の感情を抱き続けている。

それを鎮め癒すために講和がある。講和は勝者には報復の確認だが、敗者には二重謝罪を防ぐための確約である。戦後六十年も経て日本の二重謝罪三重謝罪が当然視されるのは、地球上で日本を抑えつけておこうとする「戦争」が続いていることの何よりもの証拠であろう。日本が今後謝罪を繰り返すことは将来の戦争に道を開く行為である。

なおドイツはナチスのホロコーストには謝罪しているが、侵略戦争には謝罪していない。賠償金も支払っていない。最近各国からドイツに賠償要求の声が上がっている。ドイツは講和さえ結んでいない。戦後処理はやっとこれから始まるのである。間違えないで欲しい。

第五章　平和主義の病理

米中に厄介で面倒な国になれ
自己主張だけが日本を救う

平成十九（二〇〇七）年二月二十二日

米国はイラクに対し人的、物的、軍事的に強大なエネルギーを注いだのに、北朝鮮に対しては最初から及び腰で、一貫性がなかった。その結果がついに出た。このたびの六カ国協議で米国は朝鮮半島の全域の「民主化」を放棄する意向を事実上鮮明にした。

中国は台湾に加え朝鮮半島の全域が「民主化」されるなら、自国の体制がもたないことへの恐怖を抱いている。米国は中国の体制護持の動機に同調し、米中握手の時代を本格化させ、日本の安全を日本自身に委ねた。この趨勢《すうせい》にいち早く気づいた台湾には緊張が走り、李登輝氏と馬英九氏が新しい動きをみせたのに、いぜんとして事態の新しさに気がつかないのは日本の政界である。拉致問題でこれ以上つっぱねると日本は孤立するとか、否、拉致についての国際理解はある、などと言い合っているレベルである。

国際社会はイラクの大量破壊兵器開発の証拠がみつからないのに米国がイラクを攻撃したと非難した。一方、北朝鮮は大量破壊兵器を開発し、やったぞと手を叩いて誇大に宣伝さえした。それなのに米国は攻撃しない。それどころか、エネルギー支援をするという。国際社会はこのダブルスタンダードを非難しない。

イラクのフセイン元大統領は処刑され、彼と同程度の国際テロ行為を繰り返した北朝鮮の金正日総書記は、処刑されるどころか、テロ国家の汚名をそそいでもらい、金品を贈与されるという。米大統領はその政策を「良い最初の一歩」と自画自賛した。目茶苦茶なもの言いである。ここまでくるともう大義も道義もなにもない。

私は米国を政治的に非難しているのではなく、もともと目茶苦茶が横行するのが国際政治である。米国に道理を期待し、米国の力に一定の理性があると今まで信じていた日本人の依頼心を早く捨てなさい、さもないと日本は本当に危ういことになりますよ、と訴えているのである。

中川昭一「核武装論」

北朝鮮の核実験の直後に中川昭一自民党政調会長が日本の核武装について論議する必要はある、と説いた。しかし、例によって消極的な反論をマスコミが並べて、国民はあえて座して死を待つ「ことなかれ主義」に流れた。核武装の議論ひとつできない日本人のよどんだ怠惰の空気は米国にも、中国にもしっかり伝わっている。

もしあのとき日本の国内に政府が抑えるのに苦労するほどの嵐のような核武装論が世論の火を燃え立たせていたなら、今回の六カ国協議は様相を変えていたであろう。

もともと六カ国協議の対象国は北朝鮮ではない。米国を含む五カ国が狙っているのは日本の永久非核化であり、国家としての日本の無力化の維持である。日本は六カ国協議という罠にはまっているのである。加えて、イラクで行き詰まった米国は中国に依存し、台湾だけでなく日本を取引の材料にしている可能性がある。日本の軍事力を永久に米国の管理下に置き、経済力は米中両国の利用対象にしよう。その代わり中国は「石油」と「イスラエル」と「ユーロに対するドル防衛」という中東情勢に協力せよ、と。

世界政治の大きなうねりの中で日本は完全にコケにされている。日本の安全保障は今や米国の眼中にない。自分を主張する日本人の激しい意志だけが米中両国に厄介であり、うっとうしい困難である。日本に面倒なことを言ってもらいたくないから抑えにかかる。好き勝手に操れる人形に日本をしたい。

中川氏の核武装論議発言に対し、ライス国務長官が「日本は米国の核で守られている。心配しないように」と応答し、ブッシュ大統領は「中国が心配している」とどっちの味方か分からない言い方をした。安倍（晋三）首相はそれに迎合してアジア太平洋経済協力会議（APEC）の会見場で中川発言を抑止した。しかしもしあのとき、首相が「日本政府は核武装する意志を当面もたないが、与党内の自由な論議を抑えるつもりはない」くらいのことを言っていたならば、局面はかなり変わったろう。

六カ国協議で拉致だけ叫んでいても、バカにされるだけで拉致だって解決しない。米中両国がいやがる日本の自己主張だけが日本を救う。防衛のための武力の主張は今の憲法にも違反はしない。核武装論が日本の国内の王道になれば、米中は態度を変え、北朝鮮を本気で抑えるだろう。さもなければ核国家の北に日本は巨額な資金援助をする耐え難い条件をのまされることになろう。

「慰安婦」謝罪は安倍政権に致命傷
安倍首相登場が保守つぶしに

平成十九（二〇〇七）年四月二十七日

私は冗談のつもりではなかった。けれども人は冗談と取った。話はこうである。月刊誌『ＷｉＬＬ』編集部の人に二カ月ほど前、私は加藤紘一氏か山崎拓氏か、せめて福田康夫氏かが内閣総理大臣だったらよかったのに、と言ったら「先生冗談でしょ」と相手にされなかった。今までの私の考え方からすればあり得ない話と思われたからだが、私は本気だった。

安倍晋三氏は村山談話、河野談話を踏襲し、東京裁判での祖父の戦争責任を謝り、自らの靖国参拝をはぐらかし、核と拉致で米国にはしごをはずされたのにブッシュ大統領に抗議の声ひとつ上げられず、皇室問題も忘れたみたいで、中国とは事前密約ができていたような見えすいた大芝居が打たれている。これらが加藤、山崎、福田三氏の誰かがやったのであれば、日本国内の保守の声は一つにまとまり、非難の大合唱となったであろう。

三氏のようなリベラル派が保守の感情を抑えにかかればかえって火がつく。国家主義者の仮面を被った人であったからこそ、ここ十年高まってきた日本のナショナリズムの感情を押し殺せた。安倍氏が総理の座についてからまぎれもなく歴史教科書（慰安婦、南京）、靖国、拉致の問題で集中した熱い感情は足踏みし、そらされている。安倍氏の登場が保守つぶしの巧妙な目くらましとなっているからである。

米中握手の時代に入り、資本の論理が優先し、何者かが背後で日本の政治を操っているのではないか。

首相になる前の靖国四月参拝も、なってからの河野談話の踏襲も、米中両国の顔色を見た計画的行動で、うかつでも失言でもない。しかるに保守言論界から明確な批判の声は上がらなかった。「保守の星」安倍氏であるがゆえに、期待が裏切られても「七月参院選が過ぎれば本格政権になる」「今は臥薪嘗胆《がしんしょうたん》だ」といい、米議会でのホンダ議員による慰安婦謝罪決議案が出て、安倍氏が迷走し、取り返しのつかない失態を演じているのに「次の人がいない」「官邸のスタッフが無能なせいだ」とかわいい坊やを守るようにひたすら庇《かば》うのも、ブレーンと称する保守言論界が政権べったりで、言論人として精神が独立していないからである。

「事なかれ主義」はもう通じない

考えてもみてほしい。首相の開口一番の河野談話踏襲は得意の計画発言だったが、国内はだませても、中国サイドはしっかり見ていて安倍くみしやすしと判断し、米議会利用のホンダ決議案へとつながった。安倍氏の誤算である。しかも米国マスコミに火がついての追撃は誤算を超えて、国難ですらある。

最初に首相のなすべきは「日本軍が二十万人の女性に性奴隷を強要した事実はない」と明確に、後からつけ入れられる余地のない言葉で宣言し、河野衆議院議長更迭へ動き出すことであった。

しかるに「狭義の強制と広義の強制の区別」というような、再び国内向けにしか通じない用語を用い、「米議会で決議がなされても謝罪はしない」などと強がったかと思うと、翌日には「謝罪」の意を表明するなど、オドオド右顧左眄《さべん》する姿勢は国民としては見るに耐えられなかった。

そしてついに訪米前の四月二十一日に米誌『ニューズウィーク』のインタビューに答えて、首相は河野談話よりむしろはっきり軍の関与を含め日本に強制した責任があった、と後戻りできない謝罪発言まで公言した。

とりあえず頭を下げておけば何とかなるという日本的な事なかれ主義はもう国際社会で通らないことをこの「保守の星」が知らなかったというのだろうか。総理公認であるからには、今後、元慰安婦の賠償訴訟、過去のレイプ・センターの犯人訴追を求める狂気じみた国連のマクドゥーガル報告(一九九八年八月採択)に対しても反論できなくなっただけでなく、首相退陣後にもとてつもない災難がこの国に降りかかるであろう。

米国は核と拉致で手のひらを返した。六カ国協議は北朝鮮の勝利である。米中もまんざらではない。彼らの次の狙いは日本の永久非核化である。米国への一層の隷属である。経済、司法、教育の米国化は着々と進み、小泉政権以来、加速されている。安倍内閣は皇室を危うくした小泉内閣の直系である。自民党は真の保守政党ではすでにない。私は安倍政権で憲法改正をやってもらいたくない。不安だからである。保守の本当の声を結集できる胆力を持った首相の出現を待つ。

米国による米中経済同盟
両大国の露骨な利己主義

平成十九（二〇〇七）年十月二日

今回の政変（編集註／安倍晋三首相の突然の辞任）を私は「日米軍事同盟」と「米中経済同盟」の矛盾と衝突の図とみている。安倍前首相は憲法改正を掲げたが、九条の見直しがなぜ国民の生死の問題にかかわるかをテレビの前などで切々と訴えたことがあっただろうか。米国の核の傘はすでにして今はもうないに等しいのだ、と果たして言ったか。日本海に中国の軍港ができたらどうするつもりか、諸君、考えたことはないのか、と声をあげたか。この二つの危機はすでに今の現実である。

テロ支援国家との二国間協議は絶対にしないと言っていたブッシュ米政権が、北朝鮮と話し合いを開始した。そして国連の制裁決議をさえも無視した。これが同盟国日本に対する裏切りであることは間違いない。中国の北朝鮮制裁も口だけで、金正日にカネを払って鉱山開発権を手に入れ、ロジン、ソンボンという日本海の出口の港湾改修工事を中国の手でやり始めた。ここに中国の軍港ができて、核ミサイルを積んだ潜水艦が出入りするようになったら、わが国は王手がかかってしまったも同然である。

日本海が米中対決の場になることを避けるためにも、米国は北朝鮮を取り込む必要がある。ブッシュ氏に安倍氏はシドニーの日米会談でずばりそう言われたかもしれない。「お前のやっている対北制裁一本槍《やり》では中国にしてやられるぞ」と。無論私の単なる推測である。ただそういう風にでも考えないと、米国の政策転換はあまりに理性を欠いた、利己主義でありすぎる。

北朝鮮のほうが米国にすり寄りたい現実もある。北が一番嫌いで恐れているのは中国である。「韓国以上に親密な米国のパートナーになる」とブッシュ氏に伝えた金正日の謀略めいた（しかし半ばは本心の）メッセージがある（『産経新聞』［平成十九年］八月十日付）。とはいえ中国も米国がイラクで泥沼にはまっている間に着々と台湾にも、朝鮮半島にも手を打っている。半島の南北首脳会談の開催はどうみても、中国の差し金である。

韓国大統領選は現時点では民主主義の側に立つ野党ハンナラ党の候補が優位にある。それをくつがえすための南北会談である。盧武鉉韓国大統領は北朝鮮に全面譲歩し、南が北にのみこまれる統一を目指している。それでもハンナラ党の優位が崩れないなら、同党候補が北の手で暗殺される可能性があるという。韓国の法律では投票日の十五日前を過ぎて候補者が死亡した場合には、新しい候補者は立てられないことになっているそうである。

米国の徹底的な中国庇護策

すさまじく激烈な半島情勢である。日米にとっても、中国にとっても、半島を相手側に渡せない瀬戸際である。ひょっとしたら日本は米国の本格的な援《たす》けなしで、独力でこの瀬戸際を乗り越えなければならないのかもしれない。

安倍前首相がまるでヒステリーの子供が「もういや」と手荷物を投げ出すように政権をほうり

出したのは、自分ではもうここを乗り越えることはできないという意思表示だったのかもしれない。

他方、経済問題における米国の日本と中国に対する対応の仕方は、歴史を振り返ると、正反対といえるほどに異なっている。戦後日本が外貨を稼ぐ国になると、米国は一貫して円高政策を推進して、わが国輸出産業を潰しにかかった。一九八五年のプラザ合意は露骨なまでの日本叩きだったが、日本の企業が負けなかったのはなお記憶に新しい。

ところが米国は中国に対しては完全に逆の対応をしている。一九九四年から二〇〇六年までの十二年もの長期にわたり元は一ドル約八元という元安のまま変動させない。二〇〇一年から中国の外貨準備高は上昇し始め、昨年［平成十八年］日本を追い越した。徹底的な中国庇護《ひご》政策である。

それもそのはずである。中国で工場生産して外国に輸出している企業は中国の企業ではなく、米国の企業だからである。米国への輸出企業のトップ十社のうち七社は米国の企業である。

経済は国境を越えグローバルになったという浮いた話ではなく、完璧《かんぺき》な米国のナショナルエゴイズムである。このことは他方、米国の三十分の一で生産できる中国の労働力に米国経済が構造的に支配され、自由を失っていることを意味する。

軍事的超大国の米国はそれでも中国が怖くはないが、以上の米中の関係は日本にとっては危険で、恐ろしい。福田（康夫）政権が国益を見失い、軍事的にも経済的にも米中の利己主義に翻弄《ほんろう》されつづける可能性を暗示している。

イージス艦事故にも九条の壁
国防軽視のマスコミ体質

平成二十（二〇〇八）年二月二十九日

海上自衛隊のイージス艦が衝突して漁船を大破沈没せしめた海難事故は、被害者がいまだに行方不明で、二度とあってはならない不幸な事件である。しかし事柄の不幸の深刻さと、それに対するマスコミの取り扱いがはたして妥当か否かはまた別の問題である。

イージス艦は国防に欠かせない軍艦であり、一旦緩急があるとき国土の防衛に敢然と出動してもらわなければ困る船だ。機密保持のままの出動もあるだろう。民間の船が多数海上にあるとき、軍艦の航行の自由をどう守るかの観点がマスコミの論調に皆無である。

航行の自由を得るための努力への義務は軍民双方にある。大きな軍艦が小さな漁船を壊した人命事故はたしかに遺憾だが、多数走り回る小さな漁船や商船の群れから大きな軍艦をどう守るかという観点もマスコミの論議の中になければ、公正を欠くことにならないか。

今回の事故は目下海上保安庁にいっさい捜査が委ねられていて、［平成二十年二月］二十八日段階では、防衛省側にも捜査の情報は伝えられていないと聞く。イージス艦は港内にあって缶詰め状態のままである。捜査が終了するのに二、三カ月を要し、それまでは艦側にミスがあったのか、ひょっとして漁船側に責任があったのか、厳密には分からない。捜査の結果いかんで関係者は送検され、刑事責任が問われる。その段階で海上保安庁が事故内容の状況説明を公開するはずだ。しかもその後、海難審判が一、二年はつづいて、事故原因究明がおこなわれるのを常とする。

気が遠くなるような綿密な手続きである。だからマスコミは大騒ぎせず、冷静に見守るべきだ。軍艦側の横暴だときめつけ、非難のことばを浴びせかけるのは、悪いのは何ごともすべて軍だという戦後マスコミの体質がまたまた露呈しただけのことで、沖縄集団自決問題とそっくり同じパターンである。

単なる海上の交通事故をマスコミはねじ曲げて自衛隊の隠蔽《いんぺい》体質だと言い立て、矛先を組織論にしきりに向けて、それを野党政治家が政争の具にしているが、情けないレベルである。今のところ自衛隊の側の黒白もはっきりしていないのである。防衛省側はまだ最終判断材料を与えられていない。組織の隠蔽かどうかも分からないのだ。

ということは、この問題にも憲法九条の壁があることを示している。自衛隊には「軍法」がなく、「軍事裁判所」もない。だから軍艦が一般の船舶と同じに扱われている。単なる交通事故扱いで、軍らしい扱いを受けていないのに責任だけ軍並みだというのはどこか異様である。

安全保障の本質論を

日本以外の世界各国において、民間の船舶は軍艦に対し、外国の軍艦に対しても、進路を譲るなど表敬の態度を示す。日本だけは民間の船が平生さして気を遣わない。誇らしい自国の軍隊ではなくどうせガードマンだという自衛隊軽視の戦後特有の感情が今も災いしているからである。防衛大臣と海上幕僚長が謝罪に訪れた際、漁業組合長がとった高飛車な態度に、ひごろ日本国民がいかに自衛隊に敬意を払っていないかが表れていた。それは国防軽視のマスコミの体質の反映でもある。

そうなるには理由もある。自衛隊が日本人の愛国心の中核になり得ず、米軍の一翼を担う補完部隊にすぎないことを国民は見抜き、根本的な不安を抱いているからである。イージス艦といえばつい先日、弾道ミサイルを空中で迎撃破壊する実験を行った。飛来するミサイルに水も漏らさぬ防衛網を敷くにはほど遠く、単なる気休めで、核防衛にはわが国の核武装のほかには有効な手のないことはつとに知られている。

米軍需産業に奉仕するだけの受け身のミサイル防衛でいいのかなど、マスコミは日本の安全保障をめぐる本質論を展開してほしい。当然専守防衛からの転換が必要だ。それを逃げて、今のように軍を乱暴な悪者と見る情緒的反応に終始するのは余りに「鎖国」的である。

沖縄で過日十四歳の少女が夜、米兵の誘いに乗って家まで連れていかれた、という事件があった。これにもマスコミは情緒的な反応をした。沖縄県知事は怒りの声明を繰り返した。再発防止のために米軍に隊員教育の格別の施策を求めるのは当然である。ただ県知事は他にもやるべきことがあった。女子中学生が夜、未知の男の誘いに乗らないよう沖縄の教育界と父母会に忠告し、指導すべきであった。

衝突事故も少女連れ去りも、再発防止への努力は軍民双方に平等に義務がある。

日本は真中が陥没しかけている
自民党が国家から逃亡

平成二十（二〇〇八）年七月二十四日

拉致問題は今では党派を超えた日本の唯一の愛国的テーマである。拉致を米政府にテロ指定させるまでに関係者は辛酸をなめた。北朝鮮の核の残存は日本にとって死活問題である。

完全核廃棄の見通しの不明確なままの、米政府の四十五日という時間を区切ったテロ支援国家指定解除の通告は、悪い冗談でなければ、外交と軍事のお手伝いはもうしないという米政府の見切り宣言である。それほどきわどい決定を無責任に突きつけている。

そもそも北朝鮮を悪の枢軸呼ばわりして寝た子を起こし、東北アジアを一遍に不安定にしたのはブッシュ大統領であった。核脅威を高めておきながらイラク介入前に北朝鮮には武力解決を図る意志のない手の内を読まれ、翻弄《ほんろう》されつづけた。

今日の米国の体たらくぶりは予想のうちであったから、日本政府の無為無策と依存心理のほうに問題があることは承知しているが、それでも米国には言っておかなくてはならない。

核不拡散条約（ＮＰＴ）体制は核保有国による地域防衛の責任と道義を前提としている。米国は日本を守る意志がないのなら基地を日本領土内に持つ理由もない。

テロ支援国家指定解除の通告は、第一に米国による日本への道義的裏切りであり、第二に日本のＮＰＴ体制順守の無意味化であり、第三に日米安保条約の事実上の無効消滅である。

日本は以後、拉致被害者の救済を米国に頼れないことを肝に銘じ、核武装を含む軍事的独立の道をひた走りに走る以外に自国防衛の道のないことを米国に突きつけられたに等しい。それほどの情勢の変化に政府がただ呆然《ぼうぜん》として、沈黙するのみであるのもまた異常である。

問題は誰の目にも分かる米国の外交政策の変貌《へんぼう》である。米国の中国に対する対応は冷戦時代の対決から、対決もあり協調もある両面作戦に変わり、次第に協調のほうに軸足を移しつつある。

いつまで待っても覇権意志をみせない日本を諦《あきら》め、中国をアジアの覇権国として認め、台湾や韓国に対する中国の外交攻勢をも黙認し始めた。戦火を交えずして中国は台湾海峡と朝鮮半島ですでに有利な地歩を占めた。

米軍のアジア撤退も

最近の米朝接近が中朝不仲説を原因としているか、それとも半島の管理を米国が全面的に中国に委ねた結果なのか、いま論点は割れているが、どちらにせよ米国の半島関与が及び腰で、争点回避の風があるのは否めない。

中東情勢と米国経済の推移いかんで、米軍のアジアからの撤退は時間の問題かもしれない。そうなれば台湾は中国の手に落ち、シーレーンは中国によって遮断され、日本はいや応なくその勢力下に置かれることになる。それは日本の技術や資本が中国に奪われることを意味する。

これほど危険な未来図が見えているのに、日本の政界は何もしない。議論さえ起こさない。ただ沈黙である。分かっていての沈黙ではなく、自民党の中枢から権力が消えてしまった沈黙である。

ワシントンにあった権力が急に不可解な謎、怪しい顔、恐ろしい表情をし始めたので手も足も出なくなった沈黙である。

もし日本が国家であり、政府中枢にまだ権力があるなら、テロ支援国家指定の解除は北朝鮮に世界銀行その他の国際金融機関を通じて資金の還流を許すことだから、ただちに日本から投資されているそれらの機関への巨額資金の引き揚げが用意され、四十五日以内に宣言されなければならないだろう。

六カ国協議は日本の核武装を封じるための会議であると私は前から言ってきた。米中露、それに朝鮮半島までが核保有国となる可能性の発生が北朝鮮問題である。太平洋で日本列島だけが核に包囲されるのを指をくわえて見ていていいのか。

日本はこれに対しても沈黙だとしたら、もはや政治的知性が働いていない痴呆《ちほう》状態というしかない。

海辺に砂山を築いて周囲から水を流すと、少しずつ裾野の砂が削られる。水がしみこんでしばらくして、ボコッと真中が陥没する。そこへ大きな波がくるとひとたまりもない。

今の日本はボコッと真中が陥没しかけた段階に来ているのではないか。国家権力の消滅。国家中枢の陥没。

折しも自民党から日本を移民国家にし一千万人の外国人を導入する案が出された。日本列島に「住民」は必ずいる。しかし日本民族はいなくなる。自民党が国家から逃亡した証しだ。砂山は流され、消えてなくなるのである。

経済制裁は平和的手段ではない　敵基地調査が必要

平成二十一（二〇〇九）年五月二十六日

東京裁判でアメリカ人のウィリアム・ローガン弁護人は、日本に対する経済的圧力が先の戦争の原因で、戦争を引き起こしたのは日本ではなく連合国であるとの論証を行うに際し、パリ不戦条約の起案者の一人であるケロッグ米国務長官が経済制裁、経済封鎖を戦争行為として認識していた事実を紹介した。日米開戦をめぐる重要な論点の一つであるが、今日私は大戦を回顧したいのではない。

経済制裁、経済封鎖が戦争行為であるとしたら、日本は北朝鮮に対してすでに「宣戦布告」をしているに等しいのではないか。北朝鮮がいきなりノドンを撃ち込んできても、かつての日本のように、自分たちは「自衛戦争」をしているのだと言い得る根拠をすでに与えてしまっているのではないか。

勿論《もちろん》、拉致などの犯罪を向こうが先にやっているから経済制裁は当然だ、という言い分がわが国にはある。しかし、経済制裁に手を出した以上、わが国は戦争行為に踏み切っているのであって、経済制裁は平和的手段だなどと言っても通らないのではないか。

相手がノドンで報復してきても、何も文句を言えない立場ではないか。たしかに先に拉致をしたのが悪いに決まっている。が、悪いに決まっていると思うのは日本人の論理であって、ロシアや中国など他の国の人々がそう思うかどうか分からない。武器さえ使わなければ戦争行為ではない、ときめてかかっているのは、自分たちは戦争から遠い処にいるとつねひごろ安心している今の日本人の迂闊《うかつ》さ、ぼんやりのせいである。北朝鮮が猛々《たけだけ》しい声でアメリカだけでなく国連安保理まで罵《ののし》っているのをアメリカや他の国は笑ってすませられるが、日本はそうはいかないのではないだろうか。

アメリカは日米両国のやっている経済制裁を戦争行為の一つと思っているに相違ない。北朝鮮も当然そう思っている。そう思わないのは日本だけである。この誤算がばかげた悲劇につながる可能性がある。「ばかげた」と言ったのは世界のどの国も同情しない惨事だからである。核の再被爆国になっても、何で早く手を打たなかったのかと、他の国の人々は日本の怠惰を哀れむだけだからである。

六カ国協議は日本を守らない

拉致被害者は経済制裁の手段では取り戻せない、と分かったとき、経済制裁から武力制裁に切り替えるのが他のあらゆる国が普通に考えることである。武力制裁に切り替えないで、経済制裁をただ漫然とつづけることは、途轍《とてつ》もなく危ういことなのである。

『Ｖｏｉｃｅ』［平成二十一年］六月号で科学作家の竹内薫氏が迎撃ミサイルでの防衛不可能を説

き、「打ち上げ『前』の核ミサイルを破壊する以外に、技術的に確実な方法は存在しない」と語っている。「独裁国家が強力な破壊力をもつ軍事技術を有した場合、それを使わなかった歴史的な事例を見つけることはできない」と。

よく人は、北朝鮮の核開発は対米交渉を有利にするための瀬戸際外交だと言うが、それはアメリカや他の国が言うならいいとしても、標的にされている国が他人事《ひとごと》のように呑気《のんき》に空とぼけていいのか。北の幹部の誤作動や気紛れやヒステリーで百万単位で核爆死するかもしれない日本人が、そういうことを言って本当の問題から逃げることは許されない。

最近は核に対しては核をと口走る人が多い。しかし日本の核武装は別問題で、北を相手に核で対抗を考える前にもっとなすべき緊急で、的を射た方法があるはずである。イスラエルがやってきたことである。前述の「打ち上げ『前』の核ミサイルを破壊する」用意周到な方法への準備、その意志確立、軍事技術の再確認である。私が専門筋から知り得た限りでは、わが自衛隊には空対地ミサイルの用意はないが、戦闘爆撃機による敵基地攻撃能力は十分そなわっている。トマホークなどの艦対地ミサイルはアメリカから供給されれば、勿論使用可能だが、約半年の準備を要するのに対し、即戦力の戦闘爆撃機で十分に対応できるそうである。

問題は、北朝鮮の基地情報、重要ポイントの位置、強度、埋蔵物件等の調査を要する点である。ここでアメリカの協力は不可欠だが、アメリカに任せるのではなく、敵基地調査は必要だと日本が言い出し、動き出すことが肝腎《かんじん》である。調査をやり出すだけで国内のマスコミが大さわぎするかもしれないばからしさを克服し、民族の生命を守る正念場に対面する時である。小型核のノドン搭載は時間の問題である。例のPAC3を百台配置しても間に合わない時が必ず来る。しかも案外、早く来る。二十五日には二回目の核実験が行われた。

アメリカや他の国は日本の出方を見守っているのであって、日本の本気だけがアメリカや中国を動かし、外交を変える。六カ国協議は日本を守らない。何の覚悟もなく経済制裁をだらだらつづける危険はこのうえなく大きい。

小沢問題とは何か
権力集中は独裁の序章

平成二十二（二〇一〇）年一月二十七日

東京地検特捜部による小沢一郎民主党幹事長に対する事情聴取が終わって、世間の関心は今、刑事責任追及の展開や鳩山由紀夫内閣に与える政治的激震の予測を占う言葉で騒然としているが、ここでわれわれは少し冷静に戻り、小沢問題とは何であったか、その本当の危うさは今なお何であるのかを顧みる必要があると思う。

小沢氏は最大与党の幹事長として巨額の政党助成金を自由にし、公認権を握り、地方等からの陳情の窓口を自分に一元化し、［平成二十一］年末には天皇陛下をあたかも自分の意の儘《まま》になる一公務員であるかのように扱う無礼を働き、近い将来に宮内庁長官の更迭や民間人起用による検事総長の首のすげ替えまで取り沙汰《ざた》していた。つまりこれは、あっという間に起こりかねない権力の異常な集中である。日韓併合一〇〇年における天皇訪韓をソウルで約束したり、問題の多い外国人地方参政権法案の強行採決を公言したりもした。一番の驚きは、訪中に際し自らを中国共産党革命軍の末席にあるかのごとき言辞を弄し、民主党議員百四十余人を中国国家主席の前に拝跪《はいき》させる服属の儀式をあえて演出した。

穏やかな民主社会の慣行に馴《な》れてきたわれわれ日本国民には馴染まない独裁権力の突然の出現であり、国民の相談ぬきの外交方針の急変であった。この二点こそが小沢問題の危険の決定的徴表である。恐らく彼の次の手は――もし東京地検の捜査を免れたら――地方議会を押さえ込み、国内のどこからも反対の声の出ない専制体制を目指すことであろう。

まさかそこまでは、と、ぼんやりゆるんだ自由社会に生きている一般国民はにわかには信じ難いだろうが、クーデターは瞬時にして起こるものなのである。今の「権力」のあり方を考えれば、危うさ、きわどさが分かる。

鳩山首相が小沢氏に「どうか検察と戦って下さい」と言ったことは有名になった。小沢対検察の戦いのはずが、これは政府対検察の戦いになっていることを意味する。民主党は検察の「リーク検証チーム」を作り、反権力を演じた。民主党は政府与党のはずである。自らが権力のはずである。権力が反権力を演じている。とてもおかしな状態である。いいかえれば今の日本は政府が反政府を演じる「無政府状態」になっていることを意味するのである。

無政府状態にクーデター

しかもこの反権力は小沢氏の後押しがあって何でもできると勘違いをしている。天皇陛下も動かせるし、内閣法制局も言うことを聞かせられると思っている。逮捕された石川知裕代議士は慣例に従えば離党することになるが、小沢氏の離党につながるので誰もそうせよと言い出すことができない。小沢氏も幹事長職を辞めない構えである。つまり民主党だけが正しく、楯《たて》突く者は許さないという態度である。こんな子供っぽい、しかも危険な政治権力は今まで見たことがない。

小沢民主党のここさしあたりの動きを見ていると、独裁体制がどうやって作られるのかという、さながらドキュメンタリー番組を見ているような気さえする。一種の「無政府状態」を作ってそこでクーデターを起こした。それが今展開されている小沢＝鳩山政権である。そのようなファッショ的全体主義的体質の政権を、今まで民主主義を金科玉条としてきたはずのマスコミが何とかして好意的に守ろうとするのはどういうわけなのか。今の日本で唯一の民主主義を守る頼りになる「権力」がじつは検察庁であるというのは決して望ましいことではないにしても、否定することのできない皮肉な現実ではないか。以前にもライブドア事件という似た例があった。裁判所が処罰せずに取り逃したホリエモンや村上ファンドを公序良俗に反するとして裁いて自由主義の暴走を防いだのは検察庁だった。

平和で民主的な開かれた自由社会はつねに「忍耐」という非能率の代償を背負って成り立っているが、自由の余りの頼りなさからときおりヒステリックに痙攣《けいれん》することがある。小泉内閣が郵政選挙で大勝したときも自民党の内部は荒れ果てて、首相の剣幕《けんまく》に唇寒しで物も言えない独裁状態に陥った。自由はつねに専制と隣り合わせている。今度の小沢氏の場合も政権交代の圧勝がもたらした自由の行き過ぎの暴走にほかならぬ。

ただ今度は自由が専制に切り替わったとき、中国や朝鮮半島の現実を無媒介、無警戒に引き受ける外交方針の急展開を伴って強引な政策として推し進められる恐れを抱いている。それが米国に向いた小泉内閣の暴走とまた違った不安を日本国民に与えている。

農水大臣は韓国民団の新年会で外国人地方参政権の成立を約束した。幹事長代行は日教組支持を公言し、教職員に政治的中立などあり得ないとまで言っている。もし小沢氏の独裁権が確立されたなら、日本は例を知らない左翼全体ファッショ国家に急変していくことを私は憂慮している。

「外国人制限」がタブーになった国家意志が強いられる「沈黙」

平成二十二(二〇一〇)年三月三十日

貴乃花が大相撲の改革に乗り出して相撲協会理事に立候補し、当選するという話題をさらう出来事があった。私は貴乃花の提案する改革の内容に注目した。誰が見ても今の相撲界の危機はモンゴル人を筆頭に外国人力士が上位を圧倒的に占有していることである。若い有能な日本人はこれでは他のスポーツに逃げてしまう。

しかし貴乃花は理事に当選する前も、した後も外国人制限に関する新しい何らの提言もしていない。否、スポーツ評論の世界で現実的で具体的なこの点での揚言をなす者は寡聞にして聞かない。西欧の音楽の世界では、オーケストラでもオペラでも東洋人の数を一人ないし二人に制限している。

自分たちの文化を大切に思うなら、異邦人に対する厳格な総数制限は当然であり、遠慮は要らない。しかし貴乃花にしても誰にしても決して声を上げない。それはなぜであるか。「人種差別主義者」といわれるのを恐れているからである。外国人地方参政権問題でも、困るのはタブーが支配し、唇寒くなることである。

高校授業料無償化法案をめぐって、金正日総書記の個人崇拝教育が公然と行われている朝鮮学校は対象外とするのが当然なのに、方針があいまいなままになっている。ここでも「差別はいけない」の美しい建前が、侮辱的な反日教育に日本の税金を投じるなという常識をついに圧倒してしまった。

外国人地方参政権法案が通ると、こうした筋の通らぬおかしなことが全国いたる所に広がり、朝鮮総連や韓国民団の理不尽な権利要求は「差別はいけない」の声が追い風となって、何でも通る敵なしの強さを誇り、中国人永住権獲得者がそれに加わって、日本の市役所や教育委員などはただ頭をぺこぺこ下げて、ご無理ごもっともと何ごとにつけ押し切られてしまうだろう。

政府が「国連」とか「世界市民」とか「人権擁護」といった美しい理念に金しばりに遭い、それに歩調を合わせてメディアが「人権差別」という現代のタブーに触れるのを恐れて沈黙し、言論人やジャーナリストが自由にものが言えなくなってしまうのが、外国人受け入れ問題の、受け入れ国側に及ぼす目に見えない深刻な影響である。

欧州では「内乱」状態に

人口比八～九％もの移民を受け入れた西欧各国の例をみると、反対言論を封じられた怒りが反転して爆発し、フランスやオランダを一時、「内乱」状態に陥れた。ドイツは国家意志が「沈黙」を強いられた悲劇に陥っている。

ドイツの首都ベルリンのノイケルンというトルコ、旧ユーゴ、レバノンからの移民が九割を占める地区の小学校の調査リポート、約九分の国営放送制作の貴重なフィルムを、今われわれはインターネットの動画（ＹｏｕＴｕｂｅ）で見ることができる。「ドイツの学校教育とイジメ・移民政策の破綻《はたん》」の文字を入力して、日本の未来を思わせる次の恐ろしい悲劇をぜひ見ていただきたい。

ドイツの小学校の校内は暴力が支配し、カメラの前で二人のドイツ人少年は蹴《け》られ、唾《つば》をかけられ、安心して歩けない。ここは校内撮影を許されたが、別の小学校である児童は「お前はドイツ人か、トルコ人か」と問い詰められ、「そうさ、ドイツ人さ。神さまなんか信じない」と言ったら、いきなり殴られ、学校中の不良グループが集まってきてこづかれ、「僕は何もできなかった」と唇を噛《か》む。ある少女は宗教をきかれ、「そうよ、キリスト教徒よ」と答えると、みんなから笑われ、「あんたなんか嫌いーッ」と罵《ののし》られた。この小学校の調査訪問を申し出ると、撮影は「外国人差別を助長するから」の理由で公式に拒否された。

リポーターはベルリン市の行政の門を叩く。移民同化政策の担当者はフィルムを見ても「子供の気持ちは分かるが、そもそもドイツの学校はドイツ人のものだという古い考え方は倒錯した考えだ」と紋切り型の言葉を述べる。リポーターは家庭訪問もするが、母親は「街を出るのがいいのは分かっているけど、私はこの街で生まれたのよ」と言う。経済的に余裕のある人はこの地区に住んでいないとリポートは伝える。街を逃げ出すのが唯一の解決なら「共生」という名の移民政策の破綻ではないかと訴える。

問題を公にする者は差別者のレッテルを張られ、排除される。このスキを狙い、貧困家庭をターゲットにしたカルト教団が動き出している。問題を公に口外できないタブーの支配が政治の最大の問題である、と。

ドイツは今、税収不足を外国人移民の増加に依存し、それで救われているのが教会であり、国防軍も外国人の若者に頼るという、首根を押さえられた事態に陥っている。外国人に奪われた土俵を見て見ぬふりの貴乃花の沈黙は、やがて日本の社会全体を蔽《おお》う不幸の発端であり、象徴例であるといっていいだろう。

平成二十二（二〇一〇）年九月二十九日

米中の挟み撃ちに遭っている
独力で国を守る思想がない

九月二十四日午後［平成二十二年］、中国人船長が処分保留のまま釈放される、との報を最初に聞いた日本国民は、一瞬、耳を疑うほどの驚愕《きょうがく》を覚えた人が多かったが、私も例外ではなく、耳を塞《ふさ》ぎたかった。日本政府は国内法に則《のっと》って粛々とことを進めると再三、公言していたわけだから、ここで中国の言い分を認めるのは自国の法律を否定し、自ら法治国家であるのをやめたことになる。尖閣海域は今日から中国領になるのだな、と思った。

まさか、中国もいきなり軍事侵攻してくるわけはあるまい、と大方の人が考えているが、私は、それは少し甘いのではないかと思っている。また、アメリカが日米安保条約に基づいて抑止してくれると信じている人も圧倒的に多いようだが、それは、さらに甘いのではないかと思っている。アメリカは常々、領土をめぐる他国の紛争には中立だとし、現状の実効支配を尊重すると言っている。だからブッシュ前政権が竹島を韓国領と認定したこともある。北方領土の範囲を最初に不明確に設定したのはアメリカで、日ソ間を永遠に不和のままに置くことが国益に適《かな》ったからだとされる。それが彼らの戦略思考である。

クリントン米国務長官が二十三日の日米外相会談で尖閣に安保条約第五条が適用されると言ったのは、日本が実効支配している島だから当然で、それ以上の意味はない。侵略されれば、アメリカが直ちに武力行使するとは第五条には書かれていない。「自国の憲法上の規定及び手続に従って、共通の危険に対処するように行動する」と宣言しているだけだ。議会の承認を要するから、時間もかかるし、アメリカが「共通の危険」と思うかどうかは情勢次第である。

だから、ジェームス・アワー元米国防総省日本部長は、日本が尖閣の主権を守る自らの決意を示さなければ、領土への正当性は得られず、竹島に対する日本の態度は悪い見本だと批判的である（［平成二十二年］九月二十四日付産経新聞朝刊）。

言い換えれば、自衛隊が中国軍と一戦を交え、尖閣を死守するなら、アメリカはそれを精神的に応援し、事後承諾するだろう。しかし逆に、何もせず、中国に占領されたら、アメリカは中国の実効支配を承認することになるだけだろう。安保条約とは、その程度の約束である。日米首脳会談で、オバマ米大統領が尖閣を話題にしなかった冷淡さは、島嶼《とうしょ》部の領土争いに、米政府は関与しないという意思の再表明かもしれない。

善意に悪意でお返しされた

そうであれば今回、わが国が、中国政府に対し何ら言論上の争いもせず、自国の固有領土たる理由をも世界に説明せず、さっさと白旗を揚げた対応は最悪で、第五条の適用を受ける資格が日本にないことをアメリカ政府に強く印象づける結果になっただろう。

自分が善意で振る舞えば、他人も善意で応じてくれると信じる日本型ムラ社会の論理が国境を越えれば通用しないことは、近ごろ海外旅行をする国民には周知だ。中国に弱気の善意を示して強烈な悪意をもって報復されたことは、日本の政治家の未熟さを憐《あわ》れむだけで済むならいいが、国益を損なうこと甚大であり、許し難い。

那覇地検が外交の領分に踏み込んだことは、多くの人が言う通り越権行為である。仙谷由人官房長官が指揮権発動をちらつかせて司法に圧力をかけた結果だ、と情報通がテレビで語っていた。

それが事実なら、国家犯罪規模のスキャンダルである。検察官と官房長官を国会に証人喚問して、とことん追及することを要求する。

日本の政治家に国家観念が乏しく、防衛と外交が三流にとどまる胸の痛むような現状は批判してもし過ぎることはないが、他方、ことここに至った根本原因は日米安保体制にあり、アメリカの、日本に攻撃能力を持たせまいとした占領以来の基本政策にある。

講和条約作りを主導し、後に国務長官になるダレス氏は、アメリカが日本国内に基地を保持する所以《ゆえん》は、日本の自衛権に攻撃能力の発展を許さないためだ、と説明している。以来、自衛隊は専守防衛を義務づけられ、侵略に対してはアメリカの協力を待って排除に当たるとされ、独力で国を守る思想が育ってこなかった。日本に国防の独力をもっと与えようという流れと、与えまいとする流れとの二つがアメリカにはあって、日本は翻弄《ほんろう》され、方途を見失って今日に至っている体たらくを、中国にすっかり見抜かれている。

しかし、アメリカも相当なものであり、尖閣の一件で、在日米軍の駐留経費の日本側負担（思いやり予算）を、大幅に増額させる方針を固めているという。

日本は米中の挟み撃ちに遭っているというのが、今回の一件である。アメリカに攻撃力の開発を抑えられたまま、中国に攻撃されだしたのである。後ろ手に縛られたまま、腹を足蹴《げ》りにされているようなものだ。そして、今、痛いと言ってうずくまっている姿、それがわが祖国なのだ。嗚《あ》呼《あ》！

中国恐怖症が日本の元気を奪う歴史認識の完全な間違い

平成二十三（二〇一一）年一月十二日

これからの日本は中国を抜きにしては考えられず、特に経済的にそうだと、マスコミは尖閣・中国漁船衝突後も言い続けている。

経済評論家の三橋貴明氏から二〇〇九年度の次の数字を教えてもらった。中国と香港への日本からの輸出額は一四一五億ドルで、日本の国内総生産（GDP）約五兆ドルの二・八％にすぎない。日本の輸入額は一二二三六億ドルで、二・四％ほどである。微々たるものではないか。仮に輸出が全部止まってもGDPが二％減る程度だ。高度技術の部品や資本財が日本から行かなくなると、困るのは中国側である。これからの日本は中国抜きでもさして困らないではないか。

それなのに、なぜか日本のマスコミは中国の影におびえている。俺《おれ》たちに逆らうと大変だぞ、と独裁国家から催眠術にかけられている。中国を恐れる心理が日本から元気を奪っている。日本のGDPが世界三位に転落すると分かってにわかに自らを経済大国と言うのを止め、日本が元気でなくなったしるしの一つとなっている。

だが、これはバカげている。日本の十倍の人口の国が日本と競り合っていることは圧倒的日本優位の証明だからだけではない。今の中国人は人も住まない空マンションをどんどん造り、人の通らない砂漠にどんどん道路を造り、犯罪が多いから多分刑務所もどんどん造り、GDPを増大させている。ＧＤＰとはそんなものである。

日本のＧＤＰが下がりだしたのは、橋本龍太郎政権より後、公共投資を毎年二、三兆円ずつ減らし続け、十四年経過したことが主たる原因である。効果的な支出を再び増やせば、ＧＤＰはたちまち元に戻る。子供手当を止め、その分をいま真に必要な国土開発、港湾の深耕化、外環道路の建設、橋梁《きょうりょう》や坑道の補修、ハブ空港の整備（羽田・成田間の超特急）、農業企業化の大型展開など、再生産につながる事業をやれば、ＧＤＰで再び世界二位に立ち返るだろう。

中国は文明大国という強迫観念

わが国は国力を落としているといわれるが、そんなことはない。中国に比べ、国民の活力にかげりが見えているのでもない。拡大を必要とするときに、縮小に向けて旗を振る指導者の方針が間違っていて、国民が理由のない敗北心理に陥っているのである。

しかし、いくらそう言っても、中国を恐れる心理が消えないのはなぜなのか。中国は五千年の歴史を持つアジア文明の中心的大国であり、日本はそこから文化の原理を受け入れてきた「周辺文明圏」に属し、背伸びしても及ばない、という無知な宿命論が日本人から元気を奪っているからだ。ある政府要人は日本はもともと「属国」であったと口走る始末である。日本がかつて優位だったのはわずかに経済だけである。それがいま優位性を失うなら、もはや何から何まで勝ち目はない。この思い込みが、中国をただ漫然と恐れる強迫観念の根っこにある。

しかし、これは歴史認識の完全な間違いである。正しい歴史は次のように考えるべきである。

古代中国は確かに、古代ローマに匹敵し、周辺諸国に文字、法観念、高度宗教を与えた。だが、古代両文明はそこでいったん幕を閉じ、日本と新羅、ゲルマン語族が勃興《ぼっこう》する地球の文明史の第二幕が開いたと考えるべきである。漢、唐帝国とローマ帝国は没落し周辺に記憶と残像を与え続けたが、もはや二度と普遍文明の溌剌《はつらつ》たる輝きを取り戻すことはなかった。

ことに、東アジアではモンゴルが登場し、世界史的規模の帝国を築き、中国は人種的に混交し、社会構造を変質させた。東洋史の碩学《せきがく》、岡田英弘氏によると、漢民族を中心とした中国民族史というものの存在は疑わしく、治乱興亡の転変の中で「漢人」の正体などは幻と化している。

現代のギリシャ国家が壮麗な古代ギリシャ文明と何の関係もないほどみすぼらしいように、現代の中国も古代中華帝国の末裔《まつえい》とはほとんど言い難い。血塗られた内乱と荒涼たる破壊の歴史が中国史の正体である。戦争に負ければ匪賊《ひぞく》になり、勝てば軍閥になるのが大陸の常道で、最強の軍閥が皇帝になった。現代の〝毛沢東王朝〟も、その一つである。

ユーラシア大陸の東西の端、日本列島とヨーロッパはモンゴルの攻略を免れ、十五、十六世紀に海洋の時代を迎えて、近代の狼煙《のろし》を上げた。江戸時代は十七世紀のウェストファリア体制（主権国家体制）にほぼ匹敵する。日本とヨーロッパには精神の秩序があり、明治維新で日本がヨーロッパ文明をあっという間に受け入れたのは、準備ができていたからである。

中国が五千年の歴史を持つ文明の大国だという、ゆえなき強迫観念を、われわれは捨てよう。恐れる必要はない。福沢諭吉のひそみに倣って、非文明の隣人としてズバッと切り捨てる明快さを持たなくてはいけない。

最悪の中の最悪を考えなかった福島原発事故の最大の原因

平成二十三（二〇一一）年三月三十日

原発事故下にあえぐ福島県の地域住民の方々、ならびに、原発の現場で日夜を問わず国の破綻を防いでくれている多くの勇敢な方々に、まず、心からの同情と感謝を申し述べたい。これから後は、いよいよ指導者たちが政治的勇気を見せる番ではないかと考える。

今度の福島第一原発の事故は、原子力技術そのものの故障ではなく、電源装置やポンプや付帯設備（計器類など）の津波による使用不能の事態が主因である。防止策として予《あらかじ》め小型発電機を設置しておくべきだったと批判する人がいたが、福島では非常用ディーゼルが用意されていて、しかも、それがちゃんと動いたと聞く。しかしディーゼルを冷却するポンプが海側にあって流され、冷却できなかった。これがミスの始まりだったようだ。電源が壊れ、原子炉への注水機能がきかなくなった。Aの電源が壊れたらBの電源……C、Dと用意しておくほど、重大な予防措置が必要なはずではないか。

東北は津波のたえない地域である。設計者はそのことを当然知っていた。東京電力は今回の津波の規模は「想定外」だというが、責任ある当事者としてはこれは言ってはいけない言葉だ。たしかに津波は予測不能な大きさだったが、二〇〇六年の国会で、共産党議員がチリ地震津波クラスでも引き波によって冷却用の海水の取水停止が炉心溶融に発展する可能性があるのではないかと質問していた。二階俊博経産相（当時）は善処を約していたし、地元からも改善の要望書が出されていたのに、東電は具体的改善を行わなかった。

同原発は原子炉によっては四十年たち、老朽化してもいたはずだ。東電が考え得るあらゆる改善の手を打っていた後なら、津波は「想定外」の規模だったと言っても許されたであろう。危険を予知し、警告する人がいても、意に介さず放置する。破局に至るまで問題を先送りする。これが、日本の指導層のいつもの怠惰、最悪の中の最悪を考えない思想的怠慢の姿である。福島原発事故の最大の原因はそこにあったのではないのか。

作業員の不幸な被曝事故に耐えつつも日夜努力されている現場の復旧工事は、今や世界注視の的となり、国家の命運がかかっているといっても過言ではない。何としても復旧は果たされなければならない。二百三十キロの距離しかない首都東京の運命もここにかかっている。決死的作業はきっと実を結ぶに違いないと、国民は息を詰めて見守っているし、とりわけ同型炉を持つ世界各国は、「フクシマ」が日本の特殊事情によるものなのか、他国でも起こり得ることなのか、自国の未来を測っているが、日本にとっての問題の深刻さは、次の二点であると私は考える。

再度の原発事故を恐れている

第一は、事故の最終処理の姿が見えないことである。原子炉は、簡単に解体することも廃炉にすることもできない存在である。そのために、青森県六ケ所村に再処理工場を作り、同県むつ市に中間貯蔵設備を準備している。燃料棒は四、五年冷却の必要があり、その後、容器に入れて貯蔵される。しかし、福島第一原発の燃料はすでに溶融し、かつ海水に浸っているので、いくら冷却してもこれを中間貯蔵設備に持っていくことはできないようだ。関係者にも未経験の事態が訪れているのである。

殊に四号機の燃料は極めて生きがよく、いくら水を入れてもあっという間に蒸発しているらしい。しかも遮蔽するものは何もない。放射性物質は今後何年間も放出される可能性がある。長大で重い燃料棒を最後にチェルノブイリのようにコンクリートで永久封印して押さえ込むまでに、放射線出しっ放しの相手を何年水だけを頼りにあの場所で維持しなければならないのか。東電にも最終処理までのプロセスは分からないのだ。

それに、周辺地域の土壌汚染は簡単には除染できない。何年間、立ち入り禁止になるのか、農業が再開できるのは何年後か、見通しは立っていない。当然、補償額は途方もない巨額となるだろう。

問題の第二は、今後、わが国の原発からの撤退とエネルギー政策の抜本的立て直しは避け難く、原発を外国に売る産業政策ももう終わりである。原発は東電という企業の中でも厄介者扱いされ、一種の「鬼っ子」になるだろう。それでいて電力の三分の一を賄う原発を今すぐに止めるわけにいかず、熱意が冷めた中で、残された全国四十八基の原子炉を維持管理しなくてはならない。そうでなくても電力会社に危険防止の意志が乏しいことはすでに見た通りだ。国全体が「鬼っ子」に冷たくなれば、企業は安全のための予算をさらに渋って、人材配置にも熱意を失うだろう。私はこのような事態が招く再度の原発事故を最も恐れている。日本という国そのものが、完全に世界から見放される日である。

手に負えぬ四十八個の「火の玉」をいやいやながら抱きかかえ、しかも上手に「火」を消していく責任は企業ではなく、国家の政治指導者の仕事でなくてはならない。

米国の理不尽な締め付けに反撃
真珠湾攻撃七十年の意味

平成二十三（二〇一一）年八月五日

大震災後初の終戦記念日に続いて、真珠湾攻撃七十周年記念日（今年［平成二十三年］十二月八日）が近づいている。

第二次世界大戦で、米国はドイツを主要な敵と見立て、対日戦はそのための手段だったと見る説があるが、十九世紀からの歴史を考えるとそんなことは全く言えない。欧州戦線で米軍は「助っ人」を演じ切ったが、太平洋戦線では「主役」そのものだった。昭和十四（一九三九）年まで、日本は米英一体とは必ずしも考えていなかったのに、あっという間に米国が正面の敵となった。かねて狙っていた標的に襲いかかる勢いだった。

米国内にはドイツ系市民が多数いて、ドイツに対する米国の戦意の形成は大戦直前の短期間だったのに対し、日本に対する戦意の歴史は根が深く、ハワイ併合時（一八九八年）にすでにあり、日露戦争後（一九〇六年）に露骨に明確になった。日系市民の存在は、ドイツ系と違って、米国内の敵意の発生の場、人種感情の最もホットな温床であった。

十九世紀前半に、米国はメキシコと大戦争をしている。テキサスを併合し、アリゾナ、コロラド、ネバダ、ユタ、ワイオミングの各州に当たる地域を奪取し、ニューメキシコとカリフォルニアを買収、この勢いは西海岸をはみ出して西へ西へと太平洋にせり出した。

南北戦争の内乱でしばし足踏みした後、明治維新を経た新興日本の急成長を横目に、米国はスペインと開戦してフィリピンを併合、用意していたハワイ併合も果たした。ハワイ併合に、大隈重信らが抗議してしつこく食い下がった日本外交の抵抗は知られていない。米国は余勢を駆って、グアム、サモア、ウェークなどの島を相次いでわがものとした。日本にとっては、脅威そのものだった。

米国の西進というパワーの源には、非白人国家に文明をもたらすことを神から与えられた使命と考える身勝手な宗教的動機もあったが、英国、オランダ、フランスに加えてドイツまでもが太平洋に植民地を築き、中国大陸が西欧に籠絡されていることへの、遅れてきたものの焦りがあった。

興味深いのは、フィリピンやグアムなどの領有には武力行使をためらわなかった米国が中国大陸を目前にして方針を急に変えたことである。米国は、大陸に武力を用いるのに有効な時期を逸していることに気づいた。ロシアと英国が早くから中国に介入していたからである。米国は「門戸開放」を唱えだした。俺にも分け前を寄越せという露骨なサインである。米国はそこで、中国大陸への侵攻を目指して、北方、中央部、南方の三方向から順次、介入を試みた。

北方ではロシアが日本より先に満州を押さえ、朝鮮半島を狙っていた。そこで、米国はロシアを追い払うために日本を利用し、日露戦争で日本を応援して漁夫の利を得ようとしたが、誇り高い日本民族がこれを許さない。鉄道王ハリマンの野望は打ち砕かれた。それでも、米国は満州への経済進出の手をゆるめない。

なぜ米国は日本と戦争したか問え

第一次大戦中に、アジア市場には日本の影響力が高まったので、米資本が進路を拡大するには武力に訴えたかったのだろうが、各国の力学が複雑に張り巡らされた大陸の情勢下では、それも難しく、米国は上海を中心とする中国の中央部に狙いを移し、文化事業、キリスト教の宣教などを手段とし、非軍事的方法で揺さ振りをかける道を選んだ。日中の離間を謀るさまざまな手が打たれた。米国はことごとく日本を敵視した。米国への中国人留学生迎え入れの予備校である精華学院などを創設、中国人の排日テロを背後から支援し続けた。キリスト教宣教師はしばしば反日スパイの役割を演じた。

西進への米国の果てしない衝動は、他の西欧諸国とは異なる独特の、非合理的な熱病じみたものを感じさせる。満州へも、中国本体の中心部へも、思う存分介入できなかった米国は、とうとう最後に南方からの介入で、抵抗を一気に排除しにかかった。フィリピン、グアムを軍事拠点に、英国やオーストラリア、オランダとの合作により南太平洋を取り囲む日本包囲攻撃の陣形を組み、大陸への資本進出を実行する障害除去のための軍事力動員の道に突っ走った。

かの真珠湾攻撃は、米国の理不尽で無鉄砲なこの締め付けに対する日本の反撃の烽火《のろし》であった。日本人は戦後、なぜわれわれは米国と戦争する愚かな選択をしたのかと自己反省ばかりしてきた。しかし、なぜ米国は日本と戦争するという無法を犯したのかと、むしろ問うべきだった。米国の西進の野蛮を問い質すことが必要だった。西へ向かうこの熱病は近年、中国を飛び越え、アフガニスタンから中東イスラム圏にまで到達し、ドルの急落を招き、遂に大国としての黄昏《たそがれ》を迎えつつある。真珠湾攻撃は、七十年間かけて一定の効果をあげたのである。

第六章　日本民族の哲学

中華冊封体制の金融版
欧州諸国の参加は巧妙な策略

平成二十七（二〇一五）年四月十六日

中国主導によるアジアインフラ投資銀行（ＡＩＩＢ）に、英国を先頭に仏独伊など西欧各国の参加意思が表明され、世界五十カ国以上にその輪が広がったことが、わが国に少なからぬ衝撃を与えたように見える。中国による先進七カ国（Ｇ７）の分断は表向き功を奏し、米国の力の衰退と日本の自動的な「従米」が情けないと騒ぎ立てる向きもある。

もとより中央アジアからヨーロッパへ鉄道を敷き、東南アジアからインド洋を経てアフリカ大陸に至る海上ルートを開く中国の壮大な「一帯一路」計画は夢をかき立てるが、しかしそれが中国共産党に今必要な政治的経済的戦略構想であり、中華冊封体制の金融版にほかならぬことは、だれの目にもすぐに分かるような話ではある。

中国は鉄鋼、セメント、建材、石油製品などの生産過剰で、巷《ちまた》に失業者が溢《あふ》れ、国内だけでは経済はもう回らない。粗鋼一トンが卵一個の値段にしかならないという。

外へ膨張する欲求は習近平国家主席の「中華民族の偉大なる復興」のスローガンにも合致し、ドル基軸通貨体制を揺さぶろうとする年来の野心に直結している。それはまた南シナ海、中東、中央アジアという軍事的要衝を押さえようとする露骨な拡張への動機をまる見えにしてもいる。

それならなぜ、遅れてきたこのファシズム的帝国主義の台頭を世界は許し、手を貸すのだろうか。今まで論じられてきた論点に欠けている次の三点を指摘したい。

計画の壮大さに目がくらみ、浮足立つ勢力に、実行可能なのかどうかを問うリアリズムが欠けている。中国の外貨準備高は二〇一四年に四兆ドル近くに達しているが、以降急速に減少しているとみられている。中国の規律委員会が一兆ドル余は腐敗幹部により海外に持ち出されているとしているが、三兆七八〇〇億ドルが消えているとする報道もある。

持ち出しだけではもちろんない。米国はカネのすべての移動を知っているだろう。日本の外貨準備高は中国の三分の一だが、カネを貸している側で対外純資産はプラスである。最近知られるところでは、中国政府は海外から猛烈に外貨を借りまくっている。どうやら底をつきかけているのである。

中韓は果たして日本の隣国か

ＡＩＩＢは中国が他国のカネを当てにし、自国の欲望を満たそうとする謀略である。日米が参加すれば巨額を出す側になる。日本の場合、ばかばかしい程の額を供出する羽目になる可能性がある。安倍晋三政権が不参加を表明したのは理の当然である。

第二に問われるべきは欧州諸国の参加の謎である。欧州はロシアには脅威を感じるが中国には感じない。強すぎるドルを抑制したいというのが欧州連合（ＥＵ）の一貫した政策だが、ユーロがドルへの対抗力となり得ないことが判明し、他に頼るべき術《すべ》もなく、人民元を利用しようとなったのだ。

中国の力を味方につけて中露分断を図り、ロシアを少しでも抑制したいのが今の欧州の政治的欲求でもある。それは安倍政権がロシア接近を企て、それによって中国を牽制《けんせい》したいと考える政治的方向と相通じるであろう。欧州は経済的に日米から、政治的にロシアから圧力を受けていて、そこから絶えず自由になろうとしているのがすべての前提である。

それなら英国が率先したのはなぜか。英国が外交と情報力以外にない弱い国になったからである。英米はつねに利害の一致する兄弟国ではなく、一九三九年まで日本人も「英米可分」と考えていた。

第二次大戦もそれ以降も、英国は米国を利用してドイツとロシアを抑止する戦略国家だった。今また何か企《たくら》んでいる。中国はばか力があるように見えるが直接英国に危害を及ぼしそうにない。その中国を取り込み、操って政治的にロシアを牽制し、日本と米国の経済的パワーをそぐ。これは独仏も同じである。日本が大陸の大国と事を構えて手傷を負うのはむしろ望むところである。AIIBは仮にうまくいかなくても巨額は動く。欧州諸国の巧妙な策略である。

第三に中国と韓国は果たして日本の隣国か、という疑問を述べておく。地理的には隣国でも歴史はそうはいえない。隣国と上手に和解したドイツを引き合いに日本を非難する向きに言っておくが、ドイツが戦後一貫して気にかけ、頭が上がらなかった相手はフランスだった。それが「マルクの忍耐」を生んでEU成立にこぎ着けた。

それなら同様に戦後一貫して日本が気兼ねし、頭が上がらなかったのはどの国だったろうか。中国・韓国ではない。アメリカである。ドイツにとってのフランスは日本にとっては戦勝国アメリカである。日本にとっての中国・韓国はドイツにとってはロシアとポーランドである。その位置づけが至当である。こう考えれば、日米の隣国関係は独仏関係以上に成功を収めているので、日本にとって隣国との和解問題はもはや存在しないといってよいのである。

自らの歴史の中に活路はある 言語を磨く文学部を重視せよ

平成二十七（二〇一五）年九月十日

自国の歴史を漢字漢文で綴《つづ》っていた朝鮮半島の人々が戦後、漢字を捨て、学校教育の現場からも漢字を追放したと聞く。住人は自国の歴史が漢字の原文で読めないわけだ。私はそのことが文化的に致命傷だと憂慮しているが、それなら今の日本人は自国の歴史の原文を簡単に読めるだろうか。漢文も古文も十分に教育されていない今の日本人も、同様に歴史から見放されていないか。学者の概説を通じて間接的に自国の歴史を知ってはいるが、国民の多くがもっと原典に容易に近づける教育がなされていたなら、現在のような「国難」に歴史は黙って的確な答えを与えてくれる。

聖徳太子の十七条憲法と明治における大日本帝国憲法を持つわが国が三番目の憲法を作ることがどうしてもできない。もたもたして簡単にいかないのは何も政治的な理由だけによるのではない。

古代と近代に日本列島は二つの巨大文明に襲われた。二つの憲法はその二つの文明、古代中国文明と近代西洋文明を鑑《かがみ》とし、それに寄り添わせたのではなく、それを契機にわが国が独自性を発揮したのである。しかしいずれにせよ大文明の鑑がなければ生まれなかった。今の日本の困難は自分の外にいかなる鑑も見いだせないことにある。米国は臨時に鑑の役を果たしたが、その期限は尽きた。

はっきり見つめておきたいが、今のわが国は鑑を自らの歴史の中に、基軸を自らの過去の中に置く以外に、新しい憲法をつくるどんな精神上の動機をも見いだすことはできない。もはや外の文明は活路を開く頼りにはならない。

そう思ったとき、自国の言語と歴史への研鑽《けんさん》、とりわけ教育の現場でのその錬磨が何にもまして民族の生存にかかわる重大事であることは、否応《いやおう》なく認識されるはずである。ところが現実はどうなっているのか。

文部科学省は［平成二十七年］六月八日、「国立大学法人等の組織及び業務全般の見直しについて」という通知を各国立大学長などに出した。そこに「人文社会科学系学部・大学院については（中略）組織の廃止や社会的要請の高い分野への転換に積極的に取り組むよう努めることとする」とあり、現にその方向の改廃が着手されていると聞く。先に教養課程の一般教育を廃止し、今度リベラルアーツの中心である人文社会科学系の学問を縮小する文科省の方針は、人間を平板化し、一国の未来を危うくする由々しき事態として座視しがたい。

国家の運命を動かした文学者の言葉

文学部は哲学・史学・文学を中心に据え、西欧の大学が神学を主軸とするように（ドイツでは今でも「哲学部」という）、言語教育を基本に置く。文学部が昔は各大学の精神のいわば扇の要だった。

言語は教養の鍵である。何かの情報を伝達すればそれでよいというものではない。言語教育を実用面でのみ考えることは、人間を次第に非人間化し、野蛮に近づけることである。言語は人間存在そのものなのである。言語教育を少なくして、理工系の能力を開発する方に時間を回すべきだというのは「大学とは何か？」を考えていないに等しい。言葉の能力と科学の能力は排斥し合うものではない。

殊にわが国では政治危機に当たって先導的役割を果たしてきたのは文学者だった。ベルリンの壁を越える逃亡者の実態を最初に報告したのは竹山道雄（独文学）であり、仏紙から北朝鮮の核開発を掴《つか》み、取り上げたのは村松剛（仏文学）だった。その他、小林秀雄（仏文学）、田中美知太郎（西洋古典学）、福田恆存（英文学）、江藤淳（英文学）など、国家の運命を動かす重大な言葉を残した危機の思想家が、みな文学者だということは偶然だろうか。

本欄［「正論」欄］の執筆者の渡部昇一（英語学）、小堀桂一郎（独文学）、長谷川三千子（哲学）各氏もこの流れにある。言葉の学問に携わる人間は右顧左眄《うこさべん》せず、時局を論じても人間存在そのものの内部から声を発している。

人文系学問と危機の思想の関係は戦前においても同様で、大川周明（印度哲学）、平泉澄（国史）、山田孝雄（国語学）、和辻哲郎（倫理学）、仲小路彰（西洋哲学）などを挙げれば、文科省の今回の「通知」が将来、いかにわが国の知性を凡庸化せしめ、自らの歴史の内部からの自己決定権を奪う、無気力な平板化への屈服をもたらすことが予想される。

今のことと直接関係はないが、オリンピックの新国立競技場とエンブレムの二つ続いた白紙撤回は、組織運営問題以上の不安を国民に与えている。基本には二つのデザインに共通する無国籍性がある。北京オリンピックのエンブレムが印璽をデザインして民族性を自然に出しているのに、今度の失敗した二つのデザインには一目見ても今の日本の魂の抜けた、抽象的な空虚さが露呈している。

大切なのは言語である。自国の歴史を読めなくしている文明ではデザインにおいても訴える言葉が欠けている。

平成二十七（二〇一五）年十二月九日

人民元国際化の「脅威」と戦え
欧州は腐肉に群がるハイエナ

今年［平成二十七年］入手した外国情報の中で一番驚いたのは、ドイツに三十年以上在住の方から聞いた中国の新幹線事故、車両を土中に埋めたあの驚くべきシーンが、ドイツではほとんど知られていないという話だった。

中国の否定面の情報統制は欧州では十分に理由がある。良いことだけ伝えておく方が政財界にとって都合がいいし、一般大衆はアジアの現実に関心がない。アメリカでも中国の反日デモは十分には報道されていないと聞く。

負債総額約三千兆円、利払いだけで仮に年一五〇兆円としても返済不能とみられている中国経済。主要企業は共産党の所有物で、人民元を増刷して公的資金を企業に注入しては延命をはかってきた砂上の楼閣に中国国民も気づいている。早晩、人民元は紙くずになると焦っているからこそ、海外に巨額を流出させ、日本の不動産の爆買いまでするのではないか。天津の大爆発、鬼城（ゴーストタウン）露呈、上海株暴落、北京大気汚染の深刻さ。中国からはいい話はひとつも聞こえてこない。

日本人はこの隣国の現実をよく見ている。にもかかわらず、まことに不思議でならないのだが、欧米各国はにわかに人民元の国際化を後押しし始めた。中国経済の崩壊が秒読み段階にあるとさえ言われる時機にあえて合わせるかのごとく、国際通貨基金（ＩＭＦ）が人民元を同基金の準備資産「特別引き出し権（ＳＤＲ）」に加えることを正式に決めた。

これで中国経済がすぐに好転するわけではないが、長期的にはその影響力は確実に強まり、ドル基軸通貨体制を揺さぶろうとする国家戦略に弾みがつくことは間違いない。ＩＭＦは準備期間を置いて、中国政府に資本の移動の自由化、経済指標の透明化、変動相場制への移行を約束させると言っているが、果たしてどうだろう。昨日まで恣意《しい》的に市場操作をしていた人民銀行が約束を守るだろうか。言を左右にして時間を稼ぎ、国際通貨の特権を存分に利用するのではないだろうか。

欧州諸国は中国が守らないことを承知で中国を救う。それが自分たちを守る利益となると考えていないか。ドイツはフォルクスワーゲンの失敗を中国で取り戻し、イギリスはシティの活路をここに見ている。

私は中国と欧州の関係を「腐肉に群がるハイエナ」（『正論』六月号〔平成二十七年〕）と書いた。米国の投資家は撤退しかけているが一枚岩ではない。中国の破産は儲《もう》けになるし、対中債務は巨額で、米国は簡単に手が抜けない。中国経済は猛威をふるっても困るが、一気に崩壊しても困るのだ。ちょうど北朝鮮の崩壊を恐れて周辺国が「保存」している有り様にも似ている。

資本主義が変質する恐れも

しかし、日本は違った立場を堂々と胸を張って言わなくてはいけない。共産党の都合で上がったり下がったりする基軸通貨など御免だ。為替の変動相場制だけはSDR参加の絶対条件であることを頑強に言い張ってもらいたい。

「パニックや危機が起きた瞬間に中国当局が資本の移動を取り締まるのではという恐れがある限り、人民元をSDRの準備通貨とすることはできない」というサンフランシスコ連銀総裁のコメントを私は支持する。さもないと、資本主義そのものが変質する恐れがある。目先の利益に目が眩《くら》む欧州首脳は「資本家は金儲けになれば自分を絞首刑にするための縄をなう」の故事を裏書きしている。

忘れてはいけないのは中国は全体主義国家であって近代法治国家ではないことである。ヒトラーやスターリンにあれほど苦しんだ欧米が口先で自由や人権を唱えても、独裁体制の習近平国家主席を前のめりに容認する今の対応は矛盾そのもので、政治危機でさえある。この不用意を日本政府は機会あるごとに警告する責任がある。

思えば戦前の中国大陸も今と似た構図だった。日本商品ボイコットと日本人居留民襲撃が相次ぐ不合理な嵐の中で、欧米は漁夫の利を得、稼ぐだけ稼いでさっさと逃げていった。政治的な残務整理だけがわが国に押しつけられた。今度も似たような一方損が起こらないようにしたい。

歴史と今をつないでしみじみ感じるのは〝日本の孤独〟である。誠実に正しく振る舞ってなお戦争になった過去の真相を、今のアジア情勢が彷彿《ほうふつ》させる。

欧州はアジアがすべて中国の植民地になっても、自国の経済が潤えばそれで良いのだ。東南アジア諸国連合（ＡＳＥＡＮ）のうち一国でも中国の支配下に入れば、中国海軍は西太平洋をわがもの顔に遊弋《ゆうよく》し、日本列島は包囲される。食料や原油の輸入も中国の許可が必要になってくる。

米国も南シナ海の人工島を空爆することまではすまい。長い目でみれば中国の勝ちである。中国共産党の解消と民主化のみが唯一の希望である。わが国の経済政策はたとえ損をしてでもそこを目指すべきで、ＩＭＦの方針と戦う覚悟が差し当たり必要であろう。

米国への依頼心こそが最大の敵
国内が引き裂かれないために

平成二十八（二〇一六）年六月十日

米大統領選挙のあとに日米関係は大きな変化が訪れ、わが国は今まで考えていなかった新しい国難や試練を強いられるのではないか、という不安が取り沙汰されている。

オバマ米大統領の八年間の外交政策の評価は低い。現在の世界の不安定は相当程度に彼の不作為に原因がある。何と言っても同盟国を軽視し、仮想敵国（中国やイランなど）との融和を図る腰のぐらつきは困ったもので、日本、イスラエル、サウジアラビア、トルコなどをいたく不安がらせてきた。さらにイギリス、ドイツ、韓国を「習近平の中華帝国」に走らせ、フィリピンまでが〝親中派〟ともされる大統領を選んだ。

米国のいやがる安倍晋三首相のロシア接近も、親米一辺倒の昔の自民党なら考えられぬことだ。すべてはオバマ政権が覇権意志を失いかけていることに原因がある。

大統領選共和党候補トランプ氏が言い立てている外交戦略は、オバマ大統領の政策とはまるきり違い、大胆なものとの印象を与えているが、それほど大きな隔たりはない。「米国は世界の警察官にならない」と二度にわたって宣言したオバマ大統領の方針と本質的な違いがあるとは思えない。

背景には軍事予算の大幅削減の事情があり、だれが大統領になっても「孤立主義」「米国第一」

「国際非干渉主義」は、イラク戦争が失敗と分かってから以後の米国外交の基本ラインである。ただトランプ氏は、中国やロシアに対しては同盟を組まなければ米国も自分を守れないということが全く分かっていない点に、相違があるのみである。

動かせない米国の内向き志向の情勢下で、肝心なことは、わが国が依存体質をどう脱し、自立意志をどう高めるかである。軍事力を背景に現状を変更しようとしている中国に対する米国の抑止力は弱まるだろう。アジア各国は米国への不信感を募らせ、それぞれ生存を図ろうと中国との関係を調整し（すでに始まっている）、同盟の組み替えを試みるようになるだろう。そして国内に中国共産党の意向を迎える勢力の拡大を少しずつ許すようになるだろう。わが国も多分、例外ではない。

日本は米国に何を依存したか

恐るべきことが始まろうとしている。米国の〝離反〟を目の前にして、わが国が今まで米国に何をどのように依存していたかを整理してみる必要がある。核抑止力と通常戦力、軍事技術の基本的な部分、安全保障に必要な国際情報のほぼすべて、エネルギー輸送路の防衛、食料の大部分、驚くべきことに水資源も食料という形で大量に輸入している。これだけ依存していれば米国から離れられるわけがない。

米国は今でも世界の国防費の三七％を掌握している。中国が一一％でそれに次ぎ、ロシアが五％、約三％が英、仏、日本である。日本の自衛隊の質は非常に優れていて、装備の性能や技術力も高いが、兵員や装備は数量的に劣っている。法的準備態勢などはご承知の通り、だめである。なぜ日本が安全であったかといえば、世界最強の軍事大国と同盟を結んできたからである。

これは否定することのできない事実である。そしてこの事実の代償として、わが国の国土に一三三カ所の米軍基地（施設・区域）を許し、軍事装備品の米国以外からの購入も自主開発も制限され、約一兆ドルにも及ぶ米国債を買わされ売却する自由はなく、貿易決済の円建ては事実上、封じられている。しかも金融政策まで米国の意向に合わせざるを得ない。

これはすなわち〝保護国〟ともいえる証拠である。逆に米国は日本から防衛費の何倍もの利益を得ていることになる。トランプ氏はこの事実を知らない。わが国民も中国の「侵略」を目の前に見て、同盟国に責任と補償をさらに求めてくる米国のこれからの対応――大統領が誰になっても――に対し、今まで体験してこなかった想定外の戸惑いと苦悶《くもん》を強いられることになるだろう。

なにしろ中国の現預金は二十二兆ドル（約二千四百兆円）もあり、そのだぶついているカネを、人民元が暴落しないうちに少しでも取り込もうと、欧米の金融資本は目の色を変えている。南シナ海を侵す醜悪なスターリン型全体主義体制を、あの手この手で生き永らえさせ、温存することに必死である。日本の財務官僚も例外ではない。

恐ろしいことが起こりつつある。日本は一国では中国に立ち向かえない。米国の助けが必要である。しかし米国は内向きで、日本が必死になってすがりつこうとすればするほど、背負うべき負担はさらに倍増され、一方、国の独立と自存に無関心な国内の親中派が米国との関係を壊そうとする。

このように国内が引き裂かれる状況になるのをどう避けたらよいだろう。これからの日本に真に大切なのは、国民が自らの弱点によく気づき、国家の自立意志を片時も忘れぬことだろう。

「近代」とは何か それを蹂躙する勢力との戦い

平成二十八（二〇一六）年十月十七日

中国や韓国の歴史を口実にした政治的挑戦に対し「歴史戦」という言葉がよく使われるが、先の大戦への反省と謝罪をめぐることだけだと考えるのは早計である。同様にヨーロッパがイスラム過激派から無法な挑発を受けているのも、サイクス・ピコ協定（一九一六年）などへの恨みは無論、関係しているが、その程度のことだと思うのは、やはり早計である。歴史の根はもっと深い。

ヨーロッパはイスラム世界から、また日本は中国大陸（半島はその一部）から長い期間、制縛されていた。そこからの「解放」がいわば「近代」である。「解放」は古代像の先取り争いであり、奪い合いであった。これには説明を要するが、ヨーロッパも日本も強大なイスラム文明や中華文明から解放されて近代の進歩と自由を獲得し、歴史の第一線に躍り出たのである。

自分の方が優越していると信じていたイスラムと中国はこの逆転が許せない。今まで下に見ていた相手の優勢を認めたくない。それがしつこい歴史戦になり、過激テロになっている。彼らはいま「近代」を踏みつぶしゼロに戻そうとしている。

一方、ヨーロッパも日本ももともと「近代」に本当の自信を持っていない。ヨーロッパには古代がないからだ。十二~十三世紀の中世からヨーロッパの歴史は始まる。ギリシア・ローマはまっすぐに彼らにつながる歴史とはいえない。アラビア世界にも属していた。聖書の原典はギリシア語で書かれていたが、十五~十六世紀にはもはやギリシア語を知る人もなく、原典復元のためエラスムスはギリシア語教師を探して南欧の果てまで放浪した。ヨーロッパには根源的不安があるのだ。日本も仏教は漢訳仏典を唯一の頼りにしたので、原語サンスクリットは明治になってやっと知ったのである。

ユーラシアの東西の端にあったヨーロッパと日本にとって、この不安の克服こそが「近代」なのだ。ヨーロッパ人には大航海時代の冒険とともに人文主義の歴史があり、ギリシア・ローマをアラビア人に学んで自分の歴史に奪い取るルネサンスがあって、やっと「近代」の戸口に立った。日本は江戸時代に水戸光圀が中国の『詩経』をまねて『万葉集』の編纂《へんさん》、『史記』をモデルに『大日本史』の編纂を企て、いかにも中華依存に見えるが、江戸の儒学は同時代の清朝の学問からは大きな影響を受けなかった。政治的にも対中交流を謝絶していた。伊藤仁斎も荻生徂徠《おぎゅうそらい》も反朱子学で、本居宣長の国学や水戸学への道を開いた。つまり、中国研究であった儒学が、日本は中国とは別の国であるとの意識をかえって高めた。中国の儒学に国境の観念はないが、江戸の儒学は日本人に国境の観念を与えた。日本もかくて「近代」の戸口に立った。

暴力での文明争奪戦

日本は明治維新で初めて「近代」を獲得したのではない。それ以前に日本史の内部に「近代」は胚胎し、醸成されていた。明治の日本人があまり抵抗なしにヨーロッパを受け入れたのは発展段階が似ていたからで、世界では例外である。その代わりに明治日本は維新の直前まで地上に覇を唱えていたイスラム世界の全体像を視野に入れることを怠った。ギリシア・ローマをヨーロッパ史の祖先と見なすキリスト教文明の閉ざされた歴史プロパガンダを受け入れた。

一方、ヨーロッパの方でも長い間、江戸時代の日本は封印された暗闇で、古代像を中華の歴史から奪い取り、日本の古代を蘇生《そせい》させた国学者たちなどの精神のドラマが「近代」を生んだのだという事情に気がつかなかった（今も気がついていない）。最近でこそノーベル賞の科学部門が欧米と日本に集中することに暗示を感じている人がいるが、数世紀に及ぶ歴史背景があってのことなのである。

日本人はイスラム教徒のことが遠い世界でよく分からない。ヨーロッパ人も中国人のことが分かっていない。中国による南シナ海の人工島の造成を違法とした仲裁裁判所の裁定を「紙くず」と称した中国政府は、「近代」の法秩序を頭ごなしに否定したのだから、その点は「イスラム国」（IS）の主張と同類である。イスラムと中国は近代以前の優越の記憶を盾に、暴力で「近代」を白紙に戻そうとしている。それがいま目前に起こっている文明の争奪戦である。

しかるにドイツのメルケル首相は（後で否定はしたが）、南シナ海の人工島は東南アジア各国がみんなで使えばいいんじゃない？　と発言したとされるのは、唖然《あぜん》とさせる無知ぶりである。このあまりに幻想的な現実認識は信じがたいが、ドイツに「民族大移動」にも似た大量難民を引き起こしてしまった真の原因である。

ヨーロッパは恐らく元へは戻るまい。八世紀からの宿命の対決はイスラムの勝利に終わるだろう。イスラムと中国は「近代」を蹂躙《じゅうりん》しにかかっている。日本はヨーロッパの轍を踏んではなるまい。

世界にうずまく「恨」の不気味さ韓国化という政治現象

平成二十八(二〇一六)年十二月十九日

朴槿恵大統領の職務剥奪を求めた韓国の一大政変には目を見張らせるものがあり、一連の内部告発から分かったことはこの国が近代社会にまだなっていないことだった。五年で入れ替わる「皇帝」を十大派閥のオーナーとかいう「封建貴族」が支配し、一般民衆とは画然と差をつけている「前近代社会」に見える。一般社会人の身分保障、人格権、法の下での平等はどうやら認められていない。

ただし李王朝と同じかというとそうではない。「近代社会」への入り口にさしかかり、日本や欧米を見てそうなりたいと身悶《もだ》えしている。騒然たるデモに荒れ狂った情念は韓国特有の「恨《ハン》」に国民の各人が虜《とりこ》になっている姿にも見える。「恨」とは「ルサンチマン」のことである。完全な封建社会では民衆は君主と自分とを比較したりしない。ルサンチマンが生まれる余地はない。

近代社会になりかかって平等社会が目指され、平等の権利が認められながら実際には平等ではない。血縁、財、教育などで強い不平等が社会内に宿っている。こういうときルサンチマンが生じ、社会や政治を動かす。

恨みのような内心の悪を克服するのが本来、道徳であるはずなのに、韓国人はなぜかそこを誤解し脱却しない。いつまでもルサンチマンの内部にとぐろを巻いて居座り続ける。反日といいながら日本なしでは生きていけない。日本を憎まなければ倒れてしまうのだとしたら、倒れない自分を発見し、確立するのが先だと本来の道徳は教えている。しかし、恨みが屈折して、国際社会に劣情を持ち出すことに恥がない。

ところが、困った事態が世界史的に起こりだしたようだ。ある韓国人学者に教えられたのだが、恨に類する情念を土台にしたようなモラルが欧米にも台頭し、一九八〇年代以後、韓国人留学生が欧米の大学で正当評価（ジャスティファイ）されるようになってきた。

世界が韓国的ルサンチマンに一種の普遍性を与える局面が生じている、というのである。こういうことが明らかになってきたのも、今回の米大統領選挙絡みである。

白人であることが罪である、という「ホワイト・ギルト」という概念がアメリカに吹き荒れている、と教えてくれたのは評論家の江崎道朗氏だった。インディアン虐殺や黒人差別の米国の長い歴史が白人に自己否定心理を生んできたのは分かるが、「ホワイト・ギルト」がオバマ政権を生み出した心理的大本《おおもと》にあるとの説明を受け、私は多少とも驚いた。

オバマが許したアメリカの韓国化

この流れに抵抗すると差別主義者のレッテルを貼られ、社会の表舞台から引きずり下ろされる。米社会のルサンチマンの病もそこまで来ている。「ポリティカル・コレクトネス」が物差しとして使われる。一言でも正しさを裏切るようなことを言ってはならない。〝天にましますわれらの父よ〟とお祈りしてはいけない。なぜか。男性だと決めつけているから、というのだ。

あっ、そうだったのか、これならルサンチマンまみれの一方的な韓国の感情論をアメリカ社会が受け入れる素地はあるのだと分かった。両国ともに病理学的である。

二〇世紀前半まで、人種差別は公然の政治タームだった。白人キリスト教文明の世界に後ろめたさの感情が出てくるのはアウシュビッツ発覚以後である。それでも戦後、アジア人やアフリカ人への差別に気を配る風はなかった。八〇年代以後になって、ローマ法王が非キリスト教徒の虐待に謝罪したり、クリントン大統領がハワイ武力弾圧を謝ったり、イギリス政府がケニア人に謝罪したり、戦勝国の謝罪があちこちで見られるようになった。

これが私には何とも薄気味悪い現象に見える。植民地支配や原爆投下は決して謝罪しないので、これ自体が欧米世界の新型の「共同謀議」のようにも見える。日本政府に、にわかに強いられ出した侵略謝罪や慰安婦謝罪もおおよそ世界的なこの新しい流れに沿ったものと思われるが、現代の、まだよく見えない政治現象である。

各大陸の混血の歴史が示すように、白人は性の犯罪を重ねてきた。旧日本軍の慰安婦制度は犯罪を避けるためのものであったが、白人文明は自分たちが占領地でやってきた犯罪を旧日本軍もしていないはずはないという固い思い込みに囚《とら》われている。

韓国がこのルサンチマンに取り入り、反日運動に利用した。少女像が増えこそすれ、なくならないのは、「世界の韓国化」が前提になっているからである。それは人間の卑小化、他への責任転嫁、自己弁解、他者を恨み、自己を問責しない甘えのことである。

トランプ氏の登場は、多少ともアメリカ国内のルサンチマンの精神的歪《ゆが》みを減らし、アメリカ人を正常化することに役立つだろう。オバマ大統領が許した「アメリカの韓国化」がどう克服されていくか、期待をこめて見守りたい。

汚名をすすぐために本気で戦ったか 心理的落とし穴にはまる日本外交

平成二十九（二〇一七）年一月十九日

私はつねに素朴な疑問から始まる。日本の外交は国民が最大に望む一点を見落としがちだ。何かを怖がるか、安心していい気になるかのいずれかの心理的落とし穴にはまることが多い。今回の対韓外交も例外ではない。

米オバマ政権は慰安婦問題の真相を理解していないので不当に日本に圧力を加えていた。心ならずも妥協を強いられたわが国は、釜山の日本総領事館前に慰安婦像が設置されたことを受けて、大使らを一時帰国させるという強い措置に出た。日本国民はさぞ清々しただろうといわんばかりだ。が、日本外交は米韓の顔を見ているが、世界全体の顔は見ていない。

慰安婦問題で国民が切望してやまない本質的な一点は、韓国に〝報復〟することそれ自体にはない。二十万人もの無垢《むく》な少女が旧日本軍に拉致連行され、性奴隷にされたと国際社会に喧伝《けんでん》されてきた虚報の打ち消しにある。「二十万人」という数も「軍関与」という嘘も、私はふた昔前にドイツの宿で現地新聞で知り、ひとり密《ひそ》かに憤怒したものだが、あれ以来変わっていない。ますます世界中に広がり、諸国の教科書に載り、今やユネスコの凶悪国家犯罪の一つに登録されかけている。

日本政府は一度でもこれと本気で戦ったことがあるのだろうか。外交官が生命を賭して戦うべきは、事実にあらざる国際的恥辱の汚名をすすぐことであって、外国に報復することではない。

女の子の座像を街角に建てるなど韓国人のやっていることは子供っぽく低レベルで、論争しても仕方がない相手である。敵は韓国人のウソに乗せられる国際社会のほうであって、日本の公的機関はウソを払拭するどんな工夫と努力をしてきたというのか。

実は本腰を入れて何もしなかった、どころの話ではない。一昨年末［平成二十七年］の日韓合意の共同記者会見で、岸田文雄外相は「当時の軍の関与」をあっさり認める発言をし、慰安婦像の撤去についていては合意の文書すら残さず、曖昧なままにして帰国した。しかるに安倍晋三首相はこれで完全決着した、と断定した。

まずいことになったと当時私は心配したものだが、案の定一年を待たずに合意は踏みにじられている。国際社会にわが身の潔白を示す努力を十分に展開していたなら、まだ救いはあるが、「軍の関与」を認めるなど言いっぱなしの無作為、カネを使わない国際広報の怠惰はここにきてボディーブローのように効いている。

例の軍艦島をめぐるユネスコ文化遺産登録の「強制労働」を強引に認めさせられた一件の致命傷に続き、なぜ岸田外相の進退が問われないのか不思議でならない。

感情的騒ぎを恐れてはならない

私はもう一つ別の例を取り上げる。対ロシア外交において、プーチン大統領来訪の直前、択捉島にミサイルが設置された。

日本政府はなぜ抗議しなかったのか。せめて平和条約を語り合う首脳会談の期間中には、ミサイルは撤去してもらいたいと、日本側から要請があったという情報を私はただの一度も目にし耳にすることはなかった。

私は安倍政権のロシア接近政策に「合理性」を見ていて、対米、対韓外交に比べていいと思っている。北方領土は放っておけばこのままだし、対中牽制《けんせい》政策、シベリアへの日本産業の進出の可能性などを考えても評価に値するが、ミサイル黙認だけはいただけない。昔の日本人ならこんな腰抜け外交は決してしなかった。

もう一例挙げる。オスプレイが沖縄の海岸に不時着する事故があった。事故機は住宅地を避けようとしたという。駆けつけた米国高官は、日本から非難される理由はない、と憤然と語ったとされるが、私もそう思う。いわゆる沖縄をめぐる一切の政治情勢からとりあえず切り離して、搭乗員がとっさにとった〝回避行動〟に、日本側からなぜ感謝の言葉がないのか。県知事に期待できない以上、官房長官か防衛相が一言、言うべきだ。これは対米従属行為ではない。礼儀である。感謝の言葉を聞かなかったら、米兵は日本をどうして守る気になるだろう。日本は武士道と礼節の国である。何が本当の国防のためになるのかをよく考えるべきだ。

プーチン大統領には来てもらうのが精一杯で、ミサイル撤去の件は一言も口に出せなかった。沖縄の件はオスプレイ反対運動の人々のあの剣幕《けんまく》をみて、何も言えない。岸田外相が「（当時の）軍の関与」を公言したのも、韓国の感情的騒ぎが怖かったのである。

何かを怖がるのと、安心していい気になるのとは同じ事柄の二面である。今度、韓国に「経済断交」に近いカードを切ったのは、ことの流れを知っている私は当然だと思っているが、日本人がこれで溜飲《りゅういん》を下げていい気になってはならない。日本人も本当に怖い国際世論からは逃げているので、情緒的韓国人と似たようなものだと思われるのが落ちであろう。

平成二十九（二〇一七）年六月一日

思考停止の「改憲姿勢」極東情勢こそが現実

北朝鮮情勢は緊迫の度合いを高めている。にらみ合いの歯車が一寸でも狂えば周辺諸国に大惨事を招きかねない。悲劇を避けるには外交的解決しかないと、近頃、米国は次第に消極的になっている。日本の安全保障よりも、自国に届かないミサイルの開発を凍結させれば北と妥協する可能性が、日々濃くなっているといえまいか。

今も昔も日本政府は米国頼み以外の知恵を出したことはない。政府にも分からない問題は考えないことにしてしまうのが、わが国民の常である。が、政府は思考停止でよいのか。軍事的恐怖の実相を明らかにし、万一に備えた有効な具体策や日本独自の政治的対策を示す義務があるのではないか。

そんな中、声高らかに宣言されたのが安倍晋三首相の憲法九条改正発言である。しかしこれは極東の今の現実からほど遠い不思議な内容なのだ。周知のとおり、憲法第九条一項と二項を維持した上で自衛隊の根拠規定を追加するという案が首相から出された。「陸海空軍その他の戦力は、これを保持しない。国の交戦権は、これを認めない」が二項の内容である。

この二項があるために、自衛隊は手足を縛られ、武器使用もままならず、海外で襲われた日本人が見殺しにされてきたのではないだろうか。二項さえ削除されれば一項はそのままで憲法改正は半ば目的を達成したという人は多く、私もかねてそう言ってきた。

安倍首相は肝心のこの二項に手を触れないという。その上で自衛隊を三項で再定義し、憲法違反の軍隊といわれないようにするという。これは矛盾ではないだろうか。陸海空の「戦力」と「交戦権」も認めずして無力化した自衛隊を再承認するというのだが、こんな三項の承認規定は、自ら動けない日本の防衛の固定化であり、今までと同じ何もできない自衛隊を永遠化するという、空恐ろしい断念宣言である。

首相は何か目に見えないものに怯《おび》え、遠慮し、憲法改正を話題にするたびに繰り返される腰の引けた姿勢が今回も表れたのである。

二項削除こそが現実的対応

「高等教育の無償化」が打ち出されたのも、維新の会への阿《おもね》りであるといわれるとおり、政治的配慮の度が過ぎている。分数ができない大学生がいるといわれる。高等教育の無償化はこの手の大学の経営者を喜ばせるだけである。

教育には「平等」もたしかに大切な理念だが、他方に「競争」の理念が守られていなければバランスがとれない。国際的にみて日本は学問に十分な投資をしていない国だ。とはいえ大学生の一律な授業料免除は憲法に記されるべき目標では決してない。苦しい生活費の中から親が工面して授業料を出してくれる、そういう親の背中を見て子は育つものではないか。何でも「平等」で「自由」であるべきだとする軽薄な政治的風潮からは、真の「高等教育」など育ちようがないのである。

もう一つの改憲項目に「大災害発生時などの緊急時に、国会議員の任期延長や内閣の権限強化を認める」がある。趣旨は大賛成だが、真っ先に自然災害が例に掲げられ、外国による侵略を緊急事態の第一に掲げていない甘さ、腰の引け方が私には気に入らない。

明日にも起こるかもしれないのは国土の一部への侵略である。憲法に記載されるべきはこの事態への「反攻」の用意である。

ちなみにドイツの「非常事態法」は外国からの侵略と自然災害の二つに限って合同委員会を作り、一定期間統率権を付与するということを謳《うた》っている。ヒトラーを生んだ国がいち早く〝委任独裁〟ともいうべき考え方を決定している。

今の国会の混乱は政府が憲法改正の声を自ら上げながら、急迫する北朝鮮情勢を国民に知らせ、一定の覚悟や具体的用意を説くことさえもしようとしないため、何か後ろめたさがあるとみられて、野党やメディアに襲いかかられているのである。中途半端な姿勢で追従すれば、かえって勢いづくのがリベラル左派の常である。

現実主義を標榜《ひょうぼう》する保守論壇の一人は『週刊新潮』(〔平成二十九年〕五月二十五日号)の連載コラムで「現実」という言葉を何度も用いて、こう述べている。衆参両院で三分の二を形成できなければ、口先でただ立派なことを言っているだけに終わる。最重要事項の二項の削除を封印してでも、世論の反発を回避して幅広く改憲勢力を結集しようとしている首相の判断は「現実的」で、評価されるべきだ――と。

だが果たしてそうだろうか。明日にも「侵攻」の起こりかねない極東情勢こそが「現実」である。声を出して与野党や一部メディアを正し、二項削除を実行することが、安倍政権にとって真の「現実的」対応ではあるまいか。憲法はそもそも現実にあまりにも即していないから改正されるのである。

日本の保守は、これでは自らが国家の切迫した危機を見過ごす「不作為加憲」にはまっているということにならないか。

民族の生存を懸けた議論
保守の立場から保守政権批判を

平成二十九（二〇一七）年八月十八日

今でも保守系の集会などでは当然ながら、安倍晋三政権を評価する人が少なくなく、私が疑問や批判を口にするとキッとなってにらまれる。「お前は左翼なのか」という顔をされる。今でも自民党は社会体制を支える最大級の保守勢力で、自民党の右側になぜか自民党を批判する政治勢力が結集しない。欧州各国では保守の右側に必ず保守批判の力が働き、米国でもトランプ一派は共和党の主流派ではなかった。先進国では日本だけが例外である。

日本政治では今でも左と右の相克だけが対立のすべてであるかのように思われている。民主党も民進党と名を変え、リベラル化したつもりらしいが、共産党に接近し、「何でも反対」の旧日本社会党にどんどん似てきている。ここでも左か右かの対立思考しか働いていない。自民党も民進党もこの硬直によって自らを衰退させていることに気がついていない。

それでも国内の混乱が激化しないのは、日本は「和」の国だからだという説明がある。まだ経済に余裕があるからだとも。米国のある学者は、世界では一般に多党制が多く、二大政党制を敷く国は英国をモデルにしたアングロサクソン系の国々で、ほかに一党優位制を敷く国として、日本やインドを例に挙げている。自民党を喜ばせるような研究内容である。

しかし選挙の度に浮動票が帰趨《きすう》を決めている今の日本では、一党優位制が国民に強く支持されているとは必ずしも言えない。仕方ないから自民党に投票する人が大半ではないか。党内にフレッシュな思想論争も起こらない今の自民党は日本国民を窒息させている。「受け皿」があればそちらへいっぺんに票が流れるのは、欧米のように保守の右からの保守批判がないからだ。左右のイデオロギー対立ではない議論、保守の立場から保守政権を正々堂々と批判する、民族の生存を懸けた議論が行われていないからである。

保守政党が単なる仲良しクラブのままでは国民は窒息する。一党優位制がプラスになる時代もあったが、今は違う。言論知識人の責任もこの点が問われる。

保身や臆病風に吹かれた首相

私は安倍首相の［平成二十九年］五月三日の憲法改正案における第九条第二項の維持と第三項の追加とは、矛盾していると、六月一日付の本欄［「正論」欄］で述べた。そのまま改正されれば、両者の不整合は末永く不毛な国内論争を引き起こすだろう、と。

今は極東の軍事情勢が逼迫《ひっぱく》し、改正が追い風を受けている好機でもある。なぜ戦力不保持の第二項の削除に即刻手をつけないのか。空襲の訓練までさせられている日本国民は、一刻も早い有効で本格的な国土防衛を期待している。

これに対し、首相提案を支持する人々は、万が一改憲案が国民投票で否決されたら永久に改憲の機会が失われることを恐れ、国民各層に受け入れられやすい案を作る必要があり、首相提言はその点、見事であると褒めそやす。

さて、ここは考え所である。右記のような賛成論は国民心理の読み方が浅い。憲法改正をやるやると言っては出したり引っ込めたりしてきた首相に国民はすでに手抜きと保身、臆病風、闘争心の欠如を見ている。外国人も見ている。それなのに憲法改正は結局、やれそうもないという最近の党内の新たな空気の変化と首相の及び腰は、国民に対する裏切りともいうべき一大問題になり始めている。

北朝鮮の核の脅威と中国の軍事的圧力がまさに歴然と立ち現れるさなかで敵に背中を向けた逃亡姿勢でもある。憲法改正をやるやるとかねて言い、旗を掲げていた安倍氏がこの突然の逃げ腰――五月三日の新提言そのものが臭いものに蓋をした逃げ腰の表れなのだが――のあげく、万が一手を引いたら、もうこのあとでどの内閣も手を出せないだろう。

国民投票で敗れ、改正が永久に葬られるあの幕引き効果と同じ結果になる。やると言って何もやらなかった拉致問題と同じである。いつも支持率ばかり気にし最適の選択肢を逃げる首相の甘さは、憲法問題に至って国民に顔向けできるか否かの正念場を迎えている。

そもそも自民党は戦争直後に旧敵国宣撫《せんぶ》工作の一環として生まれた米占領軍公認の政党で、首相のためらいにも米国の影がちらつく。憲法九条は日米安保条約と一体化して有効であり、米国にとっても死守すべき一線だった。それが日米両国で疑問視されだしたのは最近のことだ。今まで自民党は委託された権力だった。自分の思想など持つ必要はないとされ、仲良しクラブでまとまり、左からの攻撃は受けても、右からの生存闘争はしないで済むように米国が守ってくれた。

しかし、今こそ日本の自由と独立のために自民党は嵐とならなければいけない。保守の立場から保守政権を堂々と批判する勇気と見識が今ほど必要なときはない。

「価値の転換」を訴えたトランプ氏
意志を欠く日本に必要なもの

平成二十九（二〇一七）年十一月十六日

トランプ米国大統領のアジア歴訪を主にテレビを通じてじっくり眺めた。私は子供の頃から大統領といえば米国大統領のことだと思っていた。そのイメージは大きい、強い、堂々としているなどで、象、戦艦、甲虫、大資本家、帝国主義者などである。

フィリピンや韓国やトルコの代表も「大統領」の名で呼ばれているが、ピンと来ない。体が大きく、断固たる「意志」の表明者であるトランプ氏は、久々に現れた米国大統領らしい人物である。

そこに「粗野」とか「軽率」とか「無遠慮」といった礼節の欠如を示す形容がついて回るのが、彼の特性とされるが、果たしてそうだろうか。彼の風貌をくりかえし見て、どこか憎めない、愛《あい》嬌《きょう》のあるところが常に感じられた。

言葉の使い方も緻密で、外国での演説の全文を翻訳で読んだが、あれだけの分量を情熱を込めて語り切った能力は大変なものだと思った。

白人比率が下がり続ける今の米国社会は、人種間対立が激しい。南北戦争における南軍の将の銅像が人種平等の過激派の暴徒によって引き倒される事件があった。中国の文化大革命を思い出させる歴史破壊が米国で起こったのだ。

しかも米国でも日本でもメディアは歴史破壊を非難せず、暴徒に味方した。トランプ氏はそうではなかった。彼は白人至上主義者も過激派の暴徒もどちらもいけないと両方を叱責した。メディアはそれすらも許さなかった。白人至上主義者を一方的に非難することをトランプ氏に求め、それをしない彼を弾劾した。

遠くから見ていた私は彼に同情し、米国社会の深い病理の深淵《しんえん》を覗《のぞ》き見た。トランプ氏は米国社会に、ひいては全世界に「価値の転換」を求めているのである。

今度のアジア歴訪で彼は機会あるごとに「アメリカ・ファースト」を叫んだ。ベトナムでは米国を他国に利用させないとまで言った。米国に依存する弱小国の甘えをもうこれ以上認めない、という宣言である。実は、今の世界はあらゆる国々が自己自身のために生きることを、臆面もなく主張する時代に入っているのである。

感傷に満ちた世界にNO

米国も例外ではない、と彼は言いたいまでだ。トランプ氏の物言いの臆面のなさは、今直面している世界の現実の、歯に衣《きぬ》を着せない表現だと思えばよい。エゴティズム（自己愛）を認め合うことの方が、人道や人権の仮面をかぶったグローバリズムよりよほど風通しがよいと言いたいのだろう。

彼はストレートで、非妥協的で、不寛容ですらある。米国社会に、ひいては全世界に「反革命」の狼煙《のろし》を上げているので、改革とか革命とか共生とか協調とか団結といった、人類が手を取り合う類いの感傷に満ちた世界にNO！　を突きつけ、あらゆる偽善に逆襲しようとしている。

今度のアジアの旅で笑ってしまった場面は、［平成二十九年］十一月九日に習近平国家主席と対座して、二十八兆円の取引が公開された際の習氏の演説内容である。自国を世界に開放しすぎた結果の米国の引き締め策が「アメリカ・ファースト」だが、自国を世界にいっさい開放しない強権と専制の国である中国が、これからの開かれた国際社会の協調をリードするのは中国だとあえて言ったことである。

これは笑い話であり、誰も信じまい。しかし二十八兆円に驚かされて本気にする愚かなメディアもあるかもしれない。二十八兆円の交換文書は契約書でも何でもなく、大まかな計画メモにすぎないのに。

国際会議における日本は残念ながら存在感が薄かった。各国が自己自身のために生きる意志を何のためらいもなくむき出しにし始めた時代であるのに、日本にはこの「意志」がない。

極東の運命を決める会議で日本は二〇世紀前半までは主役であった。今はわずか東南アジア諸国連合（ＡＳＥＡＮ）や豪印との友好によって米国に協力する――それは外交的には好感されているが――以外には力の発揮のしようがない。

何よりも、安倍晋三首相は北朝鮮の脅威に対抗する政策において「日米は完全に一致」したと日米会談の直後に公言した。「一致」という言葉はこういう場面では言ってはならない禁句のはずだ。これは日本がどんなに理不尽なことを言われても、百パーセント米国の命令に従います、と今から誓約しているような言葉遣いである。

安倍内閣は「人づくり革命」とか「働き方改革」とか革命や改革を安易に乱発し、左翼リベラル政治の臭いを漂わせている。一体どうなっているのだろう。

米国と日本はいま、半島有事ばかりを気にしているが、それは尖閣の危機でもある。中国は尖閣を落とせば台湾を軍事的に包囲できる。台湾奪取の布石となるこの好機を習氏が見逃すはずはない。あらゆる点で「意志」を欠いている日本に求められているのは、必ずしも首相の雄弁ではなく、胆力であり、決断力である。

「トランプ外交」は危機の叫び 日本も壁にぶつかり自己を発見せよ

平成三十（二〇一八）年六月八日

やや旧聞に属するが、昨年［平成二十九年］の東京都議会選挙で自由民主党が惨敗し、続く衆議院選挙で上げ潮に乗った小池百合子氏の新党が大勝利を収めるかと思いきや、野党に旗幟《きし》を鮮明にするよう呼びかけた彼女の「排除」の一言が仇《あだ》となり、失速した。そうメディアは伝えたし、今もそう信じられている。

私は失速の原因を詮索するつもりはない。ただあのとき「排除」は行き過ぎだとか、日本人の和の精神になじまない言葉だとか、しきりに融和が唱えられたのはおかしな話だと思っていた。「排除」は失言どころか、近年、政治家が口にした言葉の中では最も言い得て妙な政治的自己表現であったと考えている。

そもそも政治の始まりは主張であり、そのための味方作りである。丸く収めようなどと対立の露骨化を恐れていては何もできない。実際、野党第一党の左半分は「排除」の意思を明確にしたので立憲民主党という新しい集団意思を示すことに成功した。右半分は何か勘違いをしていたらしく、くっついたり離れたりを重ね、意思表明がいまだにできていない。

今の日本の保守勢力は政党人、知識人、メディアを含め、自己曖昧化という名の病気を患っている。今後の新党作りの成功の鍵は、自民党の最右翼より一歩右に出て、「排除」の政治論理を徹底して貫くことである。小池氏はそれができなかったから資格なしとみられたのだ。

実際、日本の保守勢力は自民党の左に立てこもり、同じ所をぐるぐる回っているだけで「壁」にぶつからない。新しい「自己」を発見しない。既成の物差しでは測れない「自己」に目覚めようとしない。

世界の現実は今、大きな構造上の変化に直面している。かつてない危機を感じ取り、類例のない手法で泥沼の大掃除をすべく冒険に踏み出そうとしている人がいる。米国のトランプ大統領である。

彼はロシアと中国による世界秩序の破壊が危険水域を超えたことを警鐘乱打するのに、他国から最もいやがられる非外交政策をあえて取ってみせた。中国を蚊帳の外にはずして、急遽《きゅうきょ》、北朝鮮と直接対話するという方針を選んだ［平成三十年］四月以降、彼は通例の外交回路をすべてすっとばして独断専行した。

同時に中国には鉄鋼とアルミに高関税を課す決定を下した。それは当然だが、カナダや欧州やメキシコなど一度は高関税を免除していた同盟国に対し、改めてアメリカの国防上の理由から高関税を課す、と政策をより戻したのは、いかな政治と経済の一元化政策とはいえ物議を醸すのは当然だった。

憤怒と混迷と痛哭の叫び

彼はなぜこんな非理性的な政策提言をしたのだろうか。世界の秩序は今、確かに構造上の変化の交差路に立たされている。アメリカ文明はロシアと中国、とりわけ中国から露骨な挑戦を受け、軍事と経済の両面において新しい「冷戦」ともいうべき危機の瀬戸際に立たされている。トランプ政権は、北朝鮮情勢の急迫によってやっと遅ればせながら中国の真意を悟り、この数カ月で国内体制を組み替え、反中路線を決断した。

トランプ氏は人権や民主主義の危機などという理念のイデオロギーには関心がない。しかし軍事と経済の危うさには敏感である。アメリカ一国では支えきれない現実にも気がつきだした。そのリアリズムに立つトランプ氏がアメリカの「国防上の理由」から高関税を遠隔地の同盟国にも要求する、という身勝手な言い分を堂々と、あえて粉飾なしに、非外交的に言ってのけた根拠は何であろうか。

トランプ氏はただならぬ深刻さを世界中の人に突きつけ、非常事態であることを示したかったのだ。北朝鮮との会談に世界中の耳目が集まっているのを勿怪《もっけ》の幸いに、アメリカは不当に損をしている、と言い立てたかった。自国の利益が世界秩序を左右するというこれまで言わずもがなの自明の前提を、これほど露骨な論理で、けれんみもなく胸を張って、危機の正体として露出してみせた政治家が過去にいただろうか。

政治は自己主張に始まり、「排除」の論理は必然だと私は前に言ったが、トランプ氏は世界全体を排除しようとしてさえいる。ロシアと中国だけではない。西側先進国をも同盟国をも排除している。いやいやながらの同盟関係なのである。それが今のアメリカの叫びだと言っている。アメリカ一流の孤立主義の匂いを漂わせているが、トランプ氏の場合は必ずしも無責任な孤立主義ではない。北朝鮮核問題は逃げないで引き受けると言っているからだ。

ただ彼の露悪的な言葉遣いはアメリカが「壁」にぶつかり、今までの物差しでは測れない「自己」を発見したための憤怒と混迷と痛哭《つうこく》の叫びなのだと思う。日本の対応は大金を支払えばそれですむという話ではもはやない。日本自身が「壁」にぶつかり、「自己」を発見することが何よりも大切であることが問われている。

各組織の内部が崩壊
国民は何かを深く諦めている

平成三十（二〇一八）年九月七日

スポーツ界の昨今の組織の機能麻痺《まひ》は日本相撲協会の横綱審議委員会の不作為に始まった。横綱の見苦しい張り手や変化、酒席での後輩への暴行、相次ぐ連続休場。その横綱の品位を認め、人格を保証したのが横綱審議委員会なのだから、彼らも責任を取らなければならないのに、誰もやめない。

モンゴル人力士の制限の必要、年間六場所制の無理、ガチンコ相撲を少し緩める大人の対応をしなければけが人続出となる――素人にも分かる目の前の問題を解決せず、臭い物に蓋をして組織の奥の方で権力をたらい回ししている。

そう思いつつファンは白けきっていると、日大アメフト問題、レスリングのパワハラ問題、アマチュアボクシングの会長問題、そして十八歳の女子選手による日本体操協会の内部告発と来た。止《とど》まる所を知らない。各組織の内部が崩壊している。

企業にも言えるのではないか。東芝の不正会計問題、神戸製鋼の品質データ改竄《かいざん》問題、日産の排ガス検査改竄問題と枚挙にいとまがない。政界や官界や言論界も無傷なはずはない。財務省の国有地売却をめぐる公文書改竄はどう見ても驚くべき書き換えで、担当者が自殺までしている。その父親の手記は涙なしに読めなかった。事件の原因が安倍晋三内閣への忖度《そんたく》だといわれても仕方がないだろう。

『文藝春秋』の内紛は左翼リベラルに傾いて内容希薄になっていたこの雑誌の迷走の結果であって、「自滅」の黄ランプを会社の門口にぶら下げた事件にも例えられよう。

このような状況下で、日本が何か外から予想もつかない大きな衝撃を受けて、外交的・軍事的に国家が動かなければならないような事態が起こったら恐ろしい。少しでも正論を唱えるとボコボコにやられる。オリンピックが終わった段階で何かありそうだ。

世の中が祭典で浮かれている今こそ〝オリンピック以後をどう考えるか〟を特集する雑誌が現れなくてはいけないのに、そういう気配がない。この無風状態こそ、横綱審議委員会から自民党内閣をも経て、『文藝春秋』にまで至る、何もしない、何も考えない今日の日本人の現状維持第一主義のムードを醸す。自分だけが一歩でも前へ出ることを恐れ、他人や他の組織の顔色をうかがう同調心理の中で、時間を先送りするその日暮らし愛好精神のいわば母胎である。

現状維持ムード

今の日本人は国全体が大きく動き出すことを必死になって全員で押さえている。仮に動き出すことはあっても、自分は先鞭《せんべん》をつけないことを用心深く周囲に吹聴している。世界の動きに戦略的に先手を打つことは少なく、世界の動きを見てゆっくり戦略を考えるのが日本流だ、といえば聞こえはいいが、戦略がまるっきりないことの表れであることの方が多い。

国家を主導している保守政治とは残念ながら、そういう方向に落ち着いている（堕落しているともいえる）が、国防をアメリカに依存しているわが国の現実を見るならば仕方がない。これが、保守政権を支持する大半の国民の条件付き承認の本音である。問題は「さしあたりは仕方がない」の本音が国民から勇気を奪い、社会生活の他の領域、政治・外交とは直接関係のない生活面にまで強い影響を及ぼしてしまうことなのである。

今のアメリカは日本を守るつもりもないけれども、手放すつもりもなく、自由にさせるつもりもないという様子見の状態である。日本も様子見でいけばいいのだが、強い方は何もしないでも黙って弱い方を制縛する。弱い方はよほど意識的に努力しても、なかなか様子見しているほどの自由の立場には立てない。今の日米関係がまさにそれである。国民は諦めてこの現実を認めている。安倍政権支持はこの諦めの表現である。

昔と違って今の日本人は政治的に成熟し、大人になっている。「さしあたりは仕方がない」は明日、自民党に代わる受け皿になる政党が現れれば、あっという間に支持政党を変えてしまう可能性を示唆している。国民は何かを深く諦めているのである。政府がアメリカに対して、国防だけでなく他のあらゆる分野で戦略的に先手を打てないでいる消極性は、国民生活のさまざまな面で見習うべき模範となり現状維持ムード、その日暮らしの同調心理を育てている。

スポーツ団体から企業社会までそういう政府のまねをする傾向が強くなる。組織は合理性も精神性も失い、それぞれが表からは見えない「奥の院」を抱え、内部でひそかに一部の人々が権力をたらい回ししている。財務省の国有地売却に関する公文書改竄を見て、国民は「こんなことまでやっていたのか」と驚き、恐らく将来違った形で、似たようなことがもっと大規模に繰り返されるだろう。

政府の行動は学校の先生が生徒に与えるのと同じような教育効果がある。だから怖いのである。今日の出来事は明日は消えても、明後日は違った形で蘇《よみがえ》るであろう。

ペンス演説は悲痛な叫び日本の対中接近は政治的な誤り

平成三十（二〇一八）年十一月七日

ペンス米副大統領の［平成三十年］十月四日の演説を読んでみた。米国の対中政策の一大転換を告げていた。

中国の国内総生産（ＧＤＰ）は過去十七年間で九倍に成長し、共産党政府による通貨操作、強制的な技術移転、知的財産の窃盗、補助金の不正利用などによるものだと演説は告発している。もちろん投資した側の米国にも責任があるが、中国はあれよあれよという間に膨張した。

今はさらに図に乗って「中国製造２０２５」などといい、ロボットやバイオ、人工知能（ＡＩ）など最先端技術の九〇％を支配すると豪語している。今後もこの目的のために、米国の知的財産の全てをありとあらゆる手段を用いて取得する方針を宣言してもいる。

いうまでもなく日本の技術もターゲットとされていよう。獲得した民間技術は大規模に軍事技術に転用されてきた。南シナ海の人工島があっという間に軍事基地化した背景である。

ここまでくればペンス副大統領が悲痛な叫びを上げるのは当然である。中国政府によるウイグルの民族弾圧などは近年目に余るものがあるが、ペンス氏は中国が「他に類を見ない監視国家」になっていて、米国の国内政治にまで干渉の魔手を伸ばし出したことを最大限に警戒している。なんとハリウッドが中国政府の「検閲」を受けているのだ！　映画だけでなく米国内の大学、シンクタンク、ジャーナリストなどがあるいは脅迫により、あるいは誘惑により、反中国の思想を封じられ、中間選挙や次の大統領選挙までが中国によって動かされようとしている。

米国は気づくのが遅かった。しかしここまでやられたので国防権限法を発動して、軍と政府のすべての機能をフル稼働させ中国の侵犯に対して自らを守り、全面的に対決することを宣言したのがペンス演説である。これは米国の国家意思といってもいい。

スワップ協定は果たして必要か

日本人は米国のこの本気度をどの程度、理解しているだろうか。米中貿易摩擦が単なる経済問題でないことはみんな分かっているだろう。世界史に新たにわき起こった覇権争奪戦、人呼んで百年戦争の勃発であるともいう。

米国は留学生の受け入れまですでに大幅に制限し出している。体制を等しくする同盟国には当然、同じ姿勢が求められるだろう。それが理解できないで、肝心なところで中国に同調する個人ないし企業は、米国に反逆する者として制裁を受けることになるであろう。

このような折も折、わが国はとんでもないことを引き起こした。ペンス演説を政府の要人が読んでいなかったとはまさか思えない。強い警告が出されていたのを承知で、日本政府は安倍晋三首相訪中により対中接近を図った。三兆四千億円の人民元と円のスワップ協定を結んだ。外貨が底を尽きかけた中国でドルの欠乏をさらに加速させるのが米国の政策である。これは習近平独裁体制への攻撃の矢である。日本の対中援助は米国の政策に弓を引く行為ではないか。

谷内正太郎国家安全保障局長が弁解に訪米したというが、詳報はなく、日米間に不気味な火薬を抱えたことになる。反トランプ勢力の中にも中国批判は強まっている昨今、「日本は何を勘違いしているのか」という声が米政府外縁から上がる可能性は高い。米中戦争の開始とともに日本が反米へのかじを切ったと騒ぎ立てるだろう。

日本の財務省は、スワップ協定は日銀が人民元を使える自由を広げ、企業と銀行を助け、日本のためになる政策であって対中援助ではないと言っているが、詭弁《きべん》も甚だしい。そもそも人民元が暴落しかけているさなかに、しないでもいいスワップ協定を結ぶのは欠損覚悟なのか、不自然である。

私はいま遠くに考えを巡らせている。尖閣が危うくなり南シナ海の人工島が出現してから、私はアジアと日本の未来に絶望し始めていた。米軍の力の発動をひとえに祈るばかりだったが、オバマ大統領時代には期待は絶たれていた。

トランプ大統領がやっと希望に火をともした。しかし人工島を空爆して除去することまではすまい。半ばヒトラー政府に似てきた習近平体制を経済で揺さぶり、政権交代させるところまでやってほしい。ペンス演説はまさにそのような目標を掲げた非軍事的解決の旗である。日本経済はそのためとあれば犠牲を払ってでも協力すべきである。日本の国家としての未来がここにかかっている。

朝鮮戦争のとき世論に中立の声（全面講和論）は高まったが、日本の保守（自民党）は米ソ間で中立の旗を振ることは不可能なだけでなく危険があると判断し、米国側に立つこと（多数講和）に決した。二大強国の谷間にある国は徹底して一方の強国を支持し、二股をかけてはいけない。今回の日本の対中接近は政治的に間違っている。ただしスワップ協定は条約ではないので、日本はすぐにでもやめれば、なんとか急場をしのぐことはできるだろう。

平成三十（二〇一八）年十二月十三日

「移民国家宣言」に呆然とする「多民族共生社会」は空論

人口減少という国民的不安を口実にして、世界各国の移民導入のおぞましい失敗例を見て見ぬふりをし、［平成三十年］十二月八日未明にあっという間に国会で可決成立された出入国管理法の改正（事実上の移民国家宣言）を私は横目に見て、あまりに急だったな、とため息をもらした。言論人としては手の打ちようがない素早さだった。

私が外国人単純労働力の導入に慎重論を唱え出したのは一九八七年からだった。拙著『労働鎖国のすすめ』（八九年）は版元を替えて四度改版された。初版本の当時は発展途上国の雇用を助けるのは先進国の責務だ、というような甘い暢気《のんき》な感傷語を堂々たる一流の知識人が口にしていた。この流れに反対して、ある県庁の役人が地方議会で私の本を盾にして闘った、と私に言ったことがある。

「先生のこの本をこうして持ってね、表紙を見せながら、牛馬ではなく人間を入れるんですよ。入ったが最後、その人の一生の面倒を日本国家がみるんですよ。外国人を今雇った企業が利益を得ても、健康保険、年金、住宅費、子供の教育費、ときに増加する犯罪への対応はみんな自治体に降りかかってくる。私は絶対反対だ」

この人の証言は、単純労働力の開放をしないとしたわが国の基本政策の堅持に、私の本がそれなりに役割を果たしていたことを物語っていて、私に勇気を与えた。私は発言以来、不当な誹謗《ひぼう》や中傷にさらされていたからである。

外国人は自分の欲望に忠実で、先進国に入ってくるや否や徹底的にそれを利用し、そこで出世し、成功を収めようとする。何代かけてもである。当然、日本人社会とぶつかるが、そのために徒党を組むので、外国人同士——例えば中国人とベトナム人との間——の争いが、日本社会に別の新たな民族問題を引き起こす。その争いに日本の警察は恐らく無力である。

日本国民は被害者でありながら、国際的には一貫して加害者に位置づけられ、自由に自己弁明できない。一般に移民問題はタブーに覆われ、ものが言えなくなるのが一番厄介な点で、すでにして日本のマスメディアの独特な「沈黙」は始まっている。

今回の改正法は国会提出に際し、上限の人数を決めていないとか、すべて官僚による丸投げ風の準備不足が目立ったが、二〇〇八年に自民党が移民一千万人受け入れ案というものすごく楽天的なプログラムを提出して、世間をあっと驚かせたことがある（「人材開国！日本型移民政策の提言」同年六月十二日付）。中心は中川秀直氏で、主なメンバーは杉浦正健、中村博彦、森喜朗、町村信孝などの諸氏であった。外国人を労働力として何が何でも迎え入れたいという目的がまずあった。

歴史の興亡

これが昔から変わらない根本動機だが、ものの言い方が変わってきた。昔のように先進国の責務というようなヒューマニズム論ではなく、人口減少の不安を前面に打ち出し、全ての異質の宗教を包容できる日本の伝統文化の強さ、懐の広さを強調するようになった。

日本は「和」を尊ぶ国柄で、宗教的寛容を古代から受け継いでいるから多民族との「共生社会」を形成することは容易である、というようなことを言い出した。今回の改正案に党内が賛同している背景とは、こうした大ざっぱな文化楽天論が共有されているせいではないかと私は考える。

しかし歴史の現実からは、こういうことは言えない。日本文化は確かに寛容だが、何でも受け入れるふりをして、結果的に入れないものはまったく入れないという外光遮断型でもある。対決型の異文明に出合うと凹型に反応し、一見受け入れたかにみえるが、相手を括弧にくくって、国内に囲い込んで置き去りにしていくだけである。キリスト教、イスラム教、ユダヤ教、それに韓国儒教などの原理主義は日本に絶対に入らない。中国の儒教も実は入っていない。

「多民族共生社会」や「多文化社会」は世界でも実現したためしのない空論で、元からあった各国の民族文化を壊し、新たな階層分化を引き起こす。日本は少数外国人の固有文化を尊重せよ、と早くも言われ出しているが、彼らが日本文化を拒否していることにはどう手を打ったらよいというのか。

イスラム教徒のモスクは既に数多く建てられ、中国人街区が出現し、朝鮮学校では天皇陛下侮辱の教育が行われている。われわれはそれに今耐えている。寛容は限界に達している。三十四万人の受け入れ案はあっという間に三百四十万人になるのが欧州各国の先例である。

四季めぐる美しい日本列島に「住民」がいなくなることはない。むしろ人口は増加の一途をたどるだろう。けれども日本人が減ってくる。日本語と日本文化が消えていく。寛容と和の民族性は内ぶところに硬い異物が入れられると弱いのである。世界には繁栄した民族が政策の間違いで消滅した例は無数にある。それが歴史の興亡である。

第七章

外国人労働者と大学入試問題

臨教審第二部会に再考求める日本は学歴社会ではないのか

昭和六十（一九八五）年五月十七日

去る［昭和六十年］四月二十四日に臨時教育審議会は「審議経過の概要（その2）」を公表した。そのうち第二部会の「概要」の（5）「いわゆる『学歴社会』の検討」が、国民の常識からあまりにも懸け離れた結論を出しているとして新たな注目を浴びたので、ここに私の判断と意見を述べておきたい。

この「概要」（5）によると、諸外国に比べて日本は学歴社会とは必ずしも言えない状況にあり、よしんばまだ古い格差意識に囚われている人がいるとしても、それは経済社会の今後の動向によって徐々に解消の方向に向かうだろうというような結論が、たしかに提示されている。勿論、「概要」（5）はそのような楽天的な分析だけで終わっているのではない。学歴社会の定義、ならびに発生原因について、多角度から考察を加えている。例えばわが国においては民族、言語、文化の同質性が高く、財産、門地等の差も諸外国に比べて小さいため、これらが人々を類別する尺度となり難いことが、代わりに学歴に依存する比重を高めている、というような歴史的必然性にも触れている。こうした部分は先に私が雑誌に公表した意見とも一致しているので、ことのほか私には納得がいく。けれども全体としての審議振りがどことなく楽天的で、企業の人事が近頃では学歴主義から実力主義に変わりつつあるので、企業に引きずられて一般社会の古い意識も間もなく変わるだろうといった希望的表現もちらほら散見される。各新聞の解説などが国民意識とのギャップを指摘したのは、けだし当然であった。

経済界には確かに学歴に安易に依存してきたことに対し危機意識があって、一九六〇年代の後半あたりから人材管理のあり方に変化が生じたようだ。かつて三菱系は東大、住友系は京大と大別されていたような慣習はもうあるまい。これら老舗企業までが企業として生き延びるために、急成長の新企業の人材観に学び始めたからである。状況のこうした大きな変化はたしかに「概要」(5)の指摘する通りなのだが、しかし、問題は果たしてそんな所にあるのだろうか。日本の学歴社会の持つ教育上の困難は、果たして企業の人事運営がもはや東大中心ではなくなった、とかどうとかいうような種類の事柄にあるのだろうか。どうかよく考えて頂きたい。第二部会の委員諸氏よ、発想の一大転換を図ってもらいたい。

ピラミッドが台形型に変わっただけ

問題は何といっても後期中等教育、すなわち高等学校にある。ヨーロッパのこの段階の進学率は、残存する階級意識のお陰で二、三割に留まっていて、日本におけるような問題はない。アメリカの高校進学率は日本と同様に九割を超える高率を誇ってはいるが、入学試験を必要としない。アメリカでは国土が広すぎることと建国以来の伝統もあって、居住地の高校へ通うのが慣例だが、周知の通り人種や所得格差によって居住区域がくっきり種別されているために、入試をしないでもほぼ同種の生徒を大別できる。しかも同一校の中に幾本ものトラッキング(能力や進路に応じた区別の線）が敷かれている。日本はヨーロッパと違って、教育に階級意識があまり影響しないし、アメリカと違って、肌の違いや所得差による住み分けがなく、しかもいい高校となればどんな遠い所へも行く。従って日本では高校間に「格差」を設けることで辛うじて問題を解決したのだ。ヨーロッパやアメリカのように社会の側にある程度まで選別の機能が残されているのと違って、高校入試という十五歳の春に、日本人の階層差を決める選別の最初の関門を集中する結果となった。高校間「格差」とは日本人の知恵が生み出したいわば救済手段だが、同時に、学歴社会の矛盾の集約体でもある。

いうまでもなく高校間「格差」は大学の「序列」と微妙に結びついている。京都大学の江原武一氏の調査によると、公立高校の普通科の男子と私立の職業高校の女子とでは、大学・短大進学の比率は四〇対一である。つまりいったん職業高校へ入った生徒は、普通科の生徒の何倍もの努力をしない限り、大学進学は難しい。しかも普通科高校の中でも特定の有名高校に入らない限り、序列上位の大学に入ることが近年次第に困難になっていることは、今やほぼ国民的常識である。学歴社会の重圧に子供を持つ各家庭が悲鳴をあげているのは、まずこの身近な現実に発している。

しかし私が臨教審第二部会に一番訴えたいのは、じつはこの先の問題である。

「概要」（5）によると、学歴格差が企業における採用及び昇進のための決定的要因ではもはやないことは、各種の実証的研究で証拠づけられていると述べている。どの調査を用いたのか知らないが、私が調べた限りでは、企業の人事が東大偏重でなくなってきたという事実はたしかに証明されているものの、国立私立合わせて約二十〜三十の有名大学卒業者が、ことに採用時に優遇されているという新しい「学歴社会」の到来を否定している調査は一つもない。問題はここにある。今までのピラミッド型の構造は〝台形型〟の構造に変わったのである。大学生と上場企業の数が増加すれば当然起こり得ることが起こったまでで、ヒエラルキーが消えてなくなったわけではない。むしろ台形の底辺が広がって、裾野が大きくなっただけに、底辺にかかる圧力は昔より一層強まったとさえ言える。ちなみに昭和十六年の大学進学率は一％弱、旧制中学進学率は一八％だった。ピラミッドの頂点が一、二校だった頃は、進学しない層が大部分を占めていた。現在は九四％の高校生を底辺とし、偏差値の高い上位二十〜三十校の大学生を頂点とした、ほぼ全国民を巻き込む巨大学歴社会が形成され、例外者を許さないのである。

　臨教審委員諸氏よ、どうかこの事実から目をそらし希望的観測だけで議論することだけは、厳に慎んで頂きたい。

文教政策に必要な戦略的思考
相手の出方を計算していない

昭和六十（一九八五）年七月六日

　教育を審議したり、教育政策を立案したりする人々の遣り方を見ていて、つねづね疑問に思う一点について述べる。過日臨教審の第一次答申が出たが、それにだけ関わることではない。勿論、答申の中にもこの疑問点は認められるが、これまでの文部省の政策、国大協の審議等を見ている場合にも、つねづね同じ疑問が感じられる。つまり、ある相手を想定して政策を立てなければならない場合に、相手の出方をまるで計算に入れていないのではないか、と疑われるケースがあまりにも多い。

まず今回の臨教審答申の中から二例を挙げてみよう。国公立大の共通一次試験に代えて新たに私立大も参画できる「共通テスト」の創設が提案されたことは周知の通りだが、答申には私立大が参画を拒否したらどうするのかということがまったく書かれていない。否、そういう可能性を想定して複数の政策を立てるという用意周到さがまるでない。私立大の参加に競争緩和のどういう利点があるのか私には分からないが、今それはここでは問わないことにする。私立大の参加を一大特色として打ち出しているのであるから、臨教審としては余程に自信のある政策なのであろう。だとすれば、私立大が参加しなければ政策の価値は下落してしまうことになる筈である。それ程に大事なこの条項が、私立大の意志いかんに委ねられているのである。しかも、答申の出される前に、私立大の大半は参加するのはいやだと公表していたのだ。

次いで、学歴社会の是正をめぐる提案を読んでも同じことが言える。臨教審は相変わらず、学歴社会はいけないことだから、どうか止めて欲しいと企業や官公庁に希望を表明しているだけの話である。こういう呼び掛けは何十年と行われて来て効果がなかった。

私の常識では、政策を審議したり立案したりする人間は、自分の思い通りの希望を表現するだけで終わってはならない筈だ。すべては相手あっての話で、従って、ときに自分の無力の確認からむしろ出発すべきではないのか。自分の思い通りに行かなかったら、次にどのような手を打つか、そのような実際的な思考を忘れてはならない筈ではないか。

臨教審答申の学歴社会是正の項には、企業や官公庁に向けて「……することが望まれる」という他人に下駄をあずけた言葉が再三用いられているが、もしも、貿易摩擦対策審議会で、「アメリカは日本の貿易が公正であることを信じ、日本からの輸出の一層の増大に忍耐することが望まれる」と涼しげに書いて、日本政府にこれを答申したら、審議会の役割は果たされるのであろうか。あるいは、臨教審は「共通テスト」に私立大の参加拒否の可能性を想定しないで平気なわけだが、もしも防衛審議会が相手国の参加拒否のケースを想定せずに、日中平和条約に南北両朝鮮が参加し、次いで米ソ両大国が調印することがわが国審議会の意向であり、関係各国は当審議会の善意を掬《く》んで、これに賛同してくれるであろう、と書けば、書いた人間の頭がおかしいと言われるのが落ちであろう。しかし、そう言っては失礼かもしれないが、臨教審の答申内容はほぼこれに似ているのである。

予測審議なしの共通一次

が、なにも臨教審にだけこの種の甘さ、手抜かり、隙があるのではない。日本では教育政策となるとどういうわけかこういう間の抜けた性格が剥き出しになる。その第一は、現行の共通一次試験の実施決定である。この試験の与える悪影響について、当時私は何度も警告した。しかし、私ごときの言などが取り上げられるわけもない。後で知って私が驚き、かつ憤慨したのは、この試験を導入したら受験生の心理がどう動き、受験産業がどうそれを利用するかという可能性——一部識者がすでに予告していた——を、国大協も文部省も、計算していないどころか、ただの一度も予測審議をしていなかった、と私が当時の関係者から聞き知ったことである。文部省にとって受験生心理とは、外務省にとっての外国の対日感情のごときものであり、受験産業とは防衛庁にとっての仮想敵国のごときものであろう。それくらい油断のならない存在に膨れ上がっている敵国の持つ力、情報収集力、その出方をいちいちキャッチし、それとどう対処するかが外務省や防衛庁の仕事であるのと同じように、文部省もまた国内に有力な敵がいることに対し、リアリズムを具えた認識を持たなくてはならない筈なのである。今まで文部省は日教組を最大の敵としていたが、じつはそんな認識ではもう甘い。

「ゆとりの教育」と称して公立中高校の英語の授業数を減らした文部省の政策は、公立校の実力を下げ、受験生を一層私立エリート校に走らせる結果となり、「ゆとり」どころではなくなった。東京都の「学校群」の失敗を目前に見ながら、なぜこのように、受験生心理やそれを餌にする巨大受験産業に、赤子の手をねじられるように、やすやすとしてやられるのか、私には教育政策立案者たちの心事が理解できない。すべての政策は相手あっての話である。相手の戦略を見抜いて、それに上回る有効な手を打たなくてどうして政策立案家といえようか。

臨教審の答申にも、またそれ以外の従来のさまざまな教育政策にも、私のごとき文学屋でさえ気がつく程度の合理主義が往々にして欠けているケースが多いのを、私はつねづね不思議に思っている。

大学の自主性という幻想を捨てよ
国立大グループ分け

昭和六十（一九八五）年十月三十一日

同じ過ちを二度犯してはいけない。——これは子供の頃に誰しもが聞かされる初歩的な教訓である。ところが世の中には、立派な大人たちが衆知を集めて、同じへまを二度も三度も繰り返すという事例が少なくない。国公立大学の入学試験の遣り方などは、さしずめそのいい例である。

私が入学試験を受けた三十年前には、進学適性検査という名の共通テストがあった。弊害が指摘されて廃止され、各大学が独自の学力試験を（大学によっては二度）課すという遣り方が長い間つづいた。大学ごとに異なるこの試験にも弊害があると騒がれ、共通一次試験が始まった。共通一次試験の導入当初、各大学の行う二次試験は科目数を少なくし、配点比率も低くするのが望ましい、とその筋から指導された。つまり共通テストの方を重視せよ、というのである。ところがほどなく共通テストを行うこと自体の弊害が再び問題となり、最近では、またしても各大学の出題の独自性に期待するという方へ、方針が転換している。こんなふうに絶えず振り出しに戻る空しい堂々めぐりをしているようにみえる。

国公立大の受験機会を一度にするか、二度にするかという最近話題の改善策にしても同様である。旧一期校・二期校の区別は、世間がいま誤解しているように学力差に基づくものではなく、最初は各大学の自主的選択によって決定された。歴史も実力もある地方有力大学が、少しでも良い学生を迎えようという現実的理由から、敢て二期校に回るという選択も少なくなかった。ところが、歳月が経つうちに——ここが今の日本社会の最も厭わしい点だが——旧制帝大が一期校に集まったせいもあり、単なる便宜上のこの区別が、いつしか優劣の識別、質的な差異として格付けされ、固定的に利用されるようになった。進んで二期校に回った有力大学は、軒なみに大損をした。

そこで、学生心理にとり好ましくない差別意識を取り除く目的で、一期校・二期校の区別を排し、受験機会を一回にしたのが現行制度である。これで、形式的には、確かに差別は取り除かれたが、主として地方の国公立大で、一度の選択だけではいい学生が集まらないので、定員の一部を二次募集に頼るという大学があちこちに現れ始めた。こうして今では旧一期校・二期校の形式差別は確かになくなったが、代わりに二次募集を必要としない大学と必要とする大学という新しい差別が生じたわけで、事態は以前と根本的には何も変わっていない。

去る［昭和六十年］十月十七日、国大協が昭和六十二年春の入試から、全国の国公立大をA、B二グループに分け、受験機会を二度にすると新たに提案したのは、こうした状況を打開するためであることは、あらためて言うまでもない。が、またしても全国の大学を単純に二種に分けるという、旧一期校・二期校の区別と類似した方法に依存している。しかも、A、Bいずれに属するかは各大学の「自主的選択」に任せる、という国大協の今回の方針は、この点でも以前とまったく同じであって、すべては再び振り出しに戻り、同じ失敗の道をまたぞろ歩き出したのではないかという、空しい気持ちに襲われるのは私ばかりではあるまい。

有力大学は責任を自覚せよ

「同じ過ちを二度犯してはならない」という、子供向きの教訓を、日本の国公立大学の教授諸氏にも深く肝に銘じて頂くために、私は次の二つの提言をしたい。第一に、全国の国公立大の相互の「格差」は現実に厳然と存在する以上、あたかもランク付けが存在しないかのごとき建前で審議する自己欺瞞をまず捨てて頂きたいのである。第二に、大学間のこの「格差」が現状のまま永遠に同一であるという固定観念をも振り捨てて、もっと自由に、現実的に考えて欲しいのである。「格差」は現に流動しているし、日本の教育全体のためには、さらに流動させ、大学同士の競争をもっと活発ならしめることが肝要と考える。

具体的にいえば、次の通りである。

知能指数の高い青年が一、二の特定大学に集中する寡占体制の固定化が、今日の日本の教育の病理の中心であるという共通の認識が必要で、次いで、これとは逆の認識になるが、「格差」を全廃することは出来もしないし、全廃は教育上・研究上けっして望ましくもないというもう一つ別の現実的認識が必要である。そこで、A、B二グループ分けを旧一期校・二期校の繰り返しとしないためには、例えば、東大工学部がAなら、東工大はB、東大文学部（文Ⅲ）がAなら、京大文学部はBにそれぞれ政策的に振り分けるといった配慮を、全国のあらゆる大学の相互関係で徹底させることが必要であろう。勿論、有力大学の合格者の中から入学辞退者が相次ぐという、技術的にも面倒な、関係者のメンツにも関わる厄介な事態が予想されるが、日本の教育の健康回復のために、果たして乗り越えられないほどの困難事であろうか。各大学の「自主性」という幻想を捨て、国公立大を全体として一つの組織として扱う「見地」が必要である。このためには、場合によっては東大経済学部（文Ⅱ）をA、東大法学部（文Ⅰ）をBに、という具合に、全国の有力大学を学部ごとに解体してA、Bに二分し、数年ごとにこれを入れ換える、という思い切った措置も考えてみる価値がある。

すべては東大をはじめとする有力大学が責任をどの程度に自覚し、どう動くかに成否がかかっている。もしも、新聞に伝えられているように、有力大学はおおむねAに、あまり有力でない三十大学程度がBに回るのが本当だとしたら、再び昔の愚を繰り返すだけで、名だたる学長たちが集まって子供用の教訓さえ実行できない醜態を、天下にさらす結果に終わるであろう。私は敢て予言しておく。

教員不適格者の排除システムを臨教審第三部会提案を支持

昭和六十一（一九八六）年一月十八日

臨教審は間もなく、新しい審議概要の公表を予定しているようだが、そのせいもあってか、昨年［昭和六十年］末からにわかに再び、各部会の審議内容がしきりに個別に報道されてきた。その中で、というより、それよりかなり早い数カ月も前から伝えられてきたことだが、審議項目の中に私が注目している一つの重要な動きが存在する。その動きとは第三部会の提案する二つの項目、すなわち「教員初任者研修制度」の確立と、「教職適性審議会」の設置の提案である。

教育改革の基本は制度にあるのではなく、何といっても人間にある。悪い制度下でも、良い先生さえいれば良い教育がなされる。これは自明である。何を良い先生というかは難しいが、先生の質を向上させていくことがあらゆる問題解決の鍵であることは誰もが痛感している。ただ、そのためには長期にわたる忍耐と時間、それに莫大な金がかかる。すぐ効果は現れない。教育改革に明日の政治的効果ばかりを期待している時代には、教員の資質向上はじつはあまり歓迎されないテーマなのだが、それを承知でこの困難なテーマを敢然と掲げ、答申の中に盛り込もうとしている第三部会の勇気と見識に、私はまず敬意を表したい。

第一に、学校の先生は医師や司法官と同じような専門職として扱われるべきではないかと、私は兼ねてより考えていた。医師と同じようなインターン制度の確立、条件付き採用をした数カ月後における不適格者の不採用の断行、等が積極的に行われなければならないであろう。現行の教生制度では、大概母校の中学や高校に出向いて訓練を受けるような場合が多いので、与えられる評点も甘く、不適格者として排除される確率はほぼゼロに近いと聞いている。学力はペーパーテストで選別できるが、教師には学力以外の何かが問われている。その何かを予め選別するための制度が事実上存在しない。

第二に、もう一つの問題は、採用約十年後の教員不適格者の排除、つまり不良教師の排除のシステムが法律的に有効に機能することだろう。この問題は公務員の地位に関わり、人権問題にも触れるので、難問であることは分かるが、性格破産すれすれの荒廃教師をクラス担任として迎える児童生徒の「人権」の方が、もっと尊重されなければならないことは言うまでもない。
臨教審発足以来、最も地に足の着いた実際的な提言をなしてきた第三部会が、この困難な課題をも引き受けようとしていることは敬服に値するが、最近、八方からの圧力で折角の提言内容が後退し掛けていることは、遺憾であり、心配である。「初任者研修制度」はどうやら答申に掲げられるようだが、研修の結果、不適格者を不採用にするという方式が確立されるのかどうかは危うく、肝腎な点が骨抜きになりそうな形勢である。「教職適性審議会」の設置の方は、最終答申にのるのかどうかさえ覚束ないと伝え聞く。

逃げ腰の教委に期待できない

実際にあった話だが、ある高校の先生がすぐ女生徒の身体に触れる強度の痴漢であることが分かっていて解雇できないケースがあった。止むなく彼を通信教育の担当に回したら、周知の通り通信教育はスクーリングといって個室で教える時間があるため、かえって手を出し易く、しかも受講者が成人なので腹を立て、警察沙汰となった。関係者はこれでやっと重い腰を上げ、彼を馘首した。警察沙汰にならない限り排除できない処に、今までの制度の欠陥がある。もう一つの荒廃教師の例は、法律の許すすれすれまで欠勤する、いわば登校拒否児のような、責任感覚を喪った、病気寸前の大人である。この方が数も多く、影響も大きい。同僚から白眼視されても平気で、職場に居坐っている。こういう教師に教わった生徒たちこそじつに不運である。

不適格者を取り除くための制度というと、すぐに政治的悪用を心配して、組合が過剰反応をするが、学校の同僚全部が困惑している極端なケース——私立校ならさっさと解雇している——に限って制度を適用するというくらいの大人の智恵を持っていないのだろうか。日本の社会はそれほどにも成熟していないのだろうか。また、自民党筋にも反対があって、新審議会の設置は教育委員会の権限を犯すので、後者を活性化するのが先決と主張する勢力が勢いを増しつつあるようだが、教育委員会が今まで事なかれ主義に陥り、この点で責任を果たして来なかったからこそ、ひどい事態を招いているのではないか。今さら逃げ腰の教育委員会に何が期待できるだろう。有名無実になった既成の制度に頼らず、新しい制度によって子供たちを守ろうとする第三部会の提案の精神を、私は支持する者である。

それにしても、教職適性審議において最も警戒すべき事柄は、政治的悪用うんぬんでは決してなく、良い教師と悪い教師との差は紙一重だという点である。世の中には服装や会議の発言などでつねに平均値を外れた人間がいる。そういう中に教師としてかえって優秀な例がある。社会的にはバランスを逸しているが、生徒との一対一の関係ではひた向きで、好影響を与える。テレビの金八先生が代表例だが、彼のようなユニークな教師を、荒廃教師ととり違えて排除するようなことがあっては断じていけない。「初任者研修制度」は排除を目的とするのではなく、成績のいい優等生が必ずしも良い教師とは限らないことを教える、人生教育の場であって欲しい。

東工大、一橋大は責任自覚を国立大グループ分け最後の試金石

昭和六十一（一九八六）年四月十五日

私は昨年［昭和六十年］秋、本紙のこの欄［産経新聞「正論」欄］で、国公立大がもしも本気で受験生に、有効性のある複数の受験チャンスを与えるつもりがあるのなら、東大、京大が受験日を別にした二グループに分かれることはもとよりだが、それだけでなく、例えば、東大工学部と東工大を別グループにする等の政策的配慮を、全国のあらゆる地域で徹底させなくてはならない。そして「各大学の〈自主性〉という幻想を捨て、国公立大を全体として一つの組織として扱う〈見地〉が必要」だと書いた。さらに、「このためには、場合によっては東大経済学部（文Ⅱ）をA、東大法学部（文Ⅰ）をBに、という具合に、全国の有力大学を学部ごとに解体してA、Bに二分し、数年ごとにこれを入れ換える、という思い切った措置も考えてみる価値がある」（［昭和六十年］十月三十一日付）と述べた。これにより大学間の固定化した「格差」をゆるめ、流動させ、大学同士の競争をもっと活発ならしめることが可能になる。「格差」を全廃することは不可能だし、教育上・研究上必ずしも好ましくないが、「格差」を流動させ、上下の入れ換えを促進することは、健康な措置だと考えたからである。しかし、現実にはいろいろの思惑が入り乱れていて、国大協が二グループ分けを予告したからといって、右の通りにそのまま実現するとは思えなかった。理想は理想、現実はあくまで現実である。だから、周知の通り去る［昭和六十一年］四月三

日に旧七帝大が、自らを東西に二分し、率先して受験機会を有効に拡大した決定には、大変に驚いたし、よくもまあ、勇気ある第一歩を踏み出してくれたなァ、と感謝する気持ちにもなった。学内の抵抗を抑えて全体の「見地」のために思い切った決定をなした、関係各大学の学長諸氏の英断を賞讃せずにはおられない。

もとより現代日本の入試改革で、完全無欠というものはない。やってみないと分からない危険な面もある。しかしその後各方面から出された新決定への反対意見、例えば優秀な生徒はA、Bどちらも合格し、合格レベルが上がり、合否線上の生徒が押し出されるという疑問は、国公立大の定員が同一なのだから、そう深刻化するとは思えない。また共通一次以来、難関校を除く多くの国公立大が入り易くなっていたのに、再び昔へ逆戻りするという不満は、国公立大のここ数年の学力の下降に歯止めを掛け、元のレベルへ引き戻すための措置なのだから、止むを得ないと言う他はない。A、Bどちらの大学でもよいという不本意進学者の増加を危惧する向きもあるが、今だって偏差値による輪切りで、圧倒的多数は事実上の不本意進学者である。今後二度の受験が可能になれば、第一志望校を失敗してもかえって諦めがつき、今までのように受験機会さえ奪われて偏差値で第二志望校を押しつけられていた状況よりは、よほど心理的に受験生の本意に適っている。

しかし「敗者復活」に心をくだいた受験生本位のこの新制度が、果たして成功するかどうか、今じつは瀬戸際にある。私は理科系の国立大に勤務する文科系の教師なので、自由に物の言える立場にある。国大協の最終決定を目前に控え、関係各位に次の重要な一点への注意を喚起したい。

首都圏の動向に大きな影響

京大が学内の反対を押さえて、東大と別のグループに属したことで、次の焦点は戦前に大学に昇格していた東京の二校（東工大、一橋大）の責任ある態度決定に移っている。このところの南関東への学生の集中状況があって、首都圏の大学は軒並みにどこも全国型の大学に変化した（私の所属する電気通信大学も入学者の五三％が関東以外の出身で、全都道府県から洩れなく学生が集まっている）。このため首都圏のグループ分けの影響は大きく、わけても東工大、一橋大の動向は、今回の新制度の成否を決めるいわば鍵であるといっても過言ではない。受験生の意識が、ある意味では東大を除く旧六帝大より以上に、この二校に傾いていることは、私大を含めた首都圏大学への学生の集中状況に加速された結果で、受験雑誌を見るまでもない自明の話である。

受験機会の複数化の制度が受験生にとって本当に有効であるか否かは、東工大、一橋大が東大とは別のグループに属するかどうかで決せられる、と私は今ここで強調したいのだが、これは単に私一個の推測ではない。湘南高校の佐藤教諭（『読売』［昭和六十一年］四月四日）、千葉高校の村越教諭（『東京』四月四日）、その他数多くの現場の証言がある。また、筑波大学などは「東工大、一橋大が東大グループなら筑波も」（『読売』同右）と露骨に公言しているほどに、二つの旧制大学の動向が首都圏の各新制大学の動きを左右しているのが実情である。

ところが、伝え聞く処では、両校はともに東大と同じグループに属したいと強く希望しているという（『日経』四月四日）。何でも話によると、昨年［昭和六十年］末の国大協関東ブロックのアンケートに、他大学の迷いをよそに、東工大、一橋大は、何らの迷いもなく、東大の属するグループに入る、と早くから公言して憚らなかったという。

すでに噂になっているように、両校が東大側のグループに入れば、首都圏の他大学にはもうほとんど選択の余地はなく、関東ブロックの大勢は、片寄った形で決してしまう。そうなれば、京大、阪大、名大、九大のせっかくの英断は画餅に帰し、一、二年でこの制度はもう廃止しようということになり兼ねまい。東工大、一橋大の教授会は、旧帝大がある程度の犠牲を承知で踏み切ったその精神を汲み取って、大局的見地から公正な責任ある方針を選んで欲しい。またそうするだけの実力が、両校に備わっているという自信を持って頂きたい。

昭和六十一（一九八六）年十月九日

人口に無力なヒューマニズム 西ドイツ社会を他山の石に

先日、西ドイツの人口問題の権威の講演を聴いた。マックス・プランク研究所のハンス・F・ザッハー氏の講演である。

一九七五年を境に、西ドイツでは出生率が急激に低下したことは、これまでにもよく知られている。第二次大戦後ずっと人口が増加しつづけていた西ドイツで、七〇年代の半ばに異変が生じた。どういうわけか謎とされているが、以後ずっとピーク時の半分に出生率が減少した。純再生力といって、一人の女性が一人の女の子を生む数を「一」と定める単位があるそうだが、五〇年代以来ずっとこの数値は一を超えていて、一九六〇年に一・〇四だったのが、一九七八年に〇・六六に下がり、ほぼ横ばいで今日に及んでいるという。この分でいけば西ドイツの人口はどんどん減少し、労働力・経済力・税収入の面だけでなく、防衛や治安の面にまで著しい支障を来すことになり兼ねないという話である。

はじめ主要な原因と目されたのは、人工中絶が公認されたこと、避妊の方法の普及である。一九七五年に、人口減少のグラフ線のカーブの急激な下落の始まる一点を指して、Pillenknick「ピル（経口避妊薬）によるカーブの折れ曲がり」という言葉がしきりに言われたのも、原因を薬物というような外部に求めていた、当時の気楽な空気を伝えている。しかし、十年経ってみて、どうもそんな生易しいことではないことが段々に分かってきた。どうやら原因はドイツ民族の精神状況そのものの中にあるらしい。二十一世紀の半ば頃に、ドイツという国は地上から消えてしまうのではないか、と冗談にも取り沙汰されるようになったほどの危険ラインに近づいた減退ぶりが、精神内部の荒廃と無関係なはずはないであろう。

ザッハー氏によると、原因は次の四つに大別されるという。（一）昔は子供が親の世話をしたから子供をどうしても必要としたが、今は社会（施設）が老いた親の世話をする制度が行き届いたので、子供は要らないと考える人が殖えて来た。（二）昔は子供は神の意志の実現と考えられていたが、そうした宗教的動機が弱化した。（三）子供を持つと母親が社会的に活動しにくい。最近は男女平等意識が強く、女性の自己実現のために子供はお荷物である。（四）生活が豊かになり、レジャーも多様化し、今の娯楽水準を維持していくのに、子供に大きな費用をかけたくない。例えば、外国旅行をするとき子供は邪魔である。……ざっと以上のような理由で、一九七二年から八一年の十年間に、子供一人だけの家庭が二五パーセントも増加し、五人構成の所帯が三〇パーセントも減少した。離婚、別居等も盛んで、両親のどちらかが欠けている家庭が急増し、今後、子供のうち四人に一人は自分の生まれた家ではない別の家で暮らさなければならなくなるだろう、と予想している。

人類は自分の生命を食べて延命

ザッハー氏の説明した西ドイツほどひどくはないにせよ、親の物質的安逸、公共施設への依存心理、女性の社会進出といった以上の理由づけは、どれも日本と無関係ではなく、十年先の日本の社会を占っている観があるが、しかし、ザッハー氏の挙げた四つの理由だけではどうしても言い尽くせない、何かもう一つ別の根本的な問題がここには横たわっているように私には思えてならないのだ。そしてそれは工業先進国にはほぼ共通する問題で、たまたま中部ヨーロッパに著しく露骨に先駆けて現れただけであっていずれは地球的規模の文明病の様相を呈するであろう。その根本的な問題とは、人間が生命の延長を図って、かえって生命力を涸渇させているという逆説である。

もともと生と死は一つである。死があってはじめて生が成り立つ。昆虫や野生動物の例を見るまでもなく、種族の繁殖のためには、個体は自己の消滅を顧みない。大量に死に、そして大量に誕生する——それが生物の自然な、健康な姿であろう。古代社会の密儀において、通例、生殖と死とが対立的に捉えられていないのはそのためである。この二つは元来、自然の全生命に所属していて、個体が死んでも生命そのものは亡びず、死はそれ自身すでに生命のうちに含まれ、生命の一部を成していると考えられていたからである。ところが近代のヒューマニズムは、ただひたすら個体の生命にだけ執着し、延命を絶対善と考えてきた。その結果、生命そのものを薄め、弱めるという思い掛けぬ事態を招いたが、それも近代のヒューマニズムが大自然の生命に根本において違反する思想であったからではないか。

福祉の行き届いた西ドイツ型の高齢化社会は、人が簡単に死ぬことも出来ない社会である。そうした処で出生率がどんどん下がっていくのは当然である。死のない処には、生もないからである。ザッハー氏は西ドイツ政府の対症政策を説明した。曰く、働く母親の手当を良くし、産休を長くし、育児休暇を父親にも与え、生後一歳までは赤ん坊ひとりに月額五万円を支給する、等で「産めよ殖やせよ」政策を勧めているが、効果はまったくなく、先行きは絶望だという。当然である。政策の方向が全然あべこべだからである。

近代のヒューマニズムが自ら掘った墓穴を、同じヒューマニズムの一層の拡大で埋められるはずがないのだ。人類は自分の生命を食べて延命しているだけである。やがて来る高齢化社会の諸状況に、日本人は覚悟が出来ているだろうか。

「欧米の挑戦」を受けて立て応用に弱い西ドイツの対応例

昭和六十二（一九八七）年三月十二日

レーガン米大統領は［昭和六十二年］二月十七日、ホワイトハウスで声明を発表し、米国の国際競争力を強化するための包括的戦略六項目を発表した。その中に「知的所有権の保護」の一項目のあるのが注目される。これは米国が基礎研究に金を投じて開発した技術をこれからは日本に勝手には使わせない、という決意の表明だと思う。日本とはっきり国名を挙げてはいないが、米国は従来、日本の技術の〃ただ乗り〃状況をアンフェア（不公正）だと再三主張して来ただけに、主たるターゲットが欧州ではなく、日本であることは公然の事実である。

欧州では科学技術の基礎研究は伝統的に強い。産業への応用面に弱みがある点で、米国と事情はやや似ている。従って、今度のレーガン戦略の直接の狙いはあくまで日本であろう。

これに対する日本側の対応策は二つ考えられる。①日本の創造力を起こすこと②従来の遣り方の方が馴染み易いし、自力開発よりは経済的だと考えること。

日本政府にも、産業界にも、おそらく②の考え方に傾く人が少なくないと予想されるので、欧州の状況を参考にしながら、挑戦された側は必ずそれに対抗し、再度挑戦してお返しすること——それが世界の侮りを買わない道である所以を、少しく詳しく述べたい。

一九八〇—八二年頃、「日本の挑戦」という言葉が欧州の新聞やテレビの字面に躍った。と同時に、日本人は米国と欧州の技術をコピーし、上手に応用しただけで、自ら開発した原理は何一つない、との侮蔑的評価が流行した。そして、それから五年。応用面に強い日本、弱い欧州という状況に、欧州人はどのように対処しただろうか。とりわけ日本の進出に最大の衝撃を受けた西ドイツは、どのような手を打っただろうか。

彼らは自分の欠点にはなかなか気がつかないが、いったん気がつきだすと対応は早い。「ハイテクパーク」といって、工科大学のキャンパスを利用したベンチャービジネスが、今、西ドイツでは流行の観を呈している。政府が適当な施設を調達して、大学に無償で貸与する。そこで助手とか、大学院生といった若い才能が、教授たちの基礎研究を製品に結びつける智恵を競い合って、企業家としてスタートする。産、官、学の三者協力体といえるが、一九八三年十一月にベルリン工科大学を皮切りに、アーヘン、ミュンヘン、ダルムシュタットの各工科大学がつづき、八五年五月には十七大学にのぼり、八六年七月には四十三大学にまで激増した。一大学に約二十社、従ってすでに約八百社以上のハイテク企業がスタートしていることになる。

一方、南ドイツ三州の州政府は、日本の通産省顔負けの猛烈な「産業政策」を推進している。七都市を結ぶハイテク企業の集中帯がすでに出来あがっていて、「ハイテク街道」と名づけられ、第二のシリコン・ヴァレーを目指している。いずれも日米の動向をにらんだ捲き返し戦略にほかならない。こうした反撥力はフランス、イギリスにも顕著であり、ハイテクパークに限っていえば、オランダ、ベルギー、デンマーク、スウェーデン、北イタリアでも着手されている。

日本は弱点克服に全力を

日本も油断してはいけない、などと私は言いたいのではない。一九八〇―八二年に「日本の挑戦」を認めた欧州諸国が、五年後に、自分の弱点――応用面に弱い――を克服しようと、早いスピードで自己改造を試みていること、すなわちハイテクによる日米の挑戦を受けて立って、自らも応用面に強くなろうとし、一斉に立ち上がったこと、ここにわれわれは、欧州にまだダイナミズムが失われていない証拠を見るであろう。と同時に、外から自分の弱点が挑発的に指摘されたなら、ただちにそれを積極的に是正する自己改造力を持つことが、柔軟で活力を持つ国の行動原理でもあるということを、確認しておきたい。

英国の科学雑誌『ネイチャー』は「日本の科学」を特集した記事の中で、日本の科学に若干とも独創性が不足しているのは、日本人の才能に欠点があるせいではなく、基礎科学の研究状況が見窄《みすぼら》しいことと、大学や研究所の早い時期における人事の固定化、終身雇傭制度に原因があると書いている。まったくその通りだと、私も思う。

いったい日本人は、今なおコピー人種と言われ、真に新しい法則の発見や原理の樹立で人類に寄与したことは一度もない、などと軽んじられて、それでなぜ平気なのだろうか。そういう言葉で露骨に挑戦されたら、受けて立つべく、自己の弱点の克服に全力を挙げるのが当然なのではないだろうか。それなのに、基礎科学に人材と資金が集中的に投与されたという話は聞かないし、大学や研究所に創造力を尊重するような人事政策が断行されたという話も聞かない。

今米国はにわかに厳しく「知的所有権の保護」を言い出した。困ったことに、現代の技術はシステム技術であるから、開発の根元を押さえられると、その後の改良技術の全部が押さえられてしまうことになる。それに、日本人が創造的国民だとのイメージが世界的に定着するまでは、アンフェアというあのいまわしい評語は、日本人に投げつづけられるであろう。「日本の挑戦」を受けて立った欧州の精神を今こそ学んで、われわれもまた「欧米の挑戦」を受けて立つことが必要なのではあるまいか。

「国際化」を叫ぶのは日本だけ欧米に同じ意味の言葉はない

昭和六十二（一九八七）年四月十四日

最近わが国では、あらゆる所で「国際化」の必要が唱えられている。金融・流通機構・労働市場は言うに及ばず、教育改革の論議の背後にまでも、「国際化」が日本人の国民的課題であると言わんばかりの言い方がなされている。

しかし、「国際化」とは一体何だろうか。わけもわからずこの言葉を合言葉のように振り回して、日本を一定の方角へ闇雲のように駆り立ててしまう前に、今冷静に踏み止まって、言葉の意味を問い直し、その用法を吟味し、他国との比較を試み、その上で進むべき方向を模索しても遅くはないのではなかろうか。

世界において「国際化」がスローガンさながらに叫ばれているのは日本だけである。欧米世界に、これをめぐる議論も、自己反省も存在しないし、第一、日本人が使っているのと同じような意味での「国際化」という言葉が存在しないのだ。私が知る限りの欧米人に聞いてみると、彼らはまず第一に、日本語の「国際化」というこの言葉が何を意味するかが分からないという。

思うにその理由は、欧米世界は現実においてすでに「国際化」されているから、今さらそういう言葉を必要とはしていない、という事情があるためだと一応は考えられる。彼らの大半は無意識のうちにそう自惚れている。欧米で通用して来た尺度は、従来、そのまま世界に通用する尺度でもあったからだ。そして、他方において日本人が「国際化」の必要をかくも熱心に唱えるのは、日本人自身が今なお自分を閉ざされた特殊な民族と意識し、それを克服しなければならない欠点と判断しているからだろう。

しかし、果たしてそう単純に考えていてよいのだろうか。世界地図を見渡してみると、「国際化」されていない、閉ざされた国ばかりがやたら目立つ。イスラム、中国、ソ連しかり。米国や欧州だって、完全に「開かれた」国々だと果たして言えるだろうか。自分の暮らし方を民主主義の最高形式と信じ、自分の正義を他国に押しつけ、外国語を学ぼうとさえしない米国国民。近代科学の進歩の理念が自分に発し、地球全体に拡がったことを理由に、久しい間自己中心史観に趺坐《あぐら》をかき、キリスト教を欠いた文明はみな野蛮で、未開放と思っている西欧人。一体彼らがどうして「国際化」された、開かれた民族といえるのであろうか。自分を閉ざされた国だといつも意識している日本人の方が、よほど心理的に開かれていて、外の世界から謙虚に「学ぶ」という伝統的習性を保持しているのではないだろうか。ただ、国際会議が主に英語で行われるなど、世界の運営がこの二、三百年欧米の基準でなされて来たので、〝欧米の閉鎖性〟ということが今まではどうしても見えにくかったまでなのだ。閉鎖的な自己中心癖は何処の国でも同じで、他国にぬけぬけと「国際化」を要求できるほど公平で、無私の国民など、まずあり得まいと私は信じている。

欧米人が言う国際化の意味

それにも拘わらず、日本の「国際化」が求められる所以は、貿易、軍事、文化交流、等々において世界を支配しているのは、今の処はまだもっぱら欧米の論理であって、日本はそれに自分をある程度合わせせない限り、国としての生存を維持できないからに他なるまい。つまり、「国際化」は必要から、やむを得ず強いられていることであって、決して美しい正義の御旗なのではない。国が生き延びて行くために、どうしても欧米の論理への適応化を必要とするなら、それはそれでいい。いくらでもそういう覚悟でやったら良いと思う。ただ、「国際化」が、日本の特殊性を普遍化してくれる絶対善だからそうするのでは断じてない。日本は特殊で、欧米は普遍だなどというのは、誤てる迷妄にすぎない。単に実用的必要の見地から、日本はいま外に向けてある程度開かれようとするのであって、従って、「国際化」という甘美な言葉の使用をむしろやめ、はっきりと、「欧米の秩序への適応化」という正確な言葉を使う方が、かえって誤解は避けられる。

この場合の「誤解」とは日本人の自己誤解である。日本には聖徳太子の昔から、文物を外に求め、己れを空しくして、外の世界に自分を柔軟に合わせるという美点——島国人としての自意識が非常に発達している。この美点と、政治的経済的必要から欧米の作り上げた秩序に一時的に自分を適応させるという現代的課題とを、日本人は「国際化」という同じ一つの言葉の中で、ごちゃ混ぜにして用いていないか。

過ぐる日、わが国第一級の外交官で知られる故牛場信彦氏が、テレビで貿易摩擦に関連し、「日本は特殊な国で、先進国でこんな歴史と文化を持った国は何処にもないのだから、その点を認識して、欧米の言い分に耳を傾けねばならない」とおっしゃったのを、今でもはっきり覚えている。尊敬すべき知性派外交官においてなお、こうした認識の危うさがある。わが国が欧米の言い分に耳を傾けるのは、特殊な国だからではない。日本が特殊だというのなら、欧米もまたキリスト教の神の観念に呪縛された一個の特殊である。地球上に特殊も、普遍もない。我々は単に生きる必要から、外国の言い分に耳を傾けるにすぎない。

例えばアフリカの国コンゴもベルギー一国の統治に委ねず、欧米諸国間で山分けした一八八三年、「コンゴの国際化」という英語が用いられた。スエズ運河の権利を英国がエジプトから奪った時も、「運河の国際化」という美名の下に行われた。欧米人は「国際化」という言葉をかような意味に使うのである。今彼らが日本の「国際化」をしきりに言うのが、本来どういう意味であるか、外の世界が多少とも見えている人なら、間違うことはないだろう。

東大を頂点とする序列と一極集中
現実から遊離した入試制度

昭和六十二(一九八七)年七月六日

国公立大入試の来年度[昭和六十三年]のABグループ分けが決まった。Bグループに日程が偏重したために、大学側のかたくなな態度が非難されている。とりわけB偏重の引き金となった京大法学部が批判の矢面に立たされた。しかし緊急避難的に、今回、東大と同日程に入試日を合わせた京大の措置には同情すべき点もある。むしろ、論難されなければならないのは、予想される損害のすべてを京大に押しつけて、最初から東大と同日程以外には入試をしないと公言して憚らなかった他の有力大学の、そもそもの初年度の決定である。

私は昭和六十一年四月十五日付の本欄[「正論」欄]に次のように書いた。それは四月三日に旧七帝大が自らを東西に二分する決定を発表した直後であったが、私は京大以下各大学の学長諸氏の英断を賞讃すると共に、この犠牲を無効にしないためには、首都圏のブロック分けの平均化が重要で、ことに戦前に大学に昇格していた東京の二校(東工大、一橋大)が責任を自覚して、東大とは逆のグループに属し、犠牲が京大の肩にのみかからないようにすることが、新制度の成否を決める鍵である、と述べた。しかし、ご承知の通り、首都圏では前述の二校をはじめ、有力大学がほとんどBグループ(東大側)に属してしまった。そのため、入試全体は関東と関西の二ブロックがそれぞれ別日程で行ったような形となって、関西の雄、京大にのみ著しい犠牲が強いられる結果に終わってしまったのである。

私は予言を誇る積もりはないが、東大を頂点とする〝タテ並び一直線の序列化〟という愚劣な現実が厳として存続する限り――それをどう解消するかという問題と、受験の複数化の問題とは明らかに別個の事柄である――旧七帝大を箱根の山で二区分するだけでは不十分だという私の見通しは、今日の結果からみて、紛れもなく正しかった。

まず、経済と情報の東京集中の現状を反映し、南関東への学生の過度集中という状況がある。首都圏の大学は軒並にどこも全国型の大学に変化した。東大は昔は〝関東の帝大〟にすぎず、〝九州の帝大〟も〝北海道の帝大〟も十分に肩を並べていたが、今はそんな現実はさらさらない。首都圏には〝地方の帝大〟を追い越してしまった個別大学が多数存在することは、受験生でなくても誰でも知っている。京阪神には京大、阪大、神戸大と三つの国立総合大学があるのに、首都東京には東大以外に国立総合大学がないという不均衡も、この傾向を助長している。航空機の発達、原宿や六本木情報の地方への普及、教官人材の東京集中――どれをとっても、地方の高校生が一度は南関東へ「留学」したいという願望をかつてないほど刺戟《しげき》する条件ばかりである。

変わらないブランド志向

私はそれがいいとか悪いとか言っているのではない。悪い事態であることは決まりきっている。ただ、いい、悪いの判断を超えて、ともあれ現実がそういうものであるなら、ＡＢグループ分けの選別をもそういう現実を踏まえて実行すべきはずであったであろう。東京の異常な地価高騰をはじめ「一極集中」の病的諸現象が今や社会問題であることは、知らぬ者とてない現実だ。教育政策だけが現実から遊離していいわけはない。もしも昭和六十四年春の入試をもＡＢグループ分けで行うのなら、旧制七帝大基軸で行うだけでなく、首都圏大学の公平かつ均等な区分けこそをもう一つの決め手とする基軸として実行すべきであろう。さもないと高校生や受験生から今噴出している不満を鎮めるすべはあるまい。

他方、自民党文教部会から出された「全大学の入試二分割方式」について一言私見を述べる。この提案内容は自民党に言われるまでもなく、大学人の間でかねて意識されており、臨教審でも討議されたと聞く。受験の複数化を完全実施するには、たとえ金と手間がかかってもこの方式が比較的有効であることは、かなり前から人々の口の端に上っていた。私も実施して悪くない案として評価する。自民党が一歩先に公言して、大学人の面子を傷つけたことは、実施の障害となる不幸な前提だが、しかし、いい提案なら誰が先に言い出そうと、面子にこだわらずに採用するのが大学人の理性であって欲しい。ＡＢグループ分けが各大学のエゴイズムで行き詰まりを見せている現状では、確かにこの方式は最善とはいえないまでも、次善の策である。

しかし、自民党の西岡武夫氏はじめ関係各氏に、次のことはどうしても申し上げておきたい。「全大学二分割方式」は受験の複数化には有効に寄与するとしても、高校と大学を支配する〝タテ並び一直線の序列化〟の病的傾向を助長こそすれ、これを根本的に治療することにはほとんど役立たないだろう。何をやっても東大が得をする構造——今年はっきり露呈した——は、入試方式の改良くらいでは簡単に変えられそうにない宿痾《しゆくあ》なのだ。これは国民意識の問題、文化の問題であって、教育問題ですらもはやない。「企業の中で進む東大離れ」が週刊誌の見出しになり、銀行や証券会社のようなかつての東大卒業者の牙城でさえ、役員人事で東大の凋落度が目立つと盛んに言われているにも拘わらず、受験生のブランド志向は変わらない。これは明治以来の古い意識の残滓ではなく、じつは昭和四十年代の経済の高度成長期以後に一段と強まった、進学率上昇の結果としての、上位校を実力以上に押し上げ下位校を無意味に押し下げる単なる〝物理的運動〟の帰結である。「二分割方式」は二度の試験の内容や遣り方を思い切って意図的に変えるなどして、〝物理的運動〟が強まらぬように工夫した上で、採用されるべきだろう。

日米双方にみられる自己錯覚
日米間の危機の原因は何か

昭和六十二(一九八七)年九月十五日

日米関係の危機の基本が、単なる文化の違いや情報不足にあるのではなくて、急激にさまがわりしている両国の力関係の変化に、両国民の認識が追いついていけない点にあることが、どうやら双方で、少しずつはっきりと、自覚されて来ているようだ。米国人にしてみれば、現状のままでは米国は衰退して行く一方ではないか、という恐れや懸念には、非常に深刻なものがあり、そうした不安が他方で経済大国としての日本の繁栄と浮上とに結びついているのだから、どんなに公正な米国人でも、日本によって米国が超大国の座を引きずり下ろされつつあるという不快な印象を、避けることは難しいのであろう。

しかし日本人から見ると、最近の米国のやり方には、納得のいかないことが多い。日本憎しの感情が先に立って、米国のやることは少し滅茶苦茶になって来た、と考え始めている。このままいけば、米国はますます無理なことを言い出すのではないか、そして、日本の側もそのうち平静さを失っていくのではないかという危惧の念もきざし始めている。

最近の例でいえば、前商務長官顧問のC・V・プレストウィッツ氏が『ニューズウィーク』（日本版では〔昭和六十二年〕八月十三／二十日号）に寄せた、新たな日米関係を求める意見が、全体として冷静で、建設的な見方を示しながら、ある一点で支離滅裂なことを語って、米国人のわがまさ加減をさらけ出している。プレストウィッツ氏は、米国は自国経済の優位がいつまでも続くものと油断して、日本に技術を譲り渡し、経済的な譲歩を重ねる習慣がついてしまったと指摘する。一方、米国の庇護に慣れた日本では、国際的な防衛システムや経済システムのコストを負担しなければならないという責任の意識が育たなかった。経済と防衛を切り離して処理してきた四十年に及ぶこのような不自然な関係は、今、米国の国力の下降、日本の上昇によって、矛盾にぶつかっている。日米間の今日の危機の本当の原因はここにあり、両国民はそれぞれの自己認識の誤りを改める必要がある、と氏は主張する。

前商務長官顧問の論理矛盾

両国の摩擦の原因を日本の閉鎖性にだけ求めるのではなく、両国の力関係の新しい変化に認めているこの意見はフェアーな態度で、一つの進歩であると思う。ところが、政治と軍事における国際システム維持のための応分の負担を日本に要求しているプレストウィッツ氏が、何と驚くべきことに、同論文の後半で、日本に次期支援戦闘機FSXの国内開発を諦めるよう求め、コストの安い米国製を買うことを至上命令のごとくに言っている。これは論理の矛盾ではないか。日本が政治や防衛の面でもっと自主的になれ、というのなら、米国製にだけ依存しない航空機の自主生産体制を、日本自らが築き上げなくてはならないのは当然の道理ではないか。そういう肝心なことは阻止しておいて、別の面でだけ責任を負えと日本に要求するのであれば、米国の政治と軍事にのみ都合のいい利益のために、米国民の負担を軽くせよ、と日本に身勝手な要求をしているにもほぼ等しいことになる。いかにフェアーに見える意見でも、米国人が持ち出す日本への責任要求論には、どうしても嘘と矛盾がつきまとう一例として、この論文を挙げておく。

日本の極東における覇権を何よりも恐れているのは米国自身である。フィリピンや韓国の政情不安に、日本が発言を控えたのは、敗戦国のいわば宿命であって、もし日本がああいうときに政治的な動きをしたら、最も牽制したのは米国だったに違いない。米国にとって、日本は他国に経済援助はするけれども、政治的軍事的にはいっさい影響力を行使しない国、という現在の状況が、最も望ましいはずなのである。だとしたら、米国側からの日本への政治的軍事的な責任要求論は、ことごとく説得力のない、空しい影のような虚論に終わるほかないといえよう。

しかし、問題は、じつはその先にある。戦後四十年間、日米関係を支配して来た基本的な前提が、今や有効ではなくなったというプレストウィッツ氏の認識は、氏の下心ある動機とは別に、私たち日本人にとっても看過し難い、決定的に重要な認識の一つに外ならない。池田（勇人）・佐藤（栄作）内閣の時代あたりまで、日本の外交は米国を食いものとして徹底的に利用するということで済んでいた。日本に責任がかかって来ても、逃げて、経済利益だけを追求すればよかった。いま新宰相が選ばれる時に当たり、そのような古い意識で事に当たったら、今度の総理は必ず失敗するという予感は、国民の中にかなり広く行きわたっている。ということは、日米の力の接近が両国の摩擦の真因だという、リアルな認識が日本人には自明になって来ていて、政治や軍事の面で日本が今までより自主性を回復することが、摩擦や危機を回避するためにはどうしても必要であり、米国もそれを欲しているという事を意味する。ただし、ここが肝心な点なのだが、自主性の回復であるからには、米国の利益に必ずしも一致しない場合が出て来ることを、両国民はどこまで予想し、覚悟しているだろうか。米国にもその覚悟はまだ出来ていないし、日本に至っては米国の身勝手さえ批判できず、ただ一方的に、米国の基準で無責任呼ばわりされて、辞を低くしているだけである。

外国人労働者を受け入れるな
日本人は「差別」に平然とできるか

昭和六十二（一九八七）年十一月二十四日

最近経済界の一部に、出入国管理法を緩めて、外国人労働者をもっと簡単に雇えるようにして

もらいたいという要請が、前よりかなり強まっていると聞く。それとじかに関係があるかどうか
は素人には分からないが、東南アジアから観光ビザで出稼ぎに来る〝じゃぱゆきさん〟が女性だ
けに限らず、土木工事などに従事する男性が激増、今年〔昭和六十二年〕上半期の勢いを見ると、
不法就労者は昭和五十七年当時の約六倍にも達するという〔昭和六十二年〕十一月二日各紙報道〕。

言論界でもそれに呼応するかのように、最近あちこちで、労働市場の開放政策を思い切って拡
大するようにとの声をかなりはっきり聞くようになった。その理由は大略こうである。日本だけ
が孤立した繁栄をつづけることはもはや許されない。外国の失業者の救済にもっと手を貸すのが
経済大国としての義務であり、日本が近隣アジアから敬愛され、評判を高めるために必要な手続
きである。西ドイツをはじめ欧米先進国はみなそうした義務を引き受けてきた。多言語多民族に
悩む諸外国から見ると教育も高く文化的にもまとまっている日本社会の好条件は許しがたく見え
るだろう。「人種と言葉の国際化」を日本にも背負ってもらい、その同一条件の上で競争するので
なければフェアとは言えない、と米国人あたりは考えているであろう。そういう先進諸国の日本
への不満や苛立ちをあらかじめ察して先手を打つことが、国際国家日本に今求められている政策
である。加えて、今のままの人的鎖国政策では、日本は近隣アジアの諸民族に対していわれなき
偏見、差別感を助長していると非難されても、弁解の余地はない、と。――

以上、新聞などに出た意見の主要モチーフを抜き書きしてみたが、いかにももっともな正しさ
で、私もこの流行の人道的「国際化」論に与していればあっぱれ開明派のヒューマニスト知識人
として、世間にいい顔をしていられるわけだが、私にも私なりの経験や知識があり、どこか一寸

おかしい考え方だなという疑問を、これらの主張に接する度に感じつづけて来た。子孫に影響を遺す恐れのある微妙で重大な問題にしては、余りに甘い考え方のようにみえる。

西欧諸国は失政の後始末に苦慮

私の調べた限りでは、現在はどの国も外国人の単純労働者を受け入れる政策をとってはいない。確かに一九五〇―六〇年代の資本主義経済の空前の繁栄期に、深刻な労働力不足に見舞われた西欧各国では、ダーティワークを含む単純労働を外国人に求めた。ロンドンの地下鉄やバスの様子はあれ以来急に変わったし、西ドイツの「奇蹟の経済復興」はユーゴや南伊やスペインの肉体労働者に支えられて、成功したのである。英仏や西ドイツがこのように外国人を迎えたのは、外国の失業者を救済するためでも、貧しい国から敬愛され、自国の評判を高めたいと思ったからでもない。極端な人手不足に見舞われ、大急ぎで一番安直な道を選んだまでである。同じように六〇年代後半に人手不足に陥った日本は、本能的に別の道を歩んだ。すなわち機械化（ロボット）の導入と、単純労働とそうでない労働との賃金格差を縮める政策で、難局を乗り切った。西欧諸国が目下自らの失政の後始末に大変に苦慮していることを思えば、日本には先見の明があったといえる。島国文化の孤立した特殊性のせいだけではなく、ある合理的判断の結果であったと言えなくもない。そのことに何で今ごろ日本人が後ろめたさや劣等感を抱く必要があるだろう。

他国の救済のために外国人の失業者を受け入れた国など、歴史上どこにも存在しないが、それでもアジアの労働者の締め出しは日本人のいわれなき偏見、差別感の現れだという人には、次のような事実も知っておいてもらいたい。周知の通りパリは人種による階級構造の都会である。底辺を中近東、黒人、アルジェリア、モロッコ人等が支え、第二の層にポルトガル、スペイン、イタリア人がいて、上部構造がフランス人である。中国人やベトナム人はこの構造から逸れている。私の友人はフランスのブルジョワ階級が所有し、スペイン人が管理するアパルトマンに住んだ。日々出されるゴミの回収に来る作業員は黒人やアルジェリア人である。家の所有主は書類上名を出すだけで、友人は家主のフランス人の顔さえ見たことがない。搾取する人種と搾取される人種がこの町ではもう何百年と、何の疑いもなく区別されている。人々は人種による「差別」には慣れっこになっていて、もう誰も驚かない。米国も同様の人種階層国家であろう。米国とパリは地球上の二大特殊例で、他の普通の国がこの二つの〝例外〟を模範とするわけにはいかないのだ。

もしもASEAN二億五千万の人口の一%に当たる二百五十万人を日本が受け入れた場合、東京に住む日本人はパリのフランス人のように、搾取する階級として彼らの上に平然と君臨する覚悟があるのだろうか。人種による「差別」を眉ひとつ動かさず、冷酷に実行できるのだろうか。人道的「国際化」を唱える日本のヒューマニスト知識人諸君よ！　諸君は綺麗事に囚われず、もう少し知的想像力を働かせてもらいたい。西ドイツが外国人対策に苦しんでいるのは、パリ市民ほど「差別」に慣れていない体質にある。日本は西ドイツ以上に破滅的な災厄を子孫に残すことになるであろう。学者、技術者、企業の幹部といった人材は外国からもっと自由に入国させてよいと思うが、単純労働者は絶対に受け入れてはならないと進言する。

欧米流儀だけが絶対ではない 捕鯨、コメ、移民労働者問題

昭和六十三（一九八八）年二月二十三日

わが国が南アフリカ共和国との貿易量で世界一になったことを憂慮し、外務省は関連企業に自粛を求めたというニュースが過日報ぜられた。同国の人種差別政策に対する国際的制裁に、わが国が不熱心で、またしてもエコノミックアニマルぶりを発揮したと非難されるのを恐れてのことだという。

二日程経て、三百頭に計画を縮小した日本の調査捕鯨船団の出漁に際し、米商務省が早くも制裁法の発動を宣言して、強い反発の姿勢を示した。また農作物十二品目の自由化に次いで、オレンジ、牛肉、さらにコメの自由化の要求が一段と切迫することも予想されている。公共工事への米建設業界の参入に伴い、単純労働者の日本への受け入れの要求もさらに声を高めて来よう。

以上、最近の目ぼしい対日要求をこうして並べてみると、必ずしも同質ではないのに、ある一つの共通点が認められる。南ア貿易に日本が用心深くないのは、確かに外交的に拙策であり、日本の失点である一方、捕鯨問題は今や米国の行き過ぎであり、日本はこれ以上退く必要のない限界まで来ている、という具合に、必ずしもすべての要求が同質ではない。それなのにそこに一つの共通点が認められることをよく知っておく必要がある。

私がここで言う共通点とは、対日要求のすべてではないが、その多くが、欧米民族、ことにア

ングロサクソン系白人が過去一、二世紀に地球上で犯した不行跡、狼藉《ろうぜき》の後始末への同調を求められているということである。南ア問題の重さを日本人は頭では理解していても、さほど神経質になれないのは、あれは白人たちがやったことで、自分たちの責任ではないとの思いがどこか心の奥に潜んでいるからではないだろうか。日本人が「エコノミックアニマル」であるからだけでも、あの国で「名誉白人」と言われていい気になりたいからだけでもないと思う。南アの不正を自分の祖先が歴史的に犯した罪への自責の念として意識することが出来ないからではなかろうか。

鯨を乱獲して資源を乏しくしたのも日本人ではなく、十九世紀の米捕鯨船団だった。昔の話なので今更この点は責められないが、今の米国人に後ろめたさがないのは遺憾である。江戸時代以前の日本人の食生活に、鯨はあったが、牛肉はなかった。食文化は衣住の文化よりも民族の独自性に深く関わり、変化しにくい。捕鯨禁止は小問題に見えるが、じつは欧米の日本食文化に対する侵害であり、攻撃である。米国の無反省は、捕鯨国アイスランドには制裁法を発動しない人種差別を平然と行っていることであり、米国自身の沿岸漁民には生存捕鯨を認め、日本の東北漁民の生存捕鯨を許さないという身勝手なごり押しにおいて、いわば頂点に達する。かつて北米原住民インディアンの生存に必要な野牛を、白人は大量殺戮《さつりく》し、資源が危うくなって、慌《あわ》てて野牛の捕獲を原住民にも厳禁するという措置に出たことがある。しかも北米白人はこれを文明の名において実行した。いま環境保護の美名に名を借りて、合理的に資源保全の図られている南氷洋の鯨を封じる対日禁止措置と、この点で問題の構造が大変によく似ているのである。われわれは欧米が作り上げた秩序に自分を合わせることを「国際化」の名において目下しきりに努力しているわけだが、最近は、欧米人が過去に地球上の八方でしでかした不始末の尻ぬぐいへの同調を求められているに過ぎないように思えることがしばしばある。

欧米のルールに身勝手な論理

移民労働者の問題も基本的にはそうである。パリやロンドンに黒人や東洋人が多いのも、労働者不足の手軽な応急措置の結果であるだけでなく、旧植民地との腐れ縁の結果でもあり、それはそれで一つの立派な後始末だったが、日本に同じ内容と規模の要求を押しつけて来るのは無茶である。日本が欧米への気兼ねないし体面から、この点でも欧米に似せようと努力するのは見当外れである。

米国の「コメの自由化」要求も、『文藝春秋』三月号〔昭和六十三年〕のカリフォルニア稲作農場主の委曲《いきょく》を尽くした説明によると、米国稲作農民の希望では必ずしもなく、政治的な要求である。自由化してもカリフォルニア米の安定供給は難しく、販売価格も実際に伝えられるほどの差は生ぜず、米政府の戦略で日本の稲作が破壊され、大豆、小豆、麦と同じ消滅の運命をたどり、日本の消費者にも生産者にもともにメリットのない結果に終わる、と同記事は警告している。

私は日本が国際的責任を回避した消極国家になれ、と言っているのではない。国際的責任の取り方は欧米流儀がすべてではない、と言っているまでである。欧米のルールに合わせた方がよい場合にはそうすればよいが、欧米のルールには元来、欧米以外の民族文化に対する侵犯の意図が内蔵されていることを、われわれはあらためて歴史的に思い出してみる必要があるのである。具体的にいえば、南ア貿易に日本は控え目である方が賢明だが――日本文化に無関係な問題なのだから――、捕鯨問題、コメの自由化、移民労働者の問題はまったく別である。これらは日本文化に向けられた攻撃的意図を秘めている。

われわれは従来のように単に受け身に日本文化を守るという姿勢ではなく、欧米のルールに潜む彼ら自身の価値観の絶対化と身勝手な論理を正確に見抜いて、あらゆる場面でその不当さを批判し、説得し、そこから日本独自の国際的責任の取り方を切り拓《ひら》いていくべきであろう。

アジア各地に日本史資料館を 奥野国土庁長官辞任に思う

昭和六十三（一九八八）年五月十六日

一昨年〔昭和六十一年〕九月、私はパリのある国際会議に出ていて、中曽根首相の人種差別発言のニュースを、傍の英国人から耳打ちされた。それに先立って藤尾（正行）文相発言があり、文相が罷免されたニュースもすぐに伝わっていた。同じ春の教科書問題も知られていた。最近は日本の国内のニュースが、みな国際的反響を呼ぶ仕組みになっている。「それだけ日本が重要な国になったからです。重要になればなるほどドイツと同じように苦しい立場に立たされます」。隣席のドイツ人出席者が、戦後ずーっと周辺諸国に頭の下げっ放しだった西独の苦しい立場を思い出すかのように、私に言った。

しかし私はそれを聞いていて、日本の事情は西独とは少し違うなと思った。日本の方が外交的に面倒で、誤解され易い。なぜなら、過去の戦争について国民が抱く国内的イメージと外国人が抱く国際的イメージとの間に、ドイツの場合にはギャップがあまりなく、日本の場合にはかなり隔たりがあるからである。ドイツ人は交戦相手のすべてに対し加害者であった。自らが犯罪国家であったことを認めざるを得ず、過去を徹底して謝罪することによってしか生きる道がなかった。ドイツ人は大戦争を二度も起こし、ユダヤ人の組織的大量虐殺をした。戦後そのような過去を全面否定することで、ドイツ人はさながら外国の歴史を語るように自国の歴史を冷淡に、愛情もなく、不信の目で語るようになった。それが将来必ず災いをなすと思うが、差し当たり今は、このことが国内から見るドイツ史と、外国人の見るドイツ史との間の違いを小さくしている。だからポーランドやフランスと教科書の内容を相談できるのである。

しかし日本の場合にはどうも事情が違う。日本人が現代日本史をどんなに否定的に描いても、中国人や韓国人が描く現代日本史とはどうしても一致しない点が出て来るのではないか。それでも、中国大陸や韓半島に日本軍が侵攻した以上、その点で日本人には謝罪の意思があり、限度を超えなければ中韓両国の認識に歩み寄る余地はある。けれども、日本の主たる交戦相手国は彼らではなく、ソ連を含む欧米列強だった。そして、欧米列強に対し、日本人は加害者意識がさしてなく、彼らに罪悪感を抱く日本人は恐らくいないだろう。それどころか原爆を落とされて、被害者意識をすら抱いている。ここにドイツ人との決定的な相違がある。

日本が欧米列強のすべてに対し「犯罪国家」であったと考えている日本人は、よほど特殊な思想の持ち主以外にはまずいまい。戦後の日本人にはナチス犯罪を追及したドイツ人のような道徳的厳しさがない、などと分かったようなことを言う人がよくいるが、ドイツ人は戦後、生きる必要からそうせざるを得なかっただけで、道徳的に高潔であったからではなく、またドイツ人とは違った戦争をした日本人には、そうする必要も、理由もなかったまでである。

国内の言葉が国際的には唐突

［昭和六十三年五月］十三日、奥野誠亮《せいすけ》国土庁長官がタブーに触れた発言をして、藤尾元文相と同様に、引責辞任した。奥野氏は「日本に侵略の意図はなかった」と言うべきではなく、「侵略という意図だけであの戦争のすべてを説明はできない」という風に言うべきであったろう。それにしても、こういうことが起こる度に野党がはしゃぎ、日本が外交的に失点し、政府が逃げ腰で事をただ穏便に収めようとするだけで終わる繰り返しが、いつしか取り返しのつかぬ事態を招くことになりはせぬか。失言しない西独の政治家と比較して、日本の政治家は自覚が足りないとか、歴史を知らないとか、いろいろ言う人がいたが、私はそうは思わない。すでに述べた通り、日本は目的や動機においてドイツと違った戦争をしたのだ。少なくとも、決定的に違った一面を持つ戦争をした。そのために、日本の国内で考えられている戦争像と、国外で外国人が考えている戦争像との間に、ドイツの場合よりも大きな開きが生じ、従って、国内で無警戒に語られる言葉の端々が、国際的に唐突に響くという結果になっている。

日本の位置がこれから大きくなるにつれ、この傾向は益々強まるであろう。だからといって、日本の国内の自己主張をただ抑えればよいのではない。日本人の描く戦争像を、国際的な討議の場に出し、抑えるべき処は抑え、認めさせるべき処は認めさせるという、言葉による努力を一段と傾注しなくてはならないときであろう。これは日本にとりきわめて重大な課題で、竹下首相のように、ただ事なかれ主義で、頭を低くしてやり過ごせばいいというものではない。

幸い世界の歴史学者の中には、あの戦争で日本だけが悪かったのではなく、植民地解放という結果もあって、ドイツのした戦争とは違うということを分かってくれている人も少なくない。ただし世界の新聞論調はドイツと区別しないし、中国、韓国に理解してもらうには時間がかかる。そこで、アジア各国の代表都市に、日本政府は積極的に日本史資料館を作り、世界の学者たちを招いて、先の戦争の認識を巡って、広範囲な学問上の討議を展開すべきであろう。日本の犯した過ちの資料は隠さずに、全公開し、謝るべきは謝り、善き意図であった部分は認めてもらう。そのような地味な、忍耐強い努力の積み重ねによってしか、問題は解決されまい。そして、それが今後の日本にいかに大切な課題であるかは、あらためて言うまでもないであろう。

昭和六十三（一九八八）年六月十六日

日本・NICS離間策に乗るな
日本と東アジアの未来

戦後のかなり長い期間、世界はいわゆる東西対立の二極のイメージで眺められて来た。ソ連と中国が彼方にあり、米国と欧州が此方にあるという東西対立が、戦後世界の対立のモデルだった。日本その他の国々はいわば埒《らち》外だった。埒外にある国なぞはどうにでもなると思われていた。勿論この関係はまだかなり強力だが、世界にもう一つの力の渦が生じて、そこを無視して世界経済のみならず世界政治も考えられないという認識が、欧米においても、にわかに拡がりつつある。日本、韓国、台湾、香港、シンガポールその他の東アジアの興隆がそれである。

ことに米国にとって、これは重要である。米国の対欧州市場は目に見えて縮小しつつある。一九八〇年から八六年の間に四大国（西独、仏、英、伊）向けの米国の輸出は七％減少したが、日本向け輸出は二一％増加している。NICS（新興工業国群）、さらに中国との貿易も急速に拡大傾向にある。欧州の人口は減少の速度を早め、市場は狭小化の方向にある。力のついて来たNICSへの欧米の警戒ないし要求もあって、今回のサミットは東アジア経済圏の持つ政治的意味に関する討議を逸するわけにいかなくなったし、日本がそこで果たすべき役割――それをどうするかが日本の運命に関わる――も、当然予想されている。

しかし、現実はかように大きく変動しても、人の心はなかなか急には変わらないものだ。米国では、ことに東海岸の政界やマスコミ、知識人の間で欧州中心の見方が蔓延《まんえん》していて、先頃もゲッパート上院議員が、韓国や日本にすさまじい攻撃を仕掛け、同じような貿易慣行で生きているカナダや欧州の黒字に対しては口を緘《かん》するという矛盾した行動をみせた点に、これは如実に現れている。欧州でも、仏独の対アジア評価にはどこかためらいの色がある。西独はそれでもまだ公正だが、フランスは日本の経済進出に対しても戦後一貫して敵対的で、日米関係が政治的に大切な意味を持ち始めている現実の変化をなかなか認めようとはしない。これら伝統的な西欧中心主義者は、あくまで自己優越の、アジアを見下す意識に囚われたままで、西欧以外の地に起こるどんな活力ある勢いでも、〝野蛮の出現〟として冷笑的に無視してかかる。

「東亜興隆」の責務がある

しかし、この点に関し欧米は今や一枚岩ではない。カリフォルニアを中心とした米国西海岸にはまったく新しい意識が芽生えていると聞く。東海岸の言論界には「黄禍」論すら復活し、東アジアから身を守るため米国はソ連と手を結ぶべきだとさえ提唱している人がいる（『ニューズウィーク』日本版一九八八年三月三日）のにひきかえ、西海岸ではアジア系などの新しい移民が活力をなす太平洋志向が、米国の再生を求めて胎動しつつある。そして欧州にも、これに似た新旧二つの動きがある。日本に拍手を送る気になれない仏独にひきかえ、サッチャーの英国は、円高と株暴落とNICSの挑戦をみごと乗り越えた最近の日本の強さを真っ先に認めた。ロンドンにおける日本の金融活動に期待をかける英国は、今春早々ハウ外相を東京に派遣し、次いでテュウゲンドハット王立外交問題懇談会長を東京に送った。後者が『デイリー・テレグラフ』に寄稿した論文（昭和六十三年一月十四日）は、サッチャー対日外交を代弁している。

すなわちサッチャー首相の今期の外交目標は日本に置かれる。現代の世界で、日米の話し合いは米ソ関係と同じくらい重要で、日米両国が共同の決意を固めるなら、米ソＩＮＦ（中距離核戦力）合意に劣らぬ戦略的重要性がある、等。

トロントサミットは、上げ潮にある日本と東アジアを見る欧米の眼が以上のように二つに割れている時期、東西対立がすべてという時代は確かに終わったけれども、かといって新しい台風の目にどう対処してよいか欧米側が判断に苦しみ、迷っている時期に開かれる。しかもＮＩＣＳが主要な討議の対象となる。日本はＮＩＣＳを守らなければならない。欧米側はＮＩＣＳ各国の通貨切り上げ要求、特恵関税の見直しなど、役割分担を求め始めている。日本は先進国として、経済的には欧米と利害が一致するが――特に米国の日本への非難が分散されれば、日本はその分だけ逃げられる――しかしこの際、非難の矢の肩代わりや責任分担をＮＩＣＳに要求することだけは、日本外交の長期的見地からも絶対に避けてもらいたい。

世界世論は今、日本だけでなく、東アジア全体を一つの力の渦として見守っている。日本はその一部にすぎない。十七世紀以来の西欧の支配に破れ目が生じるか否か、秩序が本当に多極化するか否かの分かれ目である。欧米の伝統的保守主義者たちの打つ手は、日本とＮＩＣＳを離間させることである。それによってアジアを全体として弱めることである。日本は経済的不利を背負っても、百年の計のために、その手にだけは乗ってはなるまい。日本の未来は、東アジアの興隆と繁栄の外にはない。日本の周辺に同程度の先進国が並存し、ＥＣのようなブロックを組めることが、日本の希望である。欧米ではアジアがそこまで発展するか疑っているので、両極端の見解が飛び交っているのだ。日本人は東亜興隆という明治以来の夢を実現する責務を背負っている。

なぜ今、日本をおだてるのか『大国の興亡』の裏を読む

昭和六十三（一九八八）年十月十二日

話題の書『大国の興亡』（ポール・ケネディ、草思社、一九八八年）は、果たして歴史の名著といえるのだろうか。私は疑問である。現代アメリカの直面している問題から歴史を見過ぎている。歴史を現代の単なる反映図として扱い、過去をあまりに簡単に割り切り過ぎている。歴史は現代からの絵解きでは決してない。もとより、現代を生きる人間の問題意識が反映していないような歴史は、干からびた死んだ骨董品と何ら変わるところはないであろう。その点『大国の興亡』には現代の問題が満ち満ちている。けれども歴史には現代の関心だけでは割り切れない何ものかがあるはずなのである。歴史には沈黙の部分がなくてはならない。見えないものへの予感がなくてはならない。

例えば、著者ポール・ケネディは十六世紀の地球全体を見渡す鳥瞰図から書き出し、西欧だけでなく、徳川時代の日本人にも大きなスペースを割いている。日本人から見るといかにも公平に見える。けれども、軍事と経済の均衡とその破綻という一つのモチーフで地球上の全体図を説明し、近世初頭から何もかもを見渡してみせるこのような視点の自由を、著者はいかなる権利があって主張し得るのか。いったい歴史家が神の位置に立つことは許されるのであろうか。

オランダ一国を失うことで全領土を失うことを恐れた十七世紀ハプスブルク王家に、「ドミノ理

論」におびえたベトナム戦争当時の米国を重ねて見たり、関税同盟に揺れる統一前の十九世紀ドイツ諸邦の動きから、一九九二年の「ヨーロッパ市場統合」の行方を占ってみせたりするのは、アナロジーとしては確かに大変に面白い。しかし時代が違えば戦争も、政治も異なる。国民の名誉、道徳、精神のすべてに戦争の勝敗が致命的に関係するいわゆる「総力戦」は、第一次大戦以前の世界にはなかった。十七、八世紀の戦争と二十世紀の戦争を同じに扱うのは無茶である。また西欧の国家と中国の歴代王朝とでは国家観念が異なる。

米国の悩みを投射しただけ

このように互いに異質なものを十把一からげに、分かり易く、明瞭に描き出すことが可能であったのは、要するに例の〝軍事的に手を広げれば経済が破綻しそれによって大国の覇権は失われる〟という命題——現代の米国にとっては確かに深刻な問題——を、過去というスクリーンの上に、大写しに投射してみせることに成功したからなのである。それだけのことである。つまるところ『大国の興亡』は史書ではなく、現代評論に外ならない。きわめて時局的な本であって、従って本の内容よりも、なにゆえ大統領選前のこの時期に出版され、米国民の心を強くとらえることができたのか、ということの方に、はるかに大きな象徴的意味があるであろう。

レーガン政権のやったことには主に二つあると私は思う。一つは軍備拡張、強いアメリカの再生によってソ連を後退させることである。これには明らかに成功した。しかしそのために経済が破綻した。レーガン政権のもう一つの帰結がこの失敗である。経済の競争で負けていれば、軍事的へゲモニーを維持できない、という困難に、米国は現に直面し始めている。今まで米国人はこの現実を敢えて見まいとして来たが、大統領選投票日が近づくにつれ、いつまでも自分をごまかしているわけにはいかなくなった。「手を拡げすぎた帝国」というポール・ケネディの命題は、歴史のセオリーでもなんでもない。現代的な、余りに現代的な、見え見えの思いつき理論にすぎない。

ところで去る［昭和六十三年］九月三十日、日米でこの本がベストセラーとなっている折も折、勿論直接のつながりはないのだが、ブレジンスキー元米大統領補佐官は、日本にGNP比四％相当の戦略的な国際援助費を示唆した。ブレジンスキーと言えばブッシュの片腕である。四％は金額に直せば八兆円から九兆円にもなる巨額である。日本のODA（政府開発援助）は、本年度、米国を上回った。それでもGNP比わずか〇・三二％である。四％というのはとんでもなく大きな額であるが、欧州各国の軍事予算の対GNP比がおよそ三～四％であることが、この比率を米国が最近しきりに言い出している論拠だと思う。つまりここでも軍事と経済のかね合いが強く意識されている。しかしあくまで米国の側からみてのかね合いにすぎない。

いくら開発援助費を増やしても、日本の防衛力の増強に比例するものではあるまい。一方で「日本たたき」をし、わが国の眠れるナショナリズムを喚び起こしている米政府が、他方の手で日本から金を絞り取ろうとしていることには矛盾がある。ＳＤＩ（戦略防衛構想）という米本土を守る戦略に日本の財政と技術の肩代わりを求めることにも矛盾がある。しかも、日本に防衛力の増大を迫るのは得策ではない、という考えが最近、米言論界の中で急速に高まっていることが注目されなくてはならない。例の「防衛税」という、守ってやるから金だけ出せという露骨な構想である。

軍事と経済を結んで米国の衰退を論じた『大国の興亡』は、この米国世論にぴったり対応している。日本を新しい超大国の一つとして高く評価し、いかにも日本人をおだてている本だが、包括貿易法案というムチを振りかざして近年日本をしきりに威《おど》す米国のもう一つの甘い顔、ムチでたたきながら他方の手でアメを差し出している米国民のしたたかなポーズと私には見える。

おわりに

日本人がまともに生きる
憲法改正はその第一歩にすぎない

平成三十一（二〇一九）年三月一日

天皇陛下の譲位と新天皇陛下のご即位という近づく式典は、日本人に象徴としての天皇のあり方を再認識させている。昔から皇室は政治的な権力ではなく、宗教的な権威として崇《あが》められてきた。皇室は権力に逆らわず、むしろ権力に守られ、そして静かに権力を超えるご存在であった。

武家という権力がしっかり実在していて、皇室が心棒として安定しているときにこの国はうまく回転していた。そこまでは分かりやすいが、「権力を握ってきた武家」が一九四五年以来アメリカであること、しかも冷戦が終わった平成の御代にその「武家」が乱調ぎみになって、近頃では相当程度に利己的である、という情勢の急激な変化こそが問題である。

皇室は何度も言うが精神的権威であって、政治的権力ではない。昔から武士とは戦いを交わすことはなく、武士の誇示する政治力や軍事力を自《おの》ずと超えていた。第二次大戦の終結以後も同様である。しかもその武士が外国に取って代わられたということなのだ。ここに最大の問題、矛盾と無理が横たわっている。さらにそのアメリカはもう日本の守り手ではなくなりつつあり、史上初の「弱いアメリカ」の時代が始まっている。

平成時代の回顧が近頃、盛んに行われているが、平成の三十年間はソ連の消滅が示す冷戦の終《しゅう》焉《えん》より以降の三十年にほかならず、日本の国際的地位の急激な落下の歴史と一致する。冷戦時代には世界のあらゆる国が米ソのいずれか一方に従属していたから、日本の対米従属は外交的にあまり目立たなかった。しかし今ではこの点は世界中から異常視されている。世界各国は日本がアメリカと違った行動をしたときだけ注目すればいい。

わが皇室は敗戦以後、アメリカに逆らわず、一方的に管理され、細々たるその命脈を庇《ひ》護《ご》されたが、伝統の力が果たしてアメリカを黙って静かに超えることができたのかとなると、国内問題のようにはいかない。当然である。各国はそのスキを突いてくる。かくてわが国は中国から舐《な》められ、韓国から侮られ、北朝鮮からさえ脅かされ、なすすべがない。

日本人は操縦桿を握ろうとしない

今の危うさは、昭和の御代にはなかったことだ。すべて平成になってからの出来事である点に注目されたい。平成につづく次の時代にはさらに具体的で大きな危険が迫ってくると考えた方がいい。

百二十五代続いた天皇家の血統というものが世界の王家のなかで類例を見ないものであり、ローマ法王やエリザベス女王とご臨席されても最上位にお座りになるのはわが天皇陛下なのである。

百二十五代のこの尊厳は日本では学校教育を通じて国民に教えられてさえいない。そもそもその権威は外国によって庇護されるものであってはならず、日本国家が本当の意味での主権を確立し、自然なスタイルで天皇のご存在が守られるという、わが国の歴史本来の姿に立ち戻る所から始めなければならない。

天皇、皇后両陛下が昭和天皇に比べても国民に大変に気を遣っておられ、お気の毒なくらいなのは、国家と皇室とのこうした不自然な関係の犠牲を身に負うているからなのである。

ではどうすればよいか。日本国民がものの考え方の基本をしっかり回復させることなのだ。アメリカに「武装解除」され、政治と外交の中枢を握られて以来七十四年、操縦席を預けたままの飛行は気楽で心地いいのだ。日本人は自分で操縦桿《かん》を握ろうとしなくなった。アメリカはこれまで何度も日本人に桿を譲ろうとした。自分で飛べ、と。彼らも動かない日本人に今や呆《あき》れているのである。

もっとも、操縦桿は譲っても、飛行機の自動運航装置は決して譲らないのかもしれない。日本人もそれを見越して手を出さないのかもしれない。しかし問題は意地の突っ張り合いを吹き飛ばしてしまう「意志」が日本人の側にあるのか否かなのだ。

一九四五年までの日本人は、たとえ敗北しても、自分で戦争を始め、自分で敗れたのだ。今の日本人よりよほど上等である。この「自分」があるか否かが分かれ目なのである。「自分」がなければ何も始まらず、ずるずると後退があるのみである。

平成二十一（二〇〇九）年四月八日に今上陛下（現上皇陛下）が事改めて支持表明をなさった日

本国憲法は、日米安保条約といわば一体をなしている。憲法と条約のこの両立並行は、アメリカが日本人に操縦桿を渡しても自動運航装置を決して譲らない、という意向を早いうちに固めていた証拠と思われる。日本国民の過半が憲法改正を必要と考えるのは、逆にまともに生きるためにはたとえ不安でも自立が必要と信じる人が多いことにある。

日本製の大型旅客機が世界の空を自由に飛行し、全国に百三十カ所ある米軍基地を撤退してもらい、貿易決済の円建てがどんどん拡大実行される日の到来を期待すればこそである。憲法改正はそのためのほんの第一歩にすぎない。